ERIN PIZZEY

Swimming with Dolphins

МИРОВОЙ **МБ** БЕСТСЕЛЛЕР®

ЭРИН ПИЦЦИ

Плавать с дельфинами

Москва, 1999

УДК 820 (420)-31
ББК 84.4 (4 Вл.)
   П 32

Перевод с английского Владимира АНДРЕЕВА

Книга издана в суперобложке

По вопросам оптовой закупки книг серии «Мировой бестселлер» обращаться по телефонам (095) 265-50-53 и 265-56-62.

Служба **«Книга-почтой»** Издательства: (095) 261-98-22.

На книги серии «Мировой бестселлер» можно подписаться в Агентстве **«Книга-Сервис»** по адресу: 117168, г. Москва, ул. Кржижановского, д. 14, корп. 1 (ст. метро «Профсоюзная»), тел. (095) 129-29-09, 124-94-49.

Наложенным платежом книги этой серии можно заказать через ЗАО **«Бета-Сервис»** по адресу: 111116, г. Москва, а/я 30, «Мировой бестселлер».

ISBN 5-7020-0964-9

Книга «Плавать с дельфинами» посвящена Дэвиду Моррису, Алану Коэну и Джону Элфорду — трем моим «белым рыцарям». Г-ну Хаббарду, моему милому банковскому менеджеру в «Ллойде», и Джульет Кларк, чьи дружеские речи всегда помогают мне в тяжелые моменты. Синьору Фаэнци из «Касса ди Риспармио ди Фиренце». Сэму Бадха из «Сент-Джеймс-Корт-хоутел» и г-ну Стриеснигу, менеджеру «Савоя». Все мои книги, в том числе и эта, посвящены также Рино. Без него «Савой'з Ривер Рестран» никогда не будет таким, как прежде. Г-ну Келли и Соне Поттер из «Фортнум энд Мейсон», Стелле Берроуз из «Хэрродз». Благодаря им моя полная забот жизнь идет гладко. Грэхаму Харперу из «Эшгрин Тревел», который оперативно обеспечивает мне проезд туда, куда мне требуется. Патрисии Паркин, моему новому и, надеюсь, постоянному теперь издателю, а также всему персоналу издательства «Харпер/Коллинз». Моей деревне Сан-Джиованни-д'Ассо. Роберто Каппелли, ее мэру. Луанне и Николетте, моим подругам. Всему моему английскому классу и еще Мануэле Меоччи, Мауре, Лие и Рокко Мачетти. Антонелле Гидотти чье неизменное доброе расположение духа не позволяет мне сойти с ума. Американке Эрлин Пахт за ее благородные усилия, предпринимаемые во имя улучшения жизни ее сограждан, мужчин и женщин. Джону Лемплу, директору по общественным связям, Луизе Смит, сотруднице секретной службы «Бритиш эйрвэйз», моей любимой авиакомпании. Рут Элборетти, моей подруге, Кристоферу Литтлу, моему симпатичному агенту, за его добросовестную работу, Кейте и Эмберу Крейгам, а также Дмитрию Скотту, Че Левису и Кадиру Шиллингфорду, моим замечательным внукам. Моя благодарность им всем и вправду не имеет границ.

«Затем приходит время изгнания, начинаются бесконечные поиски оправданий, накатывает бессмысленная ностальгия, встают самые болезненные, самые душераздирающие вопросы, вопросы, которые задает себе сердце, желающее знать: где оно может ощутить себя дома?»

АЛЬБЕР КАМЮ *«Бунтующий человек»*

«Начинается все с того, что ты опускаешься в его руки. Кончается же тем, что ты оказываешься с руками, по локоть опущенными в мойку».

АНОН — знаменитая феминистка

«Пюер Этернус — недоразвитый подросток, живущий в перманентном состоянии Питер-Паники».

МАРИ-ЛУИЗА ФОН ФРАНЦ

Глава первая

Пандора лежала на горячем песке и проклинала себя. «Черт возьми, — думала она, — почему же так получается? Каждый раз я даю себе слово, что никогда больше не буду участвовать во всяких однодневных любовных приключениях, и тем не менее снова и снова делаю это». Палящее солнце обжигало ее неподвижное тело, которое мысленно она покинула и, как бы взлетев, оглядела себя сверху. Ей было слышно, как шуршит море, причмокивая по песку. Осторожно приоткрыв уставшие, покрасневшие глаза, женщина вдруг заметила, что рядом с ней спит какой-то незнакомец.

— О, нет! — простонала она.

Полет ее мыслей тут же оборвался, и Пандора почувствовала, что лицо заливается краской. Она подняла голову и посмотрела на уходящий вдаль пляж поверх ярких ногтей на пальцах ног. Все десять ноготков сверкнули ей в глаза солнечными бликами. «Может, если бы я не красила ногти на ногах, я бы прекратила все эти случайные любовные утехи», — подумала Пандора.

Там, у кромки моря, она смогла различить во всех их унизительных подробностях песочные кружева, узоры, отметившие то место, где после целой ночи бешеных танцев при свете звезд заметалась вчера в неистовом любовном экстазе с совершенно незнакомым ей мужчиной.

Тот ли это мужчина, что лежал теперь рядом с ней? Пандора внимательно вгляделась в лицо все еще спавшего человека. «Какой ужас! — подумала она. — Я действительно не помню, он это был или нет». Накануне, в жаркой ночи, когда ром и пунш сделали ее ноги и бедра мягкими и податливыми, происходившее с ней и вокруг нее превратилось в череду калейдоскопических картинок. Запомнились луна, звезды, холодно сверкавшие над головой, пальмы, тяжело вздыхавшие при дуновении морского бриза, струившегося по спине, и неожиданный изгиб волн, беспокойно набегавших на берег. А потом... потом наступил тот момент, когда танцы прекратились и все вокруг замерло. Из дальнейшего память ее сохранила лишь людские тела, беспорядочно двигавшиеся на песке, валяющуюся под ногами пустую бутылку из-под рома и то, как некий мужчина, упав перед ней на колени, прижался губами к ее груди.

«С Преподобной случился бы от всего этого нервный припадок», — сказала себе тогда Пандора, пытаясь перевести мысли на что-нибудь другое и не дать своим пульсирующим соскам затвердеть и налиться вишневым цветом. Но на этом острове не было ни Преподобной, ни даже католического священника.

«Ко всем чертям!» — решила в тот момент женщина и опустилась на песок меж колен незнакомца. Все вокруг потонуло в сладостных стенаниях, волны моря смыли, унесли с собой и ром, и остатки ночи. И наступила тишина.

Пандора потянулась и села. Ее хлопковое платье с открытой спиной хрустело от соли. Она опять посмотрела на лежащего рядом и на этот раз встретилась взглядом с парой больших, дружески улыбающихся ей карих глаз. «Так все же это он был со мной вчера или нет?» — с беспокойством задавала себе Пандора один и тот же вопрос.

10

Мужчина, продолжая приветливо улыбаться, перевернулся на живот.

— Меня зовут Бен. — Широким жестом он протянул ей руку.

Пандора ответила на рукопожатие.

— Так мы с вами где-то встречались? — спросила она.

«Черт! А что, если это все же был он? Но, с другой стороны, я же не могу, в самом деле, сама задать ему вопрос, мол: «Привет, я — Пандора. Не с вами ли мы вчера трахнулись?» Она действительно не могла найти удачного выхода из сложившейся ситуации. В женском монастыре, где она воспитывалась, правила сексуального этикета не преподавали.

Бен продолжал ей улыбаться. «А у него красивые зубы», — подумала Пандора.

— Встречались ли мы? Да, пожалуй что, встречались. — Он с силой потянулся, затем стряхнул песок с мелко вьющихся жестких черных волос. И, нагнувшись вперед, притянул ее к себе. — Вчера у нас все здорово получилось. Как тебя зовут? — Он обнял ее.

Не удержавшись, Пандора рассмеялась.

— Мое имя не «Как-тебя-зовут», а Пандора.

Она легла рядом, положила голову ему на грудь, вдохнула его запах. Запах был приятный — некая смесь ароматов лайма и красного жасмина, что росли по краю огибавшей остров узкой дороги.

— Добро пожаловать на Малое Яйцо, мой остров, — сказал Бен.

Пандора отметила нотки гордости в его голосе.

— Ты здесь родился?

— Да. — Бен сел, удобно уложив голову женщины на своих коленях. — Меня воспитывала бабушка, и я всегда буду жить именно на этом острове.

Пандора внимательно смотрела на него и думала, что именно — лицо, излучающее солнечный свет, или какая-то особая черта его стройного, гибкого тела, —

вызывают у нее желание приникнуть к нему и крепко обнять? Она уже достаточно давно путешествовала по близлежащим островам. Побывала, например, на Большом Яйце — главном острове, который располагался в сорока милях от этого и был населен, как казалось Пандоре, исключительно отупевшими от пьянства приезжими. Она сбежала оттуда. Здесь же, на этом острове, всего лишь после двух дней, проведенных в старой гостинице на берегу моря, женщина чувствовала себя как дома. И сейчас, положив голову на колени мужчине по имени Бен, ощущала то состояние покоя и безопасности, которое потеряла, поняв, что брак с Ричардом, ее третьим мужем, превратился в кладбище невыполненных обещаний.

Бен заглянул ей в лицо, скользнул взглядом по телу, отметив предательскую белую полоску на безымянном пальце, где недавно было обручальное кольцо. Пандора заметила его взгляд:

— Я выбросила кольцо, когда приехала, — сказала она.

— Ты разведена?

— С Ричардом? Нет, не совсем. — Пандора понимала, что ее слова звучат банально, как в каком-нибудь дешевом романе из тех, что продают в аэропортах. Ей было очень больно говорить на эту тему, но виду она не подавала. С какой стати, ведь перед ней — посторонний человек, которому она доверяла не больше, чем любому другому незнакомцу! — Мой муж и я решили расстаться на какое-то время. Предоставить друг другу больше свободы. Мы продали дом и поделили выручку. Часть своей доли он потратил на покупку красного «феррари». Я же купила себе билет до берегов Карибского моря. Я всегда мечтала жить на острове. Слушай, ты извини меня за вчерашнее. Надеюсь, что я не слишком тебя шокировала.

Бен поцеловал ее в губы.

— Прекрати. Все было прекрасно, — заверил он,

скрепив слова еще одним поцелуем, на этот раз крепким и страстным. — Прими душ, переоденься, а потом съездим к моей бабушке перекусить.

— Замечательно, — улыбнулась она.

— Я провожу тебя до гостиницы.

Пандора подняла туфли и зашагала рядом с Беном.

— Моя фамилия Джонсон, — начал он, держа ее за руку. — Мои предки очутились на этом острове несколько веков назад. Джонсон — так звали рабовладельцев, которым мои родичи принадлежали. Когда же моя прапрабабушка стала свободной, она оставила себе ту единственную фамилию, которую знала, то есть фамилию своего бывшего белого хозяина. — Он усмехнулся. — В наше время женятся кто с кем захочет, поэтому и в моей родне смешана кровь почти всех рас.

Пандора слушала скрип песка под ногами. Солнце грело ее непокрытую голову. А сердце «напевало» радостный мотивчик, который становился все громче и громче. «Может быть, — думала она, — это и есть то, что я искала всю свою жизнь: пляж, сине-зеленое море и этот мужчина рядом — простой и добрый». Теплый пляж и нежные объятия моря не вызывали у нее недоверия. Но вот связаться еще с одним мужчиной? Опять пойти на риск быть в очередной раз преданной? Где сейчас Ричард и его красный автомобиль? Радостный мотивчик прервался чем-то вроде всхлипа, и Пандора склонила голову так, чтобы Бен не заметил ее слез.

Она считала себя экспертом в вопросах замужества. После трех неудач на этом поприще уж точно могла в них хорошо разбираться. Ее первые два брака были полны ссор и склок. Последний же просто развалился, как разваливаются раз и навсегда старые вещи, переставшие быть единым целым. Случилось так, что в какой-то день она была счастлива замужем за Ричардом, а уже назавтра вдруг исчез некий стержень их совместной жизни.

Шагая молча рядом с Беном, Пандора просила Бога о прощении. «Я давала обещания и нарушала их, — корила она себя. — И вот теперь я стала одной из этого ужасного отряда одиноких женщин, отчаянно пытающихся убедить себя в том, что они счастливы жить независимыми...» Однако такие мысли оказались слишком тяжелы и неуместны для столь прекрасного дня. «Я обдумаю все это позже», — уверила себя Пандора.

Они подошли к одному из коттеджей, расположенных на территории гостиницы. Бен присел на корточки в тени пальмы напротив двери.

— Не хочешь зайти? — спросила она.

Бен покачал головой.

— Нет, спасибо. Иди переодевайся, а я подожду тебя здесь.

Пандора внимательнее посмотрела на мужчину. «Что, черт возьми, я в нем нашла?» — спрашивала она себя, глядя на то, как он безо всяких усилий застыл в казалось бы неудобном, неустойчивом положении, элегантно скрестив руки на коленях.

«Это человек, который здорово выучился терпению», — думала Пандора, стоя под душем. Может быть, покой острова научит терпению и ее, поможет вернуть утерянное душевное равновесие. У Ричарда был страшно раздражительный характер, из-за чего она пребывала в постоянном напряжении.

Так было не всегда. Поначалу она и Ричард действительно любили друг друга, были нежны и ласковы, как и все влюбленные. «Со временем, однако, все меняется, — сказала себе Пандора, намыливая живот. Она почувствовала, как песок царапает ее кожу. — В любом случае, сейчас я должна думать о будущем, а не о прошлом. Ричард ушел, чтобы последовать за своей Гретхен с платиновыми волосами, своей Лорелеей».

Когда-то она, Пандора, была его Лорелеей, его беспризорным ребенком, требовавшим, как ему казалось, его любви и защиты. Постепенно Пандора стала понимать, что Ричарду нужна женщина только для того, чтобы превратить ее в «дело жизни», в высокую цель, в того, кому он мог бы помогать и давать убежище, но, кроме того, еще и подвергать реформированию. Гретхен, с ее белыми, притворно застенчивыми ресницами, скрывающими энергичные, агрессивные глаза, стала просто следующей претенденткой на роль такой женщины, и Ричард, одурманенный ее чарами, попросил Пандору дать ему свободу. Она и не пыталась спорить, а лишь грустно подумала, что всех мужчин с незапамятных времен всегда больше тянуло к *фатальным, беспощадным красавицам*. После двух в высшей степени неудачных браков Пандора не испытывала никакого желания цепляться за третий. Если Ричард считает возможным выступить войной против дракона в лице мужа Гретхен, если он жаждет выйти из этого боя с победой, триумфально везя свою возлюбленную поперек рыцарского седла, то в таком случае она, Пандора, больше склонна при всем при этом не присутствовать.

Однако для нее это оказалось не таким простым делом, учитывая, что они с мужем все-таки целое десятилетие строили жизнь вместе.

Пандора улыбнулась, но улыбка эта вышла больше похожей на испуганную гримаску. «Ладно, надо жить сегодняшним днем, не следует слишком забегать вперед», — решила она.

Глава вторая

Дом бабушки Бена располагался на одном из крутых холмов гористой части острова.

Пандора устроилась на сиденье мопеда позади Бена, обхватив руками его талию и положив голову на широкую спину. Несмотря на то что познакомилась с этим человеком только прошлой ночью, она чувствовала себя с ним на удивление комфортно.

В самолете, по пути на этот остров, болезненно переживая очередную свою жизненную неудачу, Пандора прижималась лбом к стеклу иллюминатора и тоскливо смотрела вниз на теперь уже знакомые, но от этого не менее чудесные краски карибских рифов и лагун. Маленькие лодчонки сновали далеко внизу взад и вперед, совершенно равнодушные к тому факту, что к их острову подлетала еще одна измученная, потерявшая веру в себя женщина. Женщина, доведенная до предела двумя разводами и нынешним, третьим, столь же неудачным, развалившимся браком. «За что же мне такое наказание?» — сокрушалась она.

Начиная с момента приземления в маленьком обветшалом аэропорту острова она мало что помнила из событий последующих двух дней. Большую часть времени Пандора проспала в гостиничном домике. К тому же, будучи весьма застенчивой женщиной, она не могла запросто взять и начать общаться с другими приезжими, большинство из которых, видимо, были англичанами и говорили, с ее точки зрения, неразборчиво и с непонятным акцентом.

Теперь же, чувствуя теплые лучи солнца на спине, она начинала верить, что наконец-то очнулась от этого ужасного сна. На острове ее никто не знал. И, наверное, и не узнает, пока сюда не заявится ее мамаша. А это обязательно произойдет. Пандора вздохнула. «Как бы то ни было, — подумала она, глядя вверх на высокие пальмы, выстроившиеся по сторонам мучнисто-белой пыльной дороги, — у меня еще осталось немного времени на самостоятельную жизнь, которая, конечно, закончится, когда мамаша все же примчится сюда верхом на метле».

Бен остановил мопед.

— Подожди-ка, — сказал он, слез с мопеда и побежал обратно, вниз по дороге. Пандора почувствовала, как пот струйками стекает по ее ногам, и улыбнулась. Наверное, надо постараться привыкнуть к тому, что здесь постоянно потеешь. Это совсем непривычно для американцев, ведь в Штатах целые могучие отрасли промышленности зарабатывают миллионы долларов на том, чтобы американцы и американки не могли и не хотели потеть. Пандора вдохнула смешанный запах пота, спермы и ветрениц, что цвели на земле у ее ног, и подумала: «Мне следовало бы на основе этих ароматов создать собственные духи. Женщины точно были бы без ума от столь чудного сочетания».

Она вновь втянула носом воздух и увидела, что Бен уже возвращается. Как же естественно, легко он двигается! В этом он совсем не похож на Ричарда, чья неуклюжесть проявлялась буквально в каждом жесте. Ричард, например, ходил очень по-английски, как медведь, его коленные и прочие суставы, особенно те, что в свое время были повреждены в регбийных схватках, хрустели и поскрипывали. Бен же, даже босиком, бежал ловко и свободно. В руках он нес несколько маленьких круглых предметов.

— Понюхай, — предложил он, поднеся их к ее лицу. — Это манго.

Пандора взяла один из плодов.

— Так они же совсем крохотные. По сравнению с теми, что я видела на Ямайке, — сказала Пандора, но тут же в мыслях выругала себя за привередливость. Она прекрасно знала, что для нее было опасно всецело отдаваться чувству радости и слишком уж надеяться на близкое счастье. Тем не менее почему-то была уверена, что Бена ей опасаться не стоит, но и не стоит раздражать этими глупыми упреками.

Бен откусил кусочек от одного из манго.

— Да нет, ты попробуй, — не сдавался он, — они же очень вкусные. Сейчас у нас манговый сезон. — Он улыбнулся. — Старухи вынуждены зорко караулить свои манговые посадки, потому что мальчишки не прочь пробраться сюда, на холмы, и стырить их плоды.

— А ты тоже когда-то «тырил» с манговых деревьев, Бен? — спросила Пандора. — Кстати, ты здорово говоришь по-английски.

— Английскому меня учили не миссионеры, а мистер Саливен. Он был хорошим учителем и никогда не позволил бы мне сказать что-нибудь вроде *тырить*. — Бен рассмеялся. — Это слово звучит смешно. Мальчишкой я был главным по «тыренью» манго. Теперь, наоборот, сажаю деревья на земле моей бабушки. Ее посадки вон там, повыше. Когда-нибудь эта земля станет моей, я построю на ней дом и обзаведусь семьей.

«О Бог мой, — подумала Пандора, вновь устраиваясь верхом на мопеде. — Для Бена все так просто! Интересно, сколько же ему лет? Вероятно, двадцать семь». Самой Пандоре было, так сказать, «за тридцать». В вопросах возраста она не любила точных цифр и вообще старалась провести в постели, не вставая, все свои дни рождения, считая, что если полностью игнорировать сам этот день, в который ты когда-то появился на свет, то есть нарочно валяться в постели, не отвечать на телефон или звонки в дверь, то тогда и годы, добавляющие тебе возраст, как-нибудь да и пройдут мимо никем незамеченные. Но ей не всегда удавалось так поступать. Особенно когда она была замужем за Норманом, любителем выпить и, следовательно, с радостью использующим для выпивки любой повод. И поэтому оба дня рождения, проведенные с Норманом, переходили в пьяные ссоры, а подарками Пандоре служили синяки и переломы. Маркус, второй ее муж, был как раз тем психиатром, к услугам которого она обратилась после краха первого брака. Выпускник Гарварда, богатый красавец с прекрасными манерами — увидев его, мать Пандоры впервые в жизни оказалась довольна выбором, который сделал ее единственная дочь. Со временем, однако, открылось, что Маркус, во-первых, бисексуален, а во-вторых, страшный сквернослов и хам.

Жизнь с Норманом во многих отношениях была куда более реальной, чем с Маркусом. И, хотя Норман действительно пил и бил свою жену (ссадин от этих побоев было не сосчитать), он все же любил Пандору. Так, как может, например, любить свою мать всякий зависимый, отчаявшийся и, в принципе, нелюбимый ею ребенок. Что касается Маркуса, то он как раз сделал так, чтобы именно эта сторона семейной жизни Пандоры — постоянные побои — совсем не изменилась. Разница была лишь в том, что после того, как Пандора покинула расплакавшегося вдруг Нормана и перебралась в другой мир, где положение жены известного психиатра возводило ее в ранг богатой женщины, представительницы избранного общества, она лишилась возможности показывать следы мужниных побоев другим женам, с кем теперь общалась. Бедные женщины из ее прежнего круга морально поддерживали друг друга, например, ходили вместе с избитой подругой в магазин, предварительно замаскировав ее синяки. Они ухаживали друг за другом, как делали бы это раненые солдаты, пострадавшие в бою с общим противником, угощали подруг чаем или печеньем, сочувственно вздыхая или возмущаясь вместе: «Вот же, мол, какая сволочь твой муженек!». В среде же богатых посетителей и посетительниц вечерних изысканных салонов дело обстояло совсем иначе. Прежде всего, на теле Пандоры просто перестали появляться отметины и шрамы — это и понятно, ведь Маркус бил очень аккуратно, связав предварительно ее щиколотки и запястья шарфами и перетянув рот черным шелковым платком. Больно, в самую душу, ранила Пандору и отвратительная брань — «потаскуха», «тварь», — которой награждал ее Маркус.

Изредка доносившийся до Пандоры грохот дверей соседних особняков говорил ей, что и среди своих новых знакомых она была далеко не единственной женой, мучившейся от побоев, издевательств и одиночества. Она знала, что и в этом кругу существовало некое незримое «сообщество несчастных жен», за особенностями черт лица и безвольными движениями рук которых угадывались именно те секреты, что столь бдительно хранили тяжелые фасады богатых вилл.

Ричард принес ей освобождение. Высокий, крепкий, самый что ни на есть англичанин, он работал в Бостоне ведущим репортером в «Бостон телеграф». Но в то время Пандоре уже казалось, что она всего лишь бейсбольная перчатка, которую мужчины передают друг другу с руки на руку. «Неужели все они из одной команды? — подумывала она тогда. — Может быть, Ричард тоже хочет просто примерить эту перчатку на свои пять пальцев, чтобы сыграть в неизвестную ей, но хорошо знакомую всем мужчинам игру?» Как бы то ни было, от кошмара, каким был для нее Маркус, Пандора очнулась лишь в объятиях Ричарда, выглядевших тогда вполне надежными и привлекательными. Может быть, именно в этом запоздалом пробуждении и состояла тогда ее очередная ошибка.

Пандора заметила впереди длинную жестяную крышу. Мопед завернул в сторону, и ее приятно поразили пестрящие краски: разноцветные бабочки порхали по зарослям бугенвиллей, гораздо менее броские, но безупречно правильных форм, кусты гибискуса напоминали удивительные скульптуры, покрытые неподвижной темно-зеленой листвой. Пандора радостно улыбнулась.

— Бен, — воскликнула она, — гибискусы напоминают мне монашек и наш монастырь — он был такой же строгий и аккуратный. А вот бугенвиллеи похожи на задирающих юбки девок из кордебалета.

Перед ними был дом с примыкающей длинной верандой. На ее перилах под солнцем были разложены постельные принадлежности. Над головой хлопало по ветру выстиранное белье. Отметив его свежесть и броскую чистоту, Пандора вдруг вспомнила о собственных грязных вещах, сваленных кучей в углу гостиничного коттеджа.

Она проковыляла к дому следом за Беном, страшно жалея, что не додумалась надеть туфли. Конечно, иногда было здорово побыть немного дикаркой, но песок слишком уж жег ступни. Поэтому она рада была очутиться наконец в прохладе веранды. Стеклянная дверь захлопнулась позади них.

Бабушка Бена оказалась совсем сгорбленной старушкой. У нее были, однако, ясные карие глаза, а рука, которую она протянула Пандоре, сохранила удивительную для женщины столь преклонных лет силу.

— Бен, — осторожно произнесла мисс Рози, — мисс Мейзи готовит обеа. Сейчас будет начинать.

— Что такое «обеа»? — не удержалась Пандора.

— Это черная магия. Шш! — Мисс Рози поднесла палец к губам. Какое-то время все молчали. Неожиданно прервалась разноголосица кузнечиков за окном, замолчали попугаи в ветвях деревьев. Весь остров как бы замер. Слышно было лишь трудное дыхание мисс Рози. — Теперь я слышу. Она готовится к тому, чтобы убить. Наступает ночь, и полная луна идет на небо. Она сейчас перережет горло белому петушку.

— Кого она наказывает? — спросил Бен.

— Массу Джезона. Он плохо сказал про ямайскую женщину, потом побил ее, и она пошла в горы жаловаться мисс Мейзи.

Дальше Пандора перестала что-либо понимать в их диалоге, так как мисс Рози и Бен заговорили на незнакомом ей языке. Причем последние слова в каждой фразе произносились ими наиболее энергично, с ударением, что очень напоминало манеру читать стихи, свойственную Дилану Томасу*.

Бен понял замешательство Пандоры и улыбнулся.

— Я тебе сейчас все объясню, — успокоил он. — Мисс Мейзи — приехала с Ямайки, живет здесь, в горах. Она очень стара, и мало кто что-то точно знает о ней, но все считают ее ведьмой. Свои колдовство и знания она принесла с собой с Ямайки. Кое-кто думает, что ее выбросило на берег после кораблекрушения. Может, это и не так, но живет она там, наверху, и, когда я был маленьким, мы с ребятами страшно ее боялись. Как-то раз мисс Мейзи даже погналась за мной, когда мы с Демианом и Клемом хотели залезть к ней в сад своровать гранаты. Помню, мы ей ужасно надоедали. Так вот, я тогда бежал от нее, и мне вдруг показалось, что она просто летит следом за мной по воздуху и вот-вот схватит.

— Да, летать она умеет, это уж точно, — заявила мисс Рози. — Я много раз видела, как она летала в лунные ночи. Мейзи, однако, думает, что она всемогуща. Но она не так сильна, как я. Ну ладно, пора за стол.

Старушка двинулась на кухню, сильно согнувшись.

---

* Томас Дилан (1914—1953), уэльский поэт-фольклорист. — *Здесь и далее прим. ред.*

Она напоминала Пандоре маленькое, но крепкое стенобитное орудие. Бен последовал за своей бабушкой с ласковой улыбкой.

В доме больше никого не было. У кухонного стола из тесаной ели стояли лишь два стула. Поймав вопросительный взгляд Пандоры, Бен уточнил:

— Мой дед погиб, утонул. Как, впрочем, очень многие из его поколения. Все они были рыбаками, ходили в море. Бабушка оставалась на берегу, ей приходилось очень тяжело. У нее на руках было двенадцать детей, и временами все питались лишь кокосовыми орехами и миндалем. Рыба, правда, бывала всегда. — Бен вздохнул. — Моя мать умерла, когда мне было девять лет. Тогда на остров пришел ужасный грипп, и многие на Малом Яйце умерли.

— Смерть пришла с английским доктором. Он привез с собой чужие привычки и пьянство. — Мисс Рози перебила Бена. — Вместо наших местных лекарств он стал давать детям таблетки. — Старушка покачала головой, ее глаза до сих пор хранили след пережитого тогда несчастья. — Многие умерли, очень многие. И моя любимая дочка бедняжка Энн-Мари тоже. Мать Бена была такая красивая. Бог, он ведь всегда прибирает к себе сначала лучших.

— О, значит, я буду жить долго, правда, ба? — засмеялся Бен.

— Сядь, Бен.

— Сейчас, я только принесу еще стул для Пандоры.

Бен сидел как на иголках, то и дело меняя позу. Мисс Рози суетилась над его тарелкой, приговаривая:

— Ешь, мальчик мой. Вот суп из рыбьих голов. Еще я тебе приготовила жареного цыпленка. А потом будут еще твои любимые клецки.

Пандора с интересом следила за ними. Вне всяких сомнений, старая женщина просто обожала своего внука.

23

Бен взглянул на Пандору через стол и обратился к бабушке:

— Ба, я передам рыбий суп Пандоре. Там, откуда она приехала, первым подают блюда дамам.

— Да-да, Бен, конечно. Пожалуйста. Так вы американка?

Пандора кивнула. Она очень надеялась, что ее не причислят с ходу к разряду презренных туристок.

— Да, я американка, из Бостона.

— Вы, американки, не умеете заботиться о своих мужчинах. — Мисс Рози вынула из духовки блюдо с булочками. — Я работала на одну американку несколько лет назад. Так у нее никогда не было даже припасов еды в кладовке. Она не стирала и не гладила для своего мужа, не меняла постельное белье. Поэтому он и ушел от нее к девушке с острова. Островитянки знают, как заботиться о мужчинах. — Старушка яростно и обильно принялась солить суп Бена.

«Да, и эта забота приводит мужчин к страшной гипертонии», — мысленно возразила Пандора.

— Не все американки такие уж плохие, ба. Времена-то меняются. — Бен явно не хотел перечить старушке. — И, знаешь, я и сам могу посолить суп.

— Может быть, ты и прав, мой мальчик. Что-то где-то наверняка меняется. А вот на моей кухне точно ничего и никогда не переменится. Садись, девочка, я положу тебе наших местных угощений. Они самые лучшие во всем мире, увидишь.

Пандора села за стол и, зачерпнув ложкой, осторожно попробовала суп из рыбьих голов. Ей показалось, что из суповой гущи на нее уставились большие мертвые глаза. Может быть, рыбьи головы находились где-то там, на дне тарелки, но суп был, тем не менее, превосходный. Ее желудок, воспитанный на американской пище, воспротивился было: как можно есть это! Однако вкусовые бугорки языка Пандоры теперь уже были явно заодно с ее бунтующими против цивилизации, испачканными песком пятками. Вместе же они твердили отныне лишь одно: *«Мы не где-нибудь, а на Малом Яйце, и мы намерены жить здесь так, как живут все, и развлекаться, развлекаться вовсю!»*

Глава третья

Бен высадил Пандору у ее гостиничного домика-коттеджа. Он опять отрицательно покачал головой в ответ на предложение войти.

— Нет, — возразил он мягко, — я обещал друзьям встретиться с ними в баре.

Пандора нахмурилась, а Бен, торопливо обняв ее, уехал. Не ожидавшая такого развития событий Пандора чуть не плача опустилась на кровать. Как же так? Они провели вместе такой прекрасный день, а он вдруг берет и уходит. Значит, она ошибалась, когда предполагала, что останется с Беном и на эту ночь и, может быть, Бог даст, еще на много-много ночей. Ей стало вдруг неспокойно, в сердце вернулась знакомая боль одиночества. Она знала, откуда пришла эта боль. Маркус, черт бы его побрал, не переставал твердить ей: «Мужчины всегда бросают таких, как ты, тварь! При этих словах он еще плевал ей в лицо, а потом, продолжая кричать, доводил себя до близкого к оргазму состояния ярости. — Даже твой отец и тот не смог тебя выносить. Он ведь бросил тебя, когда тебе было только двенадцать. Какой же тварью, наверное, ты была уже тогда!»

— Я не была тварью, — прошептала Пандора. — Никакой тварью я вовсе не была. Я была всего лишь костлявой, робкой, некрасивой глупышкой, которую ее собственная мать называла недоразумением. У всех прочих мамаш, встречавшихся на улицах, были симпатичные маленькие девочки с мягкими вьющимися волосами. У меня же была копна ужасающих рыжих волос на голове, огромные веснушки и диковатые зеленые глаза.

Подойдя к зеркалу в ванной, женщина изучала свое лицо, немного приоткрыв рот. Долгие годы она вынуждена была носить на зубах скобы. Именно из-за них она даже сейчас не могла без смущения и стыда вспоминать свои первые поцелуи — неумелые и слюнявые! Пандора вздохнула и вновь подумала, что, если пробудет тут еще хоть чуточку дольше, ее мамаша обязательно нагрянет сюда. Примчится, как большая сказочная птица, хлопая крыльями и растопыривая наманикюренные убийственных форм когти. «Она доберется до меня, где бы я ни была, усядется рядом и будет поносить все, чем бы я ни занималась. Ну а я, я опять превращусь под ее давлением в ничто, в пыль. Только моя внешняя оболочка останется той же. Да, все правильно. Я — неудачница. Я не смогла удержать рядом с собой отца. Норман не смог вбить в меня хоть какую-то способность чувствовать. Ну а Маркус так и не заставил меня признать нормальным то, чего он от меня требовал». Тут Пандора все же не могла не улыбнуться, осознав, что против Маркуса она как-никак сумела выстоять и не поддалась ему.

Но ее лицо опять погрустнело при воспоминании о ласковом, но совсем беспомощном и безответственном Ричарде. В конце концов он так от нее устал, что сам решился просить о разводе. Кто бы мог подумать, что Ричард окажется на это способен! Пандоре страшно захотелось прямо сейчас поднять трубку телефона и просто поговорить с ним. Однако, поразмыслив, она оставила эту идею. В любом случае это было невозможно, потому что один Бог ведал, где в данный момент пребывал Ричард, где искал он сейчас удовольствий и приключений. После десяти лет совместной жизни он вдруг вежливо спросил ее, не будет ли она против, если он изменит свою жизнь. Она помнила, как потекли тогда у них обоих слезы по щекам, как Ричард, болезненно переживая весь этот тяжелый разговор, тем не менее не отступал, настаивая на своем. Тогда Пандоре показалось, что ее лодку вновь начинает срывать с якоря. Позже, уже в их бостонской квартире, когда она ждала возвращения Ричарда из «Бостон телеграф», ее вдруг охватила злость. Да что вообще он знает об окружающем мире, о жизни! Сама-то Пандора к тому времени уже прошла через многие испытания, пережила достаточно страданий и горестей, чтобы прочно усвоить: от всех этих напастей надо держаться подальше. Ричард же в этом отношении был полным профаном, ибо всю жизнь от превратностей судьбы его надежно оберегали любящая семья и деньги, которые всегда у него имелись. И все же он был полон решимости в своем желании разойтись с Пандорой. Так что пришлось им прийти к соглашению: договорились продать все, что у них было, после чего Ричард, как он сказал, намеревался куда-то уехать, чтобы «сесть писать роман». Он намеревался также осуществить и другую свою давнюю мечту — поселиться где-нибудь в Европе и, конечно же, найти себе такую женщину, как Гретхен, которая смогла бы очаровать его так, как не смогла, очевидно, этого сделать Пандора.

Раздевшись, она вошла в душ. Сполоснувшись, вытянулась на кровати и заснула, все еще ощущая во рту солоноватый привкус слез. Ей вдруг приснилась рыба, проплывающая между ее ног, приснилась мисс Рози и даже здоровенная чернокожая ведьма. Как раз на том моменте, когда ведьма бросилась на нее и попыталась схватить, Пандора услышала стук в дверь. Вздрогнув, она проснулась и села на кровати. Сердце колотилось.

— Кто там? — спросила она, пугаясь пронзительности собственного голоса.

— Пандора, это я — Бен.

Она встала, завернувшись в простыню. Открыла дверь. Уже стемнело, освещен был лишь круг двора возле бассейна.

— Что тебе нужно? — недовольно спросила Пандора. — Ты же собирался провести вечер с друзьями? — Она уловила запах рома в его дыхании.

— Я пришел, чтобы целовать и любить тебя, — ответил Бен, немного удивленный ее приемом.

Пандора улыбнулась. Он стоял в проеме двери и был явно полон лучших надежд. Тут ей почему-то показалось, что он смахивает на несмышленого щенка, который во что бы то ни стало жаждет проскользнуть в ее уютный домик.

— Ну хорошо, — согласилась наконец женщина и жестом пригласила Бена войти, подумав, при этом: «Теперь, по крайней мере, у меня хоть будет компания».

Бен опустился на стул у кровати.

— Ты останешься здесь, на острове, навсегда? — спросил он.

Пандора подняла взгляд.

— Не знаю, Бен. Правда не знаю.

— Много народу приезжает на этот остров, много таких печальных женщин, как ты. Они долго со мной разговаривают. — Он покачал головой. — Они ненадолго остаются тут, а потом едут дальше. Они все время чего-то ищут.

— Мужчины тоже, случается, так себя ведут. — Пандора не могла не вспомнить о тех небритых мужчинах, чьи лодки она видела стоящими на якоре по всему побережью Карибского моря.

— Да, но у мужчин все по-другому, — возразил Бен, пытаясь придать больше мудрости своему молодому лицу. — Жизнь мужчин полна приключений. А вот у женщин — нет.

— Это устаревший взгляд на вещи. — Пандора вдруг поняла, что пропустила обед — в животе урчало. — Приключения могут случаться как у мужчин, так и у женщин. Я вот, например, хотела приключений всю свою жизнь. С того самого момента, как прочитала книгу об одном мальчике, который любил плавать и играть со своим другом-дельфином. — Воспоминания разволновали ее. — Именно поэтому я здесь. Моя мечта — поплавать бок о бок с дельфином хоть раз в жизни.

Бен улыбнулся.

— Я научу тебя, как это делать, как плавать с дельфинами, — сказал он. — Дельфины приходят сюда, и ты их увидишь.

Пандора рассмеялась.

— Бен, я проголодалась. — Она взглянула на часы. — Жаль, что я пропустила обед.

— Неважно. — Бен потянулся. — Мы можем пойти к одной моей родственнице. Она нас накормит.

— Сколько же у тебя родных на острове?

Бен пожал плечами.

— Да почти все, кто здесь живет, это моя родня.

Она подняла с пола свое платье и бросила его на кучу прочей одежды, ожидавшей стирки в углу комнаты. Она опять почувствовала смущение. Бабушка Бена была такой собранной, организованной, что на ее фоне Пандора не могла не ощущать себя форменной неряхой. Бен, казалось, ничего не заметил, глаза его были закрыты. Он просто-напросто спал на стуле. Пандора натянула шорты и черную шелковую майку. «Я ведь, мамаша, давно уже не маленькая тощая глупышка, — подумала она, поправляя в ванной помаду на губах. — Погоди-ка, старая тварь, скоро я познакомлю тебя с Беном». На этом, правда, ее боевое настроение кончилось, ей представился колючий вопрошающий взгляд матери из-под нимба седых волос: «Как?! Ты спуталась с черномазым? И это лучшее, на что ты способна? Ну что ж, во всяком случае, говорят, у них у всех здоровые члены, не правда ли?». Пандоре даже показалось, что она действительно видит, как при этих словах ярко раскрашенный рот матери перекашивает отвратительная ухмылка.

— Черт побери, — простонала Пандора, смыла помаду и вернулась в комнату.

Глава четвертая

Бен ушел рано. Он решил порыбачить в это утро.

— Как бы мне хотелось пойти с тобой, милый, — сонно пробормотала Пандора. Она до сих пор ощущала его внутри себя. Бен, безусловно, был превосходным любовником. Ей нравилась его длинная темная спина, нравилось чувствовать его плечи под своими ладонями и нестись вместе с ним все быстрее и быстрее к очередному бурному оргазму.

Бен остановился у кровати и посмотрел на нее.

— Я поймаю для тебя знаменитого «омара Малого Яйца», и мы приготовим его вместе на костре у берега моря.

— Ты хочешь сказать, что сам его для меня приготовишь? Бедняга, как же тебе это удастся?

Он усмехнулся.

— Да уж удастся. Запросто. Мужчины острова — хорошие повара. Мы учимся этому в море. Там ведь, видишь ли, нет женщин.

Пандора изобразила на лице смирение.

— Я тоже научусь хорошо готовить, — сказала она. — Теперь у меня есть на это время. Мне еще многому в жизни надо научиться.

Пандора сидела на пороге коттеджа с чашкой горячего кофе в руках и размышляла о времени. Солнце только всходило, и воздух был еще прохладным после ночи, однако день явно обещал стать прекрасным, солнечным и жарким. Пандора откинулась на спинку шезлонга и посмотрела на полный голубых бликов бассейн. За ним виднелось море, покрытое сине-зелеными узорами волн. Порой какое-то крупное существо прорывалось из глубины к поверхности, и по воде разбегались легкие круги вслед за испуганными пришельцем рыбешками. «Но и в этой прелести может скрываться опасность», — решила Пандора. Ее глаза опять погрустнели. Всю свою жизнь она упорно, последовательно возводила вокруг себя некую стену, похожую на ту, что проходила вдоль ее коттеджа и состояла из множества разновеликих булыжников, кое-как сложенных человеческой рукой в единую конструкцию. Булыжник к булыжнику, кирпич к кирпичу — так и сама она выбирала размер и форму камней, ложившихся в ту стену, которая со временем окружила ее со всех сторон. И вот сейчас вдруг Пандора начала ощущать, что в этой стене появилась и начинает разрастаться трещина. «Ах, если бы я только смогла, — подумала Пандора, — выбраться через эту трещину наружу, на свободу».

Она встала и подошла к каменной изгороди. Ящерицы с изогнутыми хвостами забегали при ее приближении, то скрываясь в щелях между камнями, то выскакивая оттуда. Пандора перевернула один из лежавших на земле булыжников и, вскрикнув: «О Боже!», отскочила. На месте сдвинутого камня в угрожающей позе, высоко подняв над спиной длинный хвост, сидел уродливый полупрозрачный скорпион.

— Вот так произойдет и со мной, — пробормотала она. — Я проберусь через эту трещину, а на той стороне меня будет поджидать какой-нибудь подобный этому чудищу кошмар, с которым, быть может, я не справлюсь. И тогда я опять укроюсь за свою стену, чтобы уже никогда более не осмелиться высунуть нос наружу. — Так ведь уже было однажды, когда Маркус жестоко избил ее и врачи в больнице вынуждены были накладывать швы на все возможные места, в том числе и на самые интимные. Пандора прекрасно помнила, что́ сказал тогда один молодой доктор по поводу ее ран: «В следующий раз люби осторожней, дорогуша». Только дурацкая лояльность по отношению к мужу помешала ей тогда ответить, что для нее было невыносимо каждое мгновение такой любви и что она, к несчастью, была замужем за человеком, который просто не мог кончить без того, чтобы не причинять при этом кому-то боль. Ей запомнились сочувственное и одновременно брезгливое выражение на лицах медсестер, запомнилась и страшная боль от накладывания швов, но еще ужаснее, намного ужаснее, для нее было понимание того, что после всего этого она должна все равно вернуться к мужу и что Маркус вскоре опять примется за свои издевательства...

«Мне надо выпить еще кофе, — решила Пандора. — Да и вообще, хватит переживать. Маркус ведь сейчас в тысячах миль отсюда — в Мехико, и нет никаких сомнений в том, что в данный момент он сводит с ума какую-нибудь новую дамочку с идиотской прической, готовя тем самым из нее очередную пациентку для психлечебницы. Ну, а я далеко от него и от всего этого. Я — здесь. А здесь — прекрасная погода, рядом со мной — Бен, и он — превосходный, удивительный любовник, лучший из всех, что у меня были».

Тут Пандора даже позволила себе немного помечтать. А что, если на этот раз она нашла то самое счастье, которое сможет продлиться хотя бы какое-то время. Вскоре, однако, женщина начала убеждать себя, что счастья-то она как раз и не заслуживает. Тем более мать всегда ей предсказывала, что она кончит жизнь в полном одиночестве. Пандоре даже послышался голос матери, твердившей излюбленное: «Мы останемся с тобой вдвоем. Вдвоем и помрем —

брошенные всеми, неприкаянные, отвратительные».

— Пойду на пляж, — твердо заявила Пандора, обращаясь в сторону каменной ограды. — Ну, а этот паршивый скорпион, а вместе с ним и моя мамаша, могут проваливаться ко всем чертям.

Пандора сидела на песке и смотрела на пламя костра. Над огнем Бен установил странный плоский котел с кипящей водой, куда и опустил огромного клешнистого омара. Пандора предпочла в этот момент отвернуться. Когда же через мгновение она снова взглянула на пламя, Бен уже сосредоточенно склонился над своим варевом. Это зрелище умилило ее. Конечно, и раньше случалось, что для нее готовили мужчины. Не Ричард, естественно, тот-то не умел или не хотел даже вскипятить воду. Вот Маркус как раз занимался тем, что к разным светским раутам готовил для своих весьма экзотических друзей всякие экзотические блюда. Однако в его поварских предприятиях неизменно было что-то истеричное, даже отвратительное. К тому же приготовленные им блюда выглядели изумительно, но были совершенно безвкусными и пустыми. Маркус не улавливал чувственность процесса приготовления пищи. Пандора считала, что он не мог понять ни очевидной, бросающейся в глаза эротики запаха и пурпурной налитости прекрасного баклажана, ни девственной упругости маленького артишока в начале сезона его созревания, ни того глубокого удовольствия, которое у понимающего человека может вызвать вид пучка зеленой спаржи. Недоступно пониманию Маркуса было и желание предварять и, если получится, заключать хорошие обеды любовными играми.

Пандора вздохнула. Как все же мало встречала она людей, которые были способны действительно понять или хотя бы начать понимать ее душу! Слишком уж, наверное, скрыто для окружающих протекала ее внутреняя жизнь. Но жить иначе она не могла, потому как к этой неестественной для нее самой замкнутости и скрытности принудила ее собственная диктаторша-мать, которая ревниво следила за физическим и умственным созреванием дочери, за ее превращением в привлекательную молодую женщину с коварным расчетом, что сможет со временем каким-то образом использовать для своей выгоды все части тела и души девочки. Пандоре всегда казалось, что сама она была неким спартанцем-марафонцем, вынужденным без устали мотаться взад-вперед между отвратительным затхлым домишком ее матери и иным, реальным, миром, миром, где была ее школа, где жили подруги, где порой встречались и дружки, общество которых стало вдруг привлекать ее мать. Нежданно-негаданно эта средних лет женщина невероятным образом преобразилась. Конечно, жестокая, сварливая, вечно визжащая мамаша никуда не делась, но в то же время, без сомнений, в ней произошел некий существенный сдвиг. Людям вдруг стала являться совсем иная Моника. Хотя Пандора никогда не удивлялась тому, что в ее матери одновременно уживалось множество самых разноликих персонажей. Более того, с раннего детства она научилась правильно вести себя с каждым из них. Но эта новая Моника — похотливая жеманная потаскуха — выводила Пандору из себя. В результате девочка даже стала стараться не приводить к себе домой друзей-мальчиков. «Чаво это с тобой вдруг сделалось, дорогуша? — нарочито развязно принималась расспрашивать ее Моника, похотливо разглаживая кремовую атласную блузку, плотно облегавшую ее обвислые груди. — У тебя что — перевелись все дружки? Или тебе теперь больше нравятся девочки, хе-хе?»

«Так почему же все-таки я, сидя здесь, на этом великолепном пляже, вместе с удивительным возлюбленным, только и делаю, что вспоминаю свою отвратительную мамашу?» — в очередной раз спросила себя Пандора. Она улыбнулась, пытаясь поймать взгляд

Бена, но тот был слишком занят приготовлением пищи. И ей, кстати, очень это нравилось. Она тоже старалась соблюдать абсолютную тишину, когда готовила или писала красками. В такие минуты «ни один камень не должен был упасть в пустой водоем ее молчания». Для Пандоры будто замирала вся Вселенная, и казалось, сам Бог в эти минуты начинал милостиво и внимательно следить за ее работой, и она любила Бога за это.

Бен размеренными движениями нарезал в кипяток котла зеленый перец. Лезвие его ножа от долгого использования стало совсем узким и тонким, деревянная ручка была туго обмотана бечевкой. Пандора вспомнила свой собственный сверкающе-красный, показушный ножик «швейцарской армии» — первую вещь, которую она прикупила, когда решила отправиться путешествовать после разрыва с Ричардом. Еще у нее был элегантный хлыстик наездницы. Увидев его, Бен сказал, что здесь он ей не пригодится, так как на острове не осталось лошадей — они все погибли в ураган 1932 года. Об этом урагане, который налетел еще на острова Флорида и Киз, Пандора читала в одном из рассказов Э.Хемингуэя, особенно запомнив страшный эпизод о мучениях несчастной толстой женщины, заброшенной штормовой волной на верхушки деревьев. Как бы то ни было, успокаивала себя Пандора, до начала сезона ураганов в этих краях еще довольно-таки далеко.

Бен недовольно фыркнул. Это и понятно — теперь ему приходилось резать лук на руке, обходясь без какой-либо разделочной доски. Тем не менее и это он делал удивительно ловко: из-под сверкающего лезвия ножа один за другим появлялись и падали в котел луковые кружки и полумесяцы идеальных форм. Подумав о нежной сладости лука, Пандора вновь вспомнила любовные объятия Бена, его великолепное тело и красивое, похожее на луковичку, утолщение на конце члена, словно специально вылепленное для того, чтобы его ласкали и целовали. Эти воспоминания немного смутили ее. Бен закончил заправку супа и поднял глаза.

— Ну вот, — сказал он. — Осталось только добавить чили. Он достал из кармана два круглых овоща, похожих на маленькие мятые тыквочки. — Это местные чили. Тебе они будут полезны. Посмотри. Мы называем их колпачковыми чили за сходство со шляпками-колпачками, что надевают наши бабушки, например моя, когда идут в церковь.

— Ты тоже ходишь в церковь, Бен?

Бен покачал головой.

— Нет, не хожу. Иисуса я нашел в море, в своей лодке. Сам Иисус тоже в церковь не ходит: он как раз больше бывал на море, учил детей. Ну а бабушка посещает церковь, правда, если проповедник на службе вопит особенно громко, она приходит домой весьма разочарованной. Она не любит, чтобы по воскресеньям в церкви стоял вопеж. А эта старая сволочь — наш священник — умеет здорово орать. Плюс ко всему, он считает себя самим Иисусом Христом. Я же терпеть его не могу. Он ворует землю у бедняков. — Бен передал чили Пандоре. — На, брось их в котел.

Омар, уже порядком раскрасневшийся, плавал в зеленой массе аппетитного соуса и, как показалось Пандоре, таращился на нее с упреком.

Бен и Пандора опустились рядышком на песок. Пламя костра бросало танцующие тени на отделявший их от моря участок пляжа. Вездесущие пальмы качались под легкими дуновениями ветра. Летучие мыши стремительно носились в воздухе, следуя немыслимо крутым траекториям. Какие-то птицы распевали свои вечерние песни-молитвы.

— Как просто верить в Бога, Бен, когда вокруг все прекрасно.

Бен взял ее за руку.

— Все прекрасно, Пандора, и ты тоже прекрасна. — Он так просто это сказал, что слезы навернулись на глаза истосковавшейся по любви женщины.

— Ты действительно так думаешь? — Она внимательно вглядывалась в его лицо. — Я так долго в своей жизни вынуждена была прислуживать мужчинам, что теперь мне кажется, будто я работаю в каком-то автобусном гараже. Скажем, заправляю бензином, убираю и мою автобус, а он потом уезжает. Тогда подходит другой, и я снова начинаю заниматься им. И так без конца. В каждом автобусе кучи всякого интимного, личного барахла, которые надо убрать. Так вот, я привожу все это в порядок, а автобус потом уезжает от меня, чтобы найти какой-нибудь свой путь в жизни, дорогу в прекрасный мир, что лежит где-то там, в другом месте, где нет меня.

Мужчина улыбнулся.

— Я — не автобус, — успокоил он. — А Малое Яйцо — это очень небольшой мир.

— Проблема в том... — Пандора отняла свою руку у Бена, — проблема в том... — глубокий вздох едва не вырвался из ее груди, — что часть моей души уехала вместе с «автобусом» по имени Ричард, поэтому полной свободы я все еще не ощущаю. Я когда-то обещала себе, что с третьего раза, с третьего брака, у меня в жизни все обязательно получится. Третьим мужем у меня был как раз Ричард. И, как видишь, я и на третий раз потерпела фиаско. Знаешь, меня ведь предупреждали на этот счет, говорили, что я выхожу замуж за вечного ребенка. Но я надеялась, что Ричард повзрослеет, если будет любить меня и если я буду заботиться о нем. — Она почувствовала, что сейчас расплачется, лицо ее скривилось, уголки рта поползли вниз, а вокруг глаз собрались морщины.

— Я оказалась не права, — печально призналась Пандора. — Он и не собирался взрослеть. И навсегда остался эгоистичным, жестокосердным ребенком.

Единственное, что работало в нашем с Ричардом союзе, так это то, что я неизменно бывала к нему снисходительна, постоянно входя в его положение. При этом, конечно, я всегда что-то ему отдавала, а он всегда это от меня принимал. На чем и держался наш брак. — Пандора глубоко вздохнула.

Бен кивнул.

— Это все очень болезненно, — проговорил он. — И со мной однажды такое случилось. Давным-давно. Виновата была одна девушка из Флориды. Мы собирались пожениться, но наш остров был слишком мал для нее. В конце концов она избрала тот путь в жизни, который ей больше подходил. Она скучала по танцам, дискотекам, по всем тем вещам, которых у нас нет и, даст Бог, никогда не появится, — со злостью закончил Бен.

Пандора потянула носом воздух. Аромат чили наполнил все вокруг.

— Какой божественный запах, — сказала она. — Ничего подобного я никогда не пробовала.

— Я знаю, — улыбнулся Бен. — Подожди, я тебя еще как-нибудь угощу цыпленком в соусе карри с местными перцами. — Он поднес пальцы к губам и со смехом причмокнул.

Пандора почувствовала, как молодая веселая девушка в ее душе с готовностью подхватила этот смех и общепонятный жест, — с нарочитым восторгом она облизнула кончики пальцев, нагнулась вперед и поцеловала мягкие губы Бена.

— Я могла бы сидеть здесь с тобой всю ночь! — воскликнула Пандора.

Бен помог ей подняться на ноги.

— Пришло время раскалывать панцирь нашего омара, — сообщил он, притянув ее к себе. Пандора замерла в блаженстве. «Если это и есть настоящее счастье, то я хочу его всего, здесь и сейчас».

Глава пятая

Дни текли медленно и размеренно.

— У меня никогда не было столько свободного времени, — сказала как-то Пандора Бену, когда они загорали на пляже. — И мне тем более странно, что именно сейчас, в эти свободные часы, я вдруг стала все чаще вспоминать некоторые забытые моменты из моей прошлой жизни, о которых раньше и не думала.

Голубые цвета в морской палитре, например, неожиданно напомнили Пандоре ляпис-лазуревое ожерелье, которое когда-то подарил ей отец. Зеленые оттенки воды вызвали в памяти один пластмассовый браслетик, привезенный как-то из другого города отцом. Он вообще редко покидал их городишко с непримечательным названием Бойсе, штат Айдахо. Но тогда все же сделал исключение, съездил куда-то, а вернувшись, привез невзрачный белый пакетик с браслетом. Та поездка отца и его подарок почему-то вспомнились Пандоре именно теперь.

Лежа на горячем песке, слушая биение своего сердца и урчание в животе Бена, Пандора не могла не вспомнить еще об одном, связанном с отцом, эпизоде.

Она — маленькая девочка, сидит на коленях у отца, а тот тихонько покачивает ее, напевая. Эту песенку он сочинил специально для Пандоры, и называлась она «Мы плывем по морю на нашем корабле». Это было одно из тех чудесных мгновений, когда родители и дети испытывали нежнейшие моменты духовной близости. В комнате они были одни. Нога отца со сползшим вниз коричневым носком то плавно поднималась вверх, то столь же плавно опускалась вниз. Теперь, спустя многие годы, Пандора понимала, что уже тогда отец, некоторые его жесты вызывали у нее сексуальное влечение. Вот и сейчас уже одного этого воспоминания оказалось достаточно, чтобы «завести» ее.

— Обними меня, Бен! — попросила она, переворачиваясь на живот.

В объятиях Бена Пандора вспомнила и то, как закончилось милое мгновение их с отцом близости и понимания. Появившаяся в дверях мать подскочила к Пандоре и звонкой пощечиной буквально опрокинула девочку на пол. «Ступай наверх, потаскушка!» — закричала Моника. Потом она развернулась к отцу и, яростно выплевывая слова, заорала: «А ты, ты — старый сукин сын! Не смей больше распускать свои похабные клешни!» С этого дня отец и дочь почти не приближались друг к другу, стараясь общаться как можно меньше. Сильное смущение висело между ними непреодолимой стеной. Отец уже не проявлял свои чувства к дочери, не приходил даже поцеловать ее перед сном. Зато во взгляде матери отныне постоянно присутствовало мстительное удовольствие, не ослабевшее даже по прошествии времени. Моника изо дня в день восседала за безмолвным семейным обеденным столом, наслаждаясь нанесенным ею ущербом. «Твой отец совсем не сексуальный мужчина, — говорила она каждый раз Пандоре за послеобеденным мытьем посуды. — Да у него он и вовсе не встает, знаешь ли?» После этих слов Моника глубоко вздыхала, явно жалея себя.

Воспоминания заставили Пандору содрогнуться.

— Что с тобой, милая? — забеспокоился Бен. Он лежал вытянувшись во весь рост рядом с ней.

— Так, вспомнилось кое-что, — ответила она, — кое-что из далекого прошлого. Извини, Бен.

— Ну что ты! — Бен улыбнулся и плотнее прижался к ее бедру. — Слушай, у нас с тобой куча времени. Расскажи мне, как ты тут очутилась?

Бен очень любил слушать рассказы Пандоры о ее детстве.

Столь внимательным слушателем мог быть только человек, родившийся и выросший в уединенном, оторванном от мира месте, на маленьком острове. Его знания жизни, касавшиеся в основном моря и великолепной дикой природы, были, конечно, весьма ограниченными в понимании того, как живут люди в других странах. Об этом и рассказывала ему Пандора. Их беседы длились часами, но что значит время для влюбленных! Никогда еще Пандора не встречала человека, умеющего так здорово слушать. Нежное молчание, которое он при этом сохранял, помогало ей свободно говорить, легко излагать свои мысли. В его молчании была заложена готовность понять все, что бы она ни сказала. При этом сама Пандора не наталкивалась на сопротивление его личности, не была обязана соревноваться с Беном, бороться за превосходство своей мысли над его позицией. Спокойное молчаливое внимание Бена напоминало состояние моря в ясный тихий день, походило на прозрачную чистую воду, жаждущую хоть какого-то дуновения ветра, которое может никогда не случиться. Наверное, благодаря этому качеству он так понравился ей.

Сначала Пандоре было сложно пытаться объяснить Бену, каково ей жилось с матерью, потому что он свою мать практически не помнил. Бен помнил отца, мудрую любящую бабушку, добрых и спокойных родственников и счастливое детство, не омраченное ссорами и склоками. Конечно, он узнал и горечь утрат, и смерть близких. Бен очень тяжело переживал смерть своего отца.

— Мне очень его не хватает, отец так любил меня, — признался как-то Бен. — Но сейчас он рядом с Богом, к чему, собственно, и стремился всю свою жизнь. Поэтому встретил смерть с улыбкой. Когда он умирал, за ним пришел его собственный отец, чтобы отвести его в мир иной. Дедушка погиб, когда моему папе было двенадцать лет. Причем, умирающий смог увидеть своего отца и даже говорить с ним. Это чудо случилось за несколько мгновений до смерти. Комната, где все происходило, осветилась мягким желтоватым сиянием. Я тогда посмотрел на бабушку, которая сидела в другом углу комнаты и держала руку папы, и оба мы услышали громкий голос: *«Я пришел за моим дорогим сыном»*. Отец коротко застонал и дыхание его остановилось. Я спросил у бабушки, слышала ли она голос или это все было плодом моего воображения. Она подтвердила, что слышала. Бабушка поцеловала умершего в лоб. Я сделал то же самое. Потом пришли женщины и стали готовить отца к погребению. Знаешь, только в этом случае позволяется двум женщинам вместе стелить одну кровать. — Бен усмехнулся. — Есть поверье — если две женщины стелят одну кровать, значит, они готовятся кого-то хоронить.

Пандора прижалась к нему.

— Какой же ты счастливый, Бен, — воскликнула она. — Очень немногие люди бывают счастливы в детстве.

Он пожал плечами.

— В наши дни люди слишком многого хотят.

— Да, пожалуй. Мамаши всех моих подруг учили их стремиться только к богатству и известности. — Они сидели, разговаривая у коттеджа. Был хмурый день. Дул свежий бриз. — Ты, кстати, еще встретишься с моей матерью, Бен, — с тоской сказала Пандора. —

Мать все равно когда-нибудь выследит меня. Пока что я удерживаю ее от приезда, объясняя, что не обустроилась и не имею своего пристанища. Но как только оно у меня появится, я опять окажусь в западне, расставленной моей мамашей, и ничто не спасет меня от ее приезда. Дело в том, что она чувствует себя просто обязанной постоянно вмешиваться в мою жизнь, указывать мне, что и как делать. И, если я мыслю хоть чуточку иначе, чем она, значит, я обязательно ошибаюсь. Мать не может жить сама и давать жить другим. Она не в силах допустить, чтобы каждый из нас жил своей жизнью. Рядом с ней я выдерживаю только неделю или две, а затем ломаюсь и чувствую себя совершенно подавленной.

Бен опять пожал плечами.

— Но я же с тобой. И уж с кем, с кем, а с твоей мамашей справлюсь. Я умею обращаться с американками. Разве ты забыла, я учу их нырять. Они не все такие плохие, просто многие из них не умеют радоваться жизни. Кстати, Пандора, если тебе нужно место, где жить, то у меня как раз есть небольшой домик недалеко отсюда, на пляже. Я получил его от деда. Можешь жить в нем. Тем более что дом нуждается в женском присмотре. — Бен улыбнулся.

Пандора присела на шезлонг.

— Это было бы просто здорово, Бен. Я уже почти год живу по-цыгански, на чемоданах. По правде сказать, я даже соскучилась по уборке. Хочу наконец сама приготовить себе еду. И еще мечтаю, чтобы твоя бабушка научила меня готовить местные блюда.

— Когда от нас ушел отец, — продолжала рассказывать Пандора, — мать перестала готовить и убирать в доме. Перестала и орать на меня, но вела себя так, словно только что одержала огромную победу. Сражаться ей теперь стало вроде бы не с кем, и она поменяла правила игры. Отныне мне разрешалось лишь ходить в школу. Все остальное время я была пленницей моей матери. Отца она теперь доводить не могла, поэтому принялась доводить меня. Она начала часто наведываться в школу и рассказывать учителям какие-то гадости. Я поняла это по тому, что они стали странно посматривать на меня. Я должна была сказать им, что моя мать не в себе, что она просто помешанная, но не могла. Нет, она меня больше не била, теперь она «убивала» меня словесно. Я не могла купить себе одежду без отвратительных комментариев матери: *«Тебе надо было бы купить на размер больше! Ты должна есть больше, ты слишком тоща! Тебе надо заниматься гимнастикой, смотреть противно — настоящий увалень!»* Иногда я удивляюсь, как я вообще все это выдержала. Может быть, я и замуж-то каждый раз выскакивала лишь для того, чтобы ускользнуть от нее. Как бы то ни было, в Нормане я увидела именно спасительный выход, возможность сбежать от матери. Секс для себя я открыла еще с мальчишками... Я не горжусь этим, — промолвила Пандора, — но первый сексуальный опыт у меня был уже в 13 лет. Я думала, что в этом будет источник моей силы. Но секс не доставлял мне особого удовольствия ни с мальчишками, ни даже с Норманом. Теперь мне даже иногда кажется, что, воспитанная на грубом примере своей матери, я не могла понять многих вещей и научиться ими наслаждаться. С Норманом я пробыла всего два года. Он страшно бил меня. Потом я встретила Маркуса, он-то и помог мне развестись. Я была ему признательна настолько, что вышла за него замуж, совершив тем самым еще одну ошибку.

Я расскажу тебе, как все было. Мы с Норманом сбежали, чтобы пожениться. Он был высок — шесть футов и два дюйма, красив, но не особенно умен. Несмотря на это, все девчонки сходили от него с ума. У него были темные волосы и черные глаза, вероятно, поэтому мне иногда казалось, что за ним неизменно тянется какая-то печальная черная тень. Моя мамаша, кстати, ег совершенно не смущала. До замужества он ее или игнорировал, или был равнодушно любезен. После свадьбы почти ничего не изменилось, но, если вдруг мать начинала орать на него, Норман спокойно мог ее стукнуть. И, что примечательно, когда он ее бил, ее шея наливалась вдруг от волнения, а глаза вылезали из орбит. «Черт, — думала я тогда, — ей же это по душе!» Я знала, что Норману нравилось бить меня. Его лицо в эти моменты обретало такое же взволнованное выражение: глаза широко раскрывались, а в голосе возникала особая струна, которая появлялась, кстати, и в моменты наших ссор, во время которых он почему-то очень возбуждался. Я же терпеть этого не могла. Но когда Норман принимался бить мою мать или орать на нее, тогда его лицо оставалось совершенно холодным. Он просто понимал, нанося ей удары, что чем быстрее он это сделает, тем быстрее она заткнется. Только и всего. Ну, хватит об этом.

В общем, когда мы решили пожениться, мы прошли все нужные в таких случаях медицинские и прочие тесты, приехали в мэрию и встали в общую очередь. Норман боялся всего вокруг так же, как и я. Мы оба оделись в нашу лучшую одежду. Единственный костюм Нормана сидел на его огромных плечах, как пальто на вешалке где-нибудь на складе Армии Спасения. На самом-то деле, я купила этот костюм в магазине «Сен-Винсент де Поль». Правда, я не удержалась и сдала его в химчистку... — Пандора, заколебавшись, продолжила: — Я просто хотела вытравить из него запах бедности. Костюм, конечно же, был чистым. Но, когда ты так беден, как была бедна я, ты все время ощущаешь везде запах бедности. Но ты-то, Бен, не знаешь, что такое бедность.

Бен покачал головой.

— Та часть острова, где я живу, считается бедной. По количеству денег мы, естественно, бедные. Нам не сравниться с богатством губернатора и его жены. Никто не присылает нам приглашений на коктейли, которые проводятся в доме губернатора. Но у нас дружные семьи, все заботятся друг о друге. Голодным никто спать не ложится. Счастье, Пандора, приносят не деньги, а богатые души. Все идет от души. На острове я часто вижу скучающих туристов, у которых ужасно много денег. Они смотрят на мой райский остров и не понимают, что здесь делать. Я думаю, они похожи на пустые пивные банки, внутри у них ничего нет. Я беру этих несчастных с собой под воду, а вечером в баре слушаю, как они рассказывают друг другу о том, что видели на глубине. Во всяком случае, я рад, что под водой они не могут болтать. Что ты мне еще хотела рассказать про Нормана?

— Да нечего уже рассказывать. Мы поженились и поселились на время в маленьком мотеле. На второй день Норман пошел куда-то за пивом. Вернулся в мрачном настроении, принес бутылку виски и стал напиваться уже всерьез. Я попыталась его остановить. Тогда он меня ударил, да так сильно, что сломал нос. Я дождалась, пока он уснет, собрала вещи и уехала домой к матери. Не думала я, что мне придется опять о чем-то просить ее. Но, к сожалению, пришлось. Слушай, Бен. Мой рассказ становится совсем печальным, и он наверняка тебе наскучил. Пойдем лучше посмотрим на твой дом. Ты так хорошо его обрисовал. Я действительно думаю, что мне следует как-то обустроиться, прекратить метаться и пожить на одном месте. К тому же мне не очень-то приятно вспоминать о Нормане. Странно, мне казалось, я напрочь забыла эти несчастливые годы, отгородилась от них, а оказывается, пока нет. Может быть, это все потому, что у меня сейчас слишком много времени на размышления и воспоминания.

Бен положил ей руку на плечо.

— Нет, это Малое Яйцо так влияет на людей. И, хоть остров маленький, здесь можно найти все то, что встречается в вашем большом мире.

— Пожалуй, ты прав. — Пандора поднялась со стула. Пот, от которого некуда было деться, сбежал струйками по ее груди. — Все-таки мне надо наконец привыкнуть к этому постоянному потению. — Она взглянула на Бена и рассмеялась: — Ты тоже весь мокрый!

— Конечно, и я потею, — не стал возражать Бен. — Потеть полезно. Пошли-ка в бар, выпьем холодного пива и взмокнем еще сильнее. А потом отправимся смотреть мой дом.

Сидя в тиши маленького бара у берега моря, Пандора наблюдала, как Джанин убирала со столов. Длинные руки женщины двигались с поразительной скоростью. Сама она при этом ловко сновала в толпе туристов. Как все же красивы жители Малого Яйца! Наверное, такими их делает беззаботная жизнь, не отягощенная мыслями о далеком реальном мире. Джанин дружелюбно улыбнулась Пандоре.

— Ты здесь надолго? — спросила она, подходя к их столику.

Пандора почувствовала мгновенный приступ паники, хотя с чего это, интересно, ей было бояться этой доброй женщины? Неужели только потому, что ее так много в жизни обманывали — сначала Норман, потом Маркус с его бисексуальными наклонностями и, наконец, еще и Ричард? Она дала себе слово, что на этот раз, здесь, на Малом Яйце, будет стараться избегать всяких знакомств. И, хотя сдержать свое слово до конца ей все же не удалось, она была тем не менее уверена, что с Беном она не совершила промашки. Напротив, она считала его счастливой находкой. Что касается остального мира, то на очередную встречу с ним Пандора не спешила. Как дикобраз, потерявший вдруг все свои защитные иглы, она намерена проявлять осторожность и выжидать.

— Надеюсь, что да, — ответила Пандора неуверенно. — Как ты считаешь, понравится мне здесь?

Улыбка Джанин сверкнула, как луч яркого доброго солнечного света.

— Конечно! Правда, тут нет мужчин. — Она взглянула на Бена. — Во всяком случае, тех, кого я могу назвать настоящими мужчинами.

Бен поднял свой бокал с пивом.

— Вот в этом вся Джанин, Пандора, она любит крутых мужчин. И чем они круче, тем больше ей нравятся.

Джанин заметила испуг в глазах Пандоры.

— Эй, подружка, — воскликнула она, — видно, кто-то из мужского племени здорово тебя обидел.

— Ты права. Так оно и получилось, — сдерживая слезы, ответила Пандора.

— В душе ведь все мужчины сволочи. — Джанин облокотилась на стойку бара. Прядь сверкающих черных волос упала ей на лоб. — Послушай... — Она подняла вверх палец. Вокруг них продолжали галдеть туристы, в ветвях деревьев вопили попугаи. Лес шуршал листвой под тихим ветром. По земле сновали крошечные ящерицы с загнутыми хвостами. — Знаешь что, Пандора, если кто-то из мужиков вдруг начинает доставать тебя, надо просто снять с ноги туфельку и как следует треснуть этого гада по голове. Если и это ничего не даст, тогда возьми бейсбольную биту и звездани приставалу посильнее.

— Ты что, шутишь, Джанин?

— Вовсе нет, — вмешался Бен с показным почтением. — Когда она идет работать в бар «666», то всегда берет с собой бейсбольную биту и, если кто из клиентов начинает хулиганить, пускает ее в ход.

— Знаешь, в чем твоя проблема? — Джанин выпрямилась, выпячивая напоказ свой великолепный бюст.

50

— Вы все, американцы, слишком много думаете. Слушай, а не хочешь ли пойти со мной сегодня в этот бар? Поможешь мне. Сегодня завезут пиво «Лайон», и, черт возьми, ребята опять здорово напьются.

Пандора неуверенно взглянула на Бена. Какое-то мгновение она колебалась, потому что ей совсем не хотелось терять исключительность тех отношений, что установились у них. Вместе с тем она понимала, что они с Беном давно не дети и живут не на Луне, так что отгородиться и спрятаться от остального мира навеки им все равно не удастся.

— Хорошо, — кивнул Бен. — Я привезу ее в бар где-нибудь к девяти, а сейчас, дорогая, нам пора.

Пандора помахала Джанин на прощание. Та стояла, уперев руки в бока, улыбаясь и прекрасно сознавая, что большинство мужчин вокруг и некоторые женщины были просто заворожены видом ее груди. Встряхнув плечами еще раз, Джанин посмотрела вслед Пандоре и подумала: «Ну что за дуреха?» Потом она вдруг нахмурилась: «А я-то сама не дуреха, что ли? Мой-то Окто обитает сейчас где-то на Кубе, делая бизнес на своих наркотиках. Но мне все же жаль ее. Почему — не знаю. Она ведь в безопасности с Беном». Джанин налила себе рому. «В безопасности? Может быть, это и так. Вот Окто, он другой — пират и потомок пиратов. Полный рот золотых зубов, в ухе здоровенная серьга, золотая цепь на шее. И вся полиция Карибов тщетно пытается поймать его. Но это им никогда не удастся, — успокоила себя Джанин. — Он ведь знает каждый риф, каждую отмель отсюда до Ямайки».

Взять хотя бы его лодку, под ее дряхлым корпусом запрятан сверхмощный двигатель. А трюм напичкан множеством хитрейших тайников для наркотиков. Поэтому Окто, вечно выпивший, нависающий могучим торсом над штурвалом, мог провезти в этих местах что угодно и куда угодно, по закону или вопреки ему. Джанин любила его всей душой. Для нее, рожденной и росшей в темной хижине в Гондурасе, Окто стал спасением. Он рано вошел в ее жизнь и навсегда остался самым лучшим.

Ее большие глаза с длинными черными ресницами продолжали следить за Пандорой, садившейся на мопед позади Бена. «Во всяком случае, Бен не причинит этой американке зла», — думала Джанин. Душа женщины, израненная множеством шрамов, приобретенных в долгой борьбе за выживание, не могла не сочувствовать другой исстрадавшейся женской душе. Но в данный момент Джанин больше тревожилась об Окто, с беспокойством ожидая его возвращения. Слишком много ночей прошли без его страстной грубоватой любви. Как уютно она себя чувствовала, когда его голова покоилась на ее груди, когда она сознавала, что имеет достаточно силы в спине и ногах, чтобы принять все его настойчивые мужские ласки.

Джанин вытерла ладонью лоб и повернулась за заказом к клиенту — очередному бело-розовому американскому туристу.

— Так вы из Нью-Йорка? — спросила она, наклоняясь к американцу так, чтобы он несколько мгновений мог лицезреть ее сосок.

— Откуда вы знаете? — удивился турист, не сводя бледно-голубых глаз с разреза ее блузки.

— Да вас за версту видать, — проворчала Джанин. — У вас у всех один выговор. — Дальше объяснять она не стала.

— А... — протянул американец. Потом он двинул сначала одной ногой, затем другой, чувствуя неминуемое наступление эрекции. — Знаете, а?..

— Что? — подняла брови Джанин.

— Ну, это. Есть тут у вас на острове девочки?

— Их тут полно. — Джанин отвернулась от стойки, чтобы наполнить ромом стакан американца. — Какие девочки вам нужны?

— Ну, знаете, с кем можно поразвлечься.

Джанин опять повернулась лицом к стойке. В ее руках был высокий стакан пива с шапкой белой пены. Она опустила губы в напиток, потом, подняв голову, томно слизнула пену с полных ярко-красных губ.

— Конечно, есть! Я, например. — Она рассмеялась.

Американец тупо уставился на нее, его узкая грудь беспокойно задергалась от нахлынувшего желания и нестерпимой полуденной жары. Теперь следы его эрекции уже ясно обозначились под тканью обтягивающих черных с лайкрой шортов. Усы американца под обгоревшим носом задвигались и сразу стали похожи на морских червей, водившихся на мертвых рифах и питавшихся падалью.

— Вы сможете найти меня сегодня в баре «666» на другом конце острова.

— «666»? Ух ты! Это же знак дьявола, сатаны.

Джанин опять нагнулась поближе к нему.

— Вот ваш ром.

«Ну что же, — размышляла она, — он выглядит чистеньким». Хотя с американцами с ходу никогда не разберешься. Из всех приезжавших на остров американцы были самыми непонятными. Итальянцы, те, приезжая, начинали вопить «мама миа» и тому подобное. Англичане ничего не вопили. А вот американцы были больше всех склонны хорошенько пошуметь, а потом вдруг почему-то взять и разрыдаться. «Что же это за народ такой, американцы? — думала Джанин, — странный народ».

Если сегодня она будет хорошо работать и получит приличные чаевые, то ей, может быть, удастся кое-что добавить к той тысяче долларов, что были спрятаны под матрацем. Окто будет ею доволен, когда узнает про эти накопления. Последний месяц был для Джанин удачным. Она взглянула вверх, на небо. Высоко над ней парили, следуя теплым восходящим потокам воздуха, фрегаты — редкие, почти исчезнувшие с лица земли птицы, которые жили тем, что грабили других пернатых, отнимая их добычу. Атаковали рыбаков, которые ценой неимоверных усилий тянули из воды пойманную рыбу, вынуждая их в конце концов откупаться частью улова. В этом фрегаты очень походили на Окто.

— Два пива, малышка, и побыстрее! Нам жарко.

Джанин посмотрела на двух мужчин, появившихся перед ней. Она потянулась, чтобы достать два бокала с верхней полки. Оба посетителя смогли при этом прекрасно рассмотреть сквозь разрез блузки ее великолепную грудь.

— Сегодня будет пирушка в баре «666», — сообщила Джанин, наливая пиво по стенке первого бокала. Но, внимательно взглянув на парочку, заметила, как удивленно при ее словах они уставились друг на друга. «Черт! — подумала она. — Эти двое не для меня. Что ж, тогда, может быть, им повезет и они повстречают Марка». Она протянула мужчинам пиво.

— Пирушка?! — брюзгливо переспросил старший. — На этом вашем забытом Богом булыжнике совсем нечего делать! Надо было остаться на Большом Яйце. Там хоть дискотеки есть.

— Нам тут дискотеки ни к чему. — Джанин мило улыбнулась. — Ну а вам я все-таки советую сходить в «666». Спросите там Марка.

— Какого Марка? — поинтересовался мужчина помоложе. Он был одет в мальчишеские шорты, изумительно чистые, белые, аккуратно подвернутые гольфы и столь же чистые пляжные тапочки.

— Просто Марка. А ему скажете, что вас послала Джанин.

Глава шестая

Бен вошел вслед за Пандорой в бар «666», остановился позади нее. Пандора уловила теплый чистый аромат, исходивший от его тела, повернулась и с удовольствием прильнула к его груди.

Пандора сразу поняла, что «666», как и все прочие бары, куда наведывался в свое время Норман, несли в себе одновременно и заряд любви, и заряд разрушения. Но еще она заметила, что в отличие от любимых баров Нормана здесь пили как-то веселее, а голоса людей звучали громче и оживленнее. Бары, что посещал ее бывший муж, были местами грязными, куда люди приходили выпить, поболтать с другими завсегдатаями-собутыльниками, поспорить с ними о том, с кем из них за истекший, полный нудных трудов и забот, день случилось самое интересное происшествие. Здесь же, насколько она могла судить по долетавшим до нее обрывкам разговоров, большинство посетителей говорили о рыбалке или о лодках. Пандору заставило улыбнуться присутствие в баре нескольких весьма решительно настроенных дам, которые сидели за столами вместе со своими мужьями и громко, уверенно принимали участие в беседах.

Посещение баров вместе с Норманом всегда было для Пандоры опасным предприятием. Она не могла прийти туда, чтобы просто провести там вечер и отдохнуть, потому что Норман чувствовал себя обязанным каждый раз вести бой за честь своей дамы сердца... И стоило какому-то мужчине на миг оторваться от стакана и мельком взглянуть на Пандору, как это становилось для ее мужа поводом начать драку. Пандора быстро научилась прятать глаза: в барах она всегда низко опускала голову и смотрела вниз. Со временем она стала великим знатоком башмаков и туфель других посетителей, экспертом по качеству и типу полов в том или ином баре, по тротуарным трещинам, размерам и форме встречающегося под ногами собачьего дерьма. Но даже такая манера вести себя не всегда ее спасала. Лишенный повода прийти в ярость, Норман по дороге домой мог вдруг ни с того, ни с сего схватить ее за длинные рыжие волосы и протащить за собой весь остаток пути.

На этом унизительном для Пандоры пути было, как и у Христа на Голгофу, несколько этапов. Самый мучительный из них — пройти мимо дома Айзеков. Госпожа Айзек, сама за свою жизнь много претерпевшая, неизменно высовывалась из окна и кричала: «Отпусти девушку, негодяй!».

«Вот видишь, — начинал тогда скрежетать зубами Норман, — видишь, ты опять позоришь нас перед соседями!»

Пандора ничего ему не отвечала. Она прекрасно знала, что, как только за ними закроется входная дверь, Норман опять сильно ударит ее наотмашь правой рукой. И бездумная, бесполезная попытка госпожи Айзек защитить ее в очередной раз послужит для этого подходящим поводом.

Зачем только она вернулась тогда к Норману? После того, как сбежала от него на второй день медового месяца? Затем, вероятно, что ей надо было просто выжить, а выбор стоял между матерью, которой она была не нужна, и Норманом, который говорил, что любит ее, но продолжал избивать.

Джанин обслуживала кого-то из клиентов на дальнем изгибе стойки бара. Над всей стойкой тянулась соломенная крыша, в двух шагах от столиков плескалось тихое уютное море. «Как хорошо жить, не зная страха», — подумала Пандора. Она прекрасно понимала, что, вероятно, для большинства окружавших ее людей эта фраза могла показаться смешной и непонятной, мол, разве можно вообще жить, вечно чего-то опасаясь? Но она-то знала по собственному опыту регулярного пребывания в больницах, куда она не раз попадала по вине Нормана, что в мире есть еще сотни, а то и миллионы женщин, которые бы поняли ее, потому что, как и Пандора, чувствуют то же самое и мечтают о том же самом. Норман вселил в ее душу физический страх. Маркус пошел, правда, еще дальше: он научил ее значительно большему страху, страху перед тем, что ее разум может не выдержать издевательств, погибнуть, оставить ее, и тогда голова ее наполнится пылью и пеплом, а тело станет безвольным, безжизненным, подчиняющимся только командам на послушание, которые будут передаваться через некий подсоединенный к ее мозгу электрод. Вот тогда она точно уж сойдет с ума и будет бездумно и бесшумно существовать на этом свете, как существуют многие сумасшедшие, напичканные наркотиками и успокоительными таблетками.

Пандора склонила голову и осторожно огляделась. Что это, интересно, там за женщина, которая сидит в углу и слушает мужчину, тесно прижав свои колени к его коленям? Женщина одета в черное платье на пуговицах. Волосы зачесаны назад. На обоих зрачках, казалось, проступали следы катаракт. Вокруг рта залегли глубокие морщины. Уши женщины были крупными, заостренными кверху, с толстыми мочками и большими раковинами, которые вели, казалось, прямо в мозг. Пандора вдруг представила приливы и отливы мыслей в голове этой женщины.

— Кто эта женщина, Бен, вон там? — Пандора слегка толкнула своего собеседника локтем.

— Это мисс Мейзи, Пандора. Не смотри на нее, а то она тебя сглазит.

В этот момент их и заметила Джанин. Она недослушала чей-то заказ и быстро подошла к той части стойки, где расположились Пандора и Бен.

— Молодцы, что пришли, как и обещали!

— Есть ли новости от Окто, Джанин?

Джанин взяла стакан.

— Нет, — ответила она. — Но прилив сейчас хороший, и я совсем не волнуюсь. Говорят, что сюда прибывает какой-то «груз», но не думаю, что Окто с этим связан. Один раз на этом он уже прокололся. Может, я и ошибаюсь, Бен. Но моя дурацкая жизнь состоит из одних ошибок.

— Да все мы так живем.

Пандора рассмеялась.

— Точно. Хуже всего как раз то, что при всем при этом мы слишком много о себе мним. Так чем я могу помочь тебе, Джанин?

— Ты умеешь управляться с баром?

— Нет, но в барах я бывала частенько. Так что быстро освою это дело.

Джанин откинула крышку над проходом за стойку.

— Тогда заходи, если что будет непонятно — спрашивай.

Бен сидел и наблюдал за Пандорой. Ее лицо раскраснелось от солнца и напряжения. «Неужели кто-то мог додуматься поднять на нее руку? — недоумевал Бен. — Такое и представить себе невозможно». Пандора напоминала ему моллюска, лишившегося своей прочной защитной раковины. Однажды, будучи мальчишкой, Бен с друзьями поймал в море такого моллюска. Забавы ради они прицепили его за одну из выступавших мягких конечностей к бабушкиной бельевой веревке. По мере того как палящее солнце все больше и больше разогревало его белое блестящее тело, моллюск все слабее удерживал на себе спасительное убежище раковины. В конце концов он совсем потерял ее и остался висеть на веревке, беспомощный и открытый под пыткой солнечных лучей. На его голове были два длинных отростка с коричневыми глазками, которые, как казалось Бену, смотрели на него хоть и подобру, но с упреком. С того дня Бен, когда ел моллюсков, все время испытывал чувство вины за тот свой мальчишеский поступок. Слишком уж беззащитно выглядел моллюск, висевший на бельевой веревке. Ту же беззащитность чувствовал Бен и в Пандоре. По правде говоря, именно беззащитность пробуждала в Бене чувство нежности. Однако он знал, что не все люди такие, как он, — чувствительные и добрые. Поэтому Пандора могла своей беззащитностью навлечь на себя беду, кто-то мог захотеть обидеть ее. По мнению Бена, она вполне была способна попасть в положение какого-нибудь крошечного краба, оказавшегося вдруг вдали от своего домика-раковины. Многие предвидят угрожающие им опасности. Она же не догадывалась, что раковина — обязательное условие безопасности жизни.

Бен продолжал следить за тем, как Пандора двигается при свете ламп, освещавших стойку бара. Он смотрел в ее прекрасные зеленые глаза, сиявшие на узком лице, и сердце его бешено заколотилось. Как долго продлится счастливое время вместе с этой женщиной, что становилась ему все ближе и ближе с каждым днем? Их отношения пугали, удивляли и радовали одновременно. Гораздо чаще он переживал мгновения чисто плотского влечения к той или иной заезжей женщине с красивыми ногами или роскошной грудью. «Приезжие нам лишь для того, чтобы на них практиковаться в любви, — говорили ему старики. — А вот жениться нужно на своих женщинах, на островитянках. Именно наши девушки хранят обычаи предков». Бен всегда внимательно слушал советы стариков, но вопреки самым страстным уговорам и ловким соблазнам, на какие пускались некоторые красивейшие островитянки, самое большее, что Бен позволял себе наедине с ними, были нежные ласки его пальцев, проникавшие в самые заповедные, влажные, пылающие от страсти места готовых отдаться женщин.

В последние десять лет, за исключением той душещипательной истории с девушкой из Флориды, Бен занимался в основном хорошо оплачиваемым сексом с приезжавшими на остров туристками. Он, правда, так и не уподобился Зигги — местному жиголо, дамскому угоднику. Огромного роста, со здоровенными мускулистыми бедрами, Зигги, выпив приличное количество рома, любил поорать, побуянить, устрашающе постучать себя кулаком в грудь. Сегодня он как раз был в баре и гулял вовсю. Несколько женщин, визжа, висели на его могучих бицепсах.

Пандора налила в один из стаканов ром и кокаколу и, улыбнувшись, взглянула на Бена. В ее улыбке совсем не было страха. Она даже не замечала стоявшего вокруг гвалта. Может быть, с надеждой подумал Бен, ему удастся научить Пандору защищаться, может, с его помощью она сумеет построить себе надежный панцирь-убежище. А пока этого нет, он мог бы взять на себя роль ее защитника, хранителя от зла.

Пандора увидела, как к бару подошли двое мужчин, что недавно беседовали с Джанин. Один из них наклонился и шепотом спросил:

— Марк здесь?

Глаза Джанин блеснули. Она подняла голову.

— Он там, на берегу у рыбацкой лодки, — ответила женщина.

— А у него есть «это»? Ну то, что нам надо? — Спрашивающий подергивался и шмыгал носом, глаза его покраснели и слезились.

— У Марка есть все, — сказала Джанин невозмутимо. Она с улыбкой проводила мужчин взглядом. — Клиент всегда прав! — воскликнула она, передразнивая бравурные интонации американских рекламных роликов. — Веселой ночи вам, ребята!

Пандора вздрогнула. Неужели в этом раю не все так замечательно, как это может показаться сначала?

Постепенно благодаря хижине Бена (и, в частности, уютному гамаку, висевшему на крыльце), ее жизнь на острове стала приобретать черты некоей упорядоченности и целенаправленности. Крошечная хижина из досок, построенная когда-то дедом Бена, располагалась на южной оконечности острова. Веранда выходила на море, удачно огороженное дугообразной стеной рифа, а потому всегда остававшееся прозрачным и спокойным. Эта хижина превратилась для Пандоры в святое место. Чистоту в своем жилище Бен поддерживал идеальную; он и в этом не походил на грязнулю Ричарда. Хижина как будто светилась, исполненная гордости. Все ее уголки были надраены до блеска, а посредине красовалась коллекция раковин, собранных Беном на морском дне. Пахло в хижине свежим жасмином и цветами, которые бабушка Бена приносила ему.

Пандора лежала в гамаке, натянутом между двумя обрамлявшими крыльцо хижины столбами, и лениво покачивала ногой. В горячем воздухе не чувствовалось и намека на ветер. Был час дня, безоблачного и безветренного дня. Птицы молчали, скрываясь от зноя в тени пальмовых ветвей или многочисленных норах на поверхности вулканических скал. Всю эту неделю Бен работал по найму, что-то делал для Министерства общественных работ. Каждый день Пандора давала ему с собой что-нибудь перекусить, обычно это были сахарные бананы, домашние булочки и соленая говядина.

Пандора не замечала, что ее волосы сбились в

бесформенную массу мокрых завитушек. Она рисовала в своем воображении картины того, как Бен вместе с остальной бригадой сидит на корточках где-нибудь в тени великолепных деревьев, называвшихся здесь «гордость Ямайки», под их зелено-голубыми огромными листьями, с трудом удерживающими разбросанные по ветвям тяжелые ярко-красные цветы. Часто ветви «гордости Ямайки», росшей у дороги рядом с хижиной Бена, склонялись над ней так низко, что дарили Пандоре, расположившейся в раскаленном на солнце гамаке, мгновения блаженной тени и прохлады.

Она только что провела с Беном тихий счастливый уик-энд и теперь, предоставленная самой себе, начала вдруг понимать, что ее прежнее калейдоскопическое существование уходит в прошлое, болезненные воспоминания пережитого отступают. Она более не вздрагивала и не затаивала дыхание при первом незнакомом звуке. Даже Бен заметил перемены.

— Теперь-то ты улыбаешься, как надо, широко и без оглядки, — сказал он ей как-то, гладя пальцами ее лоб и скулы и чувствуя каждый шрам от побоев Нормана. Бен осторожно прильнул к ней всем телом.

«Где, интересно, Бен смог научиться такой нежности?» — подумала тогда Пандора.

Бену же казалось, что он лишь следует тем путем, что негласно указывает Пандора.

А она, лежа в гамаке, вспоминала тот первый вечер в баре «666». Особенно то мгновение, когда услышала вдруг свой собственный смех. Потрясенная, она даже перестала протирать стакан, который держала в руках. Как ни странно, стакан она не выронила, не разбила, он остался лежать в ее ладони, сверкая выпуклыми гранями, как бы подмигивая ей. В этом смехе, все еще звучавшем, Пандора различила колокольчики непритворной радости и даже несколько ноток смешливого озорства. Таким смехом могла смеяться только маленькая девочка, и жила эта девочка в душе той взрослой женщины, что звалась Пандорой.

Тем вечером, после того как Джанин закрыла бар, они втроем пошли по берегу моря, возвращаясь к хижине Бена. Взявшись за руки, они двигались по мягкому поскрипывающему песку, оставляя за собой следы, которые вскоре должен был смыть поднимающийся прилив. Крошечные крабики, размахивая клешнями, разбегались из-под ног и прятались в песчаных норках. Слышалось тихое щебетание птиц, разбуженных в своих гнездах тяжелыми шагами людей. Много дней отделяло этот вечер от того, другого, тоже проведенного Пандорой на пляже, когда она, потеряв голову от выпитого рома и страсти, порожденной отчаянием, искала только одного — мужчину, любого мужчину-любовника, который смог бы обнять и утешить ее, прижать ее к земле, вдавить в песок так, чтобы ее потерянная и измученная душа не сорвалась в ночь, к холодным немигающим звездам, и не рассыпалась бы там в пыль.

Ну, а в этот же тихий счастливый вечер, много дней спустя, Бен и Пандора, расставшись по дороге с Джанин и поцеловав ее на прощание, дошли наконец-то до своей хижины, упали, усталые, в постель и заснули, крепко обнявшись, прежде чем в них вновь разгорелся огонь желания.

Пандора качнулась в гамаке еще раз, заметив, что пришло время подкрасить ногти на ногах. Песок стер края лакового рисунка. До заката солнца ей, правда, оставалось сделать еще одно дело — решить, хочет она или нет продолжать вспоминать о несчастной жизни с Норманом и о своем побеге. Так почему же все-таки при нынешнем состоянии полного счастья все эти тяжелые воспоминания продолжали преследовать ее? Да потому, ответила сама себе Пандора, что она имела сейчас как раз то, чего лишены большинство людей. У нее было много свободного времени, и она чувствовала себя в безопасности. И, что бы ни всплыло теперь из глубины ее памяти, женщина была уверена в своей способности с этим справиться. Но прежде всего надо подровнять лак на ногтях.

Глава седьмая

В начале дня, когда солнце вставало над верхушками пальм, окружавших хижину, Пандора любила, лежа в кровати с закрытыми глазами, слушать песни хора попугаев. Попугаи громко выражали свой восторг восходу солнца, заглушая пронзительными криками более скромные трели прочих пернатых, тоже имевших счастье невредимыми пережить еще одну ночь своей жизни. Потревоженные дневным светом совы, кашляя и щелкая клювами, теряя на ходу остатки ночной добычи, торопливо взлетали с ветвей, чтобы забраться поглубже в лес или подальше в горы и там, в спокойствии, дождаться следующей ночи.

Это было любимое время Пандоры. Тихо и неподвижно она лежала за спиной спящего Бена, рассматривая любовника безо всяких помех. Она изучала ровную границу, отделяющую его вьющиеся волосы от мягкой светло-коричневой кожи шеи, прослеживала невидимую другим линию, проходящую от его плеча по спине к узкой талии и дальше к двум абсолютно симметричным ягодицам, от которых легко намечался путь к чуть согнутым во сне коленям. В этом соблазнительном проеме между ягодицами, Пандора могла различить формы покрытой волосами мошонки. Невинность позы, в которой спал Бен, умиляла женщину.

Норман всегда спал со сжатыми кулаками и насупленными бровями. Маркус, тот даже во сне был похож на осажденную крепость: он скрещивал руки на груди, как бы стремясь защитить свою спящую персону. Что же касается Ричарда, то он и жил, и спал, как младенец, его легко можно было представить сосущим во сне палец. Во всяком случае, засыпая, он всегда бережно держал в руке какую-нибудь безделушку, которую называл своей «погремушкой» и без которой не мог уснуть.

Теперь Пандора на все это смотрела отстраненно, не переживая. А ведь не так давно это было для нее эпизодами из целой череды отчаянных попыток не сойти с ума. Новые воспоминания, нахлынувшие теперь на женщину, относились к годам ее жизни с Ричардом. Правда, та история, как она сбежала от Нормана, тоже оставалась в памяти где-то рядом, не выходила из головы, как нераспакованный чемодан в чулане. Однако Пандора твердо решила заняться этим чемоданом тогда, когда будет подходящее настроение. У нее хватит на это времени. А потом ее мать уже точно вычислит ее местонахождение, хотя бы по расходам кредитной карточки «Америкэн экспресс». И напишет ей письмо своим ужасающим почерком, и она, ее дочь, не сможет на него не ответить.

Пандора уткнулась носом сзади в шею Бена.

— Пора вставать, — прошептала она и, смеясь, пробежала пальцами по его поднявшемуся пенису.

Медленным движением она подняла влажную от жары ногу и, обхватив ею талию мужчины, приняла его внутрь себя. Так они просыпались каждое утро. От возбуждения капельки пота проступили на ее лбу. Кончая, Бен издал низкий стон, за которым последовало несколько глубоких вздохов.

Попугаи, прервавшие пение, громко и осуждающе заверещали. Пандора улыбнулась, когда представила, с каким выражением очерченных желтым глаз могли эти птицы наблюдать за усилиями людей, жаждущих всего-навсего плотского удовлетворения.

Бен поднялся на локте и поцеловал ее взмокшую шею.

— Кофе, — предложил он, — много, очень много крепкого кофе с молоком.

— О, Бен! Неужели это счастье когда-нибудь все же кончится?

Бен сел. Простыня прилипла к его спине. Он взглянул на Пандору, раскинувшуюся у его коленей. Она немного прибавила в весе, и теперь ее лицо не казалось таким мрачным и нервным, как раньше. Края рта распрямились, глаза, которые раньше, казалось, занимали бо́льшую часть ее исхудалого лица, уже не выглядели ненормально выпученными. Бен не хотел ее расстраивать, но и соврать тоже не смог.

— Ничто не длится вечно, Пандора, — ответил он. — Всему приходит конец.

Он говорил со знанием дела, потому что пережил многое: смерть матери и отца, утрату возлюбленной (что, конечно, не сравнимо было с таким горем, как смерть близких, но тоже причинило немало страданий).

— Боюсь, я не верю в то, что есть на земле нечто, длящееся вечно. — Он заметил, как Пандора напряглась, как изменилось ее лицо. — Слушай, Пандора, я же не имею в виду нас с тобой. Но подумай сама, ведь человек рождается в одиночку, в одиночку он и умирает. Ты можешь любить кого-то, кто-то может причинять тебе зло, но в конце пути каждый из них, каждый из нас уходит из этого мира один. При этом неважно, кем был человек — королевой Англии, когда у смертного ложа молились кучи людей, или же простым рыбаком, который, как мой дед, один пошел в море и один там погиб. Последний путь ты всегда совершаешь в одиночку. — Он улыбнулся, наклоняясь к Пандоре, помог ей подняться на ноги.

— Господин Саливен, который учил нас английскому языку, рассказывал о множестве разных религий. Когда мне не надо будет идти выковыривать булыжники из дорожных рытвин, я перескажу тебе кое-что из наших с ним бесед.

Пандора опять легла, откинувшись на подушку. Иногда Бен так здорово раскладывал все по полочкам. Конечно, человек действительно рождается сам по себе. При этом, как, например, в ее случае, тебя не только случайно зачали и ты приходишь в этот мир в одиночку, но ты приходишь еще и совершенно нежеланным. Чувство острой печали заставило Пандору болезненно сморщиться.

«Я, кажется, обидел ее», — подумал Бен, увидев знакомое ему выражение отчаяния на лице женщины.

— Мне не следовало философствовать в столь ранний час, милая. Сейчас я вынужден уйти, и мне будет очень жаль оставлять тебя в этом настроении на весь день. Извини, я был не прав.

Бен был огорчен и озадачен. Он понимал, что ему просто невозможно представить, сколько страданий пришлось ей испытать. Двадцать семь лет его жизненного опыта не шли ни в какое сравнение с пережитыми ею тридцатью семью годами боли и неудач. Иногда ему казалось, что Пандора родилась на маленьком рыбацком судне и большую часть жизни провела в метаниях по штормовым волнам, гонимая ветрами через опасные рифы и атоллы. Порой островерхие кораллы почти что топили эту лодчонку, но ценой неимоверных усилий Пандоре все же удавалось удерживать ее на плаву, выправляя курс. И, когда он в тот вечер нашел ее на пляже, бессильную и отчаявшуюся, и они занялись любовью, он дал тогда себе слово, что будет заботиться о ней, защищать и стараться хоть в какой-то степени восстановить нарушенное равновесие ее души.

Пандора, в свою очередь, тоже кое в чем убедилась. Например, она знала, что их встреча с Беном дарована ей судьбой. И что какой-то этап ее жизни они будут вместе. Но об этом она пока предпочитала не говорить.

— Итак, кофе? — повторил свое предложение Бен. — Иначе мы тут проваляемся все утро, и мой бригадир будет зол на меня.

Еще несколько минут они лежали, переплетаясь в невинных объятиях. Огромные голубые мухи тщетно бились о стекла окон. Пищали комары, как бы требуя разрешения на посадку. Верещали кузнечики. Напротив двери гордо выставило всем напоказ зрелость своих плодов банановое дерево. «Рай не всегда бывает таким мирным и спокойным, — подумала Пандора. — Но почему бы мне не научиться жить сегодняшним днем и в этом черпать свое счастье?»

Во многих отношениях она отождествляла себя сейчас с цветочным бутоном гибискусового дерева. Такие бутоны она видела на дереве у калитки перед поворотом к дому мисс Рози. Она сорвала с ветки один из них размером в четыре дюйма и внимательно рассмотрела. Пандора, так же, как и бутон, была прочно упрятана в защитный кокон, отгораживающий ее от всего и всех. Бен — единственный мог сейчас приоткрыть эту оболочку и приблизиться к ней. Начинала понимать и приближаться к ней и бабушка Бена. Для всех остальных женщина была недоступна, скрыта, как бутон гибискуса в красном, похожем на чрево, коконе. Вот только это самое чрево Пандора, как ни старалась, никак не могла представить чревом своей матери. Ни в коем случае это ее нынешнее убежище не могло оказаться тем неуютным, враждебным материнским чревом, полным, как казалось дочери, всяких «фиброобразных опухолей», о которых она в свое время так много узнала. Эти фибромы всегда представлялись Пандоре шлагбаумами, призванными мешать зачатию. При этом свое право на жизнь, на рождение она получила именно потому, что ее поначалу сочли этой самой опухолью, а когда наконец выяснили, что она всего лишь плод, зачатый четыре месяца назад, было уже слишком поздно делать аборт.

Лежащий на ладони нераскрывшийся цветок поразил Пандору длинной желтой тычинкой, пронизывающей весь бутон. Покрытая пыльцой трубчатая тычинка как бы бросала вызов всему миру: *«Я стану самым большим, самым лучшим, самым красивым в мире гибискусом».* Пандора заметила, что оборвала бутон вместе с остатком черенка. «Отнесу-ка я его домой, — подумала она. — Положу в воду и посмотрю, каким он будет. Мисс Рози не обидится на меня».

Поднимаясь по ступенькам хижины Бена, Пандора услышала трель телефонного звонка. «Странно, Бен на работе. Кто бы это мог быть? Может, Джанин?»

Она подошла к телефонному аппарату, чувствуя себя немного озадаченной этим неожиданным требовательным звуком. В трубке раздались щелчки, означавшие подключение международных линий, затем знакомый голос спросил:

— Пандора, ты?

Она оцепенела.

— Ричард, как ты меня нашел?

— Это оказалось простым делом. — Его голос звучал так, словно он находился в двух шагах от нее. — Твоя мать проследила твои последние расходы по карточке «Америкэн экспресс», ну а твой адрес мне подсказала телефонистка. На вашем острове ведь не могло быть нескольких женщин с таким именем, как Пандора Таунсенд. Как тебя вообще занесло на этот остров?

«Не собираюсь я перед ним оправдываться. — Пандора пыталась держать себя в руках. — В конце концов, это именно он бросил меня, а не я его». Поэтому она решила перейти в наступление:

— Как там поживает Гретхен?

— Все в порядке. Германия, конечно, очень отличается от Бостона. Но нам здесь нравится.

— А как продвигается книга? — Ответ на этот вопрос Пандоре пришлось прождать гораздо дольше.

— Что ж, с книгой все получается не так быстро, как я предполагал. Но я все же сделаю то, что задумал. Послушай, я знаю, может, это прозвучит глупо, ведь ты уже девочка взрослая и в состоянии сама о себе позаботиться, но я все же беспокоюсь о тебе.

Пандора вдруг улыбнулась, но это уже была не ее очередная вечно извиняющаяся улыбка. Более того, в этой улыбке не чувствовалось даже дружелюбия. Напротив, в душе Пандоры вдруг проснулся гадкий проказник-чертенок, и она с удивлением услышала свои собственные слова, произнесенные как бы против ее воли совершенно ровным, спокойным тоном:

— Не беспокойся ни о чем, милый. — В предшествовавшие разрыву месяцы она очень редко называла так Ричарда, поэтому на другом конце провода у него явно перехватило дыхание. — У меня все вел-ликолепно! — Ей очень понравилось, с каким смаком она растянула это «вел-ликолепно». Она произнесла это слово так, как, наверное, говорила Гретхен, эта немецкая тварь. — Поселилась я прямо на берегу моря в маленьком пряничном домике, окруженном кокосовыми пальмами. У меня тут куча друзей. Я помогаю одной подружке, Джанин, работать в баре. Вокруг просто идиллия, милый.

— А ты... — Ричард даже охрип, — я имею в виду, ну, ты с кем-нибудь встречаешься?

Пандора ждала этого вопроса.

— Нет, дорогой, не встречаюсь. Я живу с Беном. Мы с ним сказочно счастливы. Надеюсь, что и у тебя с Гретхен все складывается так же. — Последнюю фразу она даже умудрилась произнести не сквозь зубы, как хотела бы, а тоже совершенно спокойно, равнодушно.

— Да, да, конечно. Значит, ты думаешь, что мы правильно поступили, Пандора? Ну, когда мы решили расстаться на какое-то время.

— Безусловно, Ричард. Безусловно. Тут все такое

71

красивое. Люди живут в свое удовольствие. Я просто помолодела.

— Это прекрасно.

Пандора с удовольствием отметила, что его голос заметно поскучнел.

— Я должна идти, Ричард. Меня пригласили на обед.

— Да-да, я тоже спешу. Мы обедаем с Гретхен. Знаешь, она получила повышение, теперь она в руководстве своего банка.

— Ух ты, здорово. Уверена, Ричард, что теперь-то в твоей машине точно установили новенький сотовый телефон.

— Откуда ты об этом знаешь, Пандора?

— Я же была твоей женой, милый. Ты что, забыл?

— Нет, я помню все. — Из трубки повеяло тоской.

— Передай от меня приветик своей Гретхен, Ричард. Все, я должна бежать.

— Пандора... — Голос Ричарда дрогнул.

«Нет, мне этого не надо, — подумала Пандора. — Совсем не надо. На этот раз пусть Ричард сам разбирается со своей Лорелеей, со своим новым идеалом». К тому же Пандора прекрасно знала, что́ из себя представляет Гретхен. Если Ричарду нужны женские капризы, всякие там мигрени, за которыми обязательно сначала следуют приступы ярости, а затем, столь же неминуемо, уют и податливость всепрощающего и всеискупающего женского тела в постели, то все это он может легко получить от той же самой Гретхен. Пандоре же было просто грех на что-нибудь сейчас жаловаться, искать лучшего.

— До свидания, Ричард, — сказала она твердо. — Счастливо тебе.

Пандора была рада, что не может видеть его подавленную, разочарованную фигуру с опущенными безвольными плечами.

Сейчас из своего «феррари», по новому сотовому

телефону он, конечно же, позвонит своей придурошной Гретхен и сообщит ей, что задержался на какомнибудь совещании. А Гретхен обязательно разозлится, топнет по толстому ковру ножкой в туфельке на высокой шпильке и побежит к зеркалу мазать рот еще одним слоем ярко-красной помады, причитая, что придется опоздать на еще один званый обед.

Теперь Пандора могла и посмеяться над тем, что раньше причинило бы ей столько боли. Голос Ричарда, конечно, кое-что напомнил ей. Дом, например, у подножия Бэкон-Хилл в горах Бостон, где они жили, и то, как однажды, придя домой, она увидела на собственной кухне суетящуюся Гретхен. Ричарда видно не было. «Он в ванной. Сейчас он к нам выйдет», — ровным голосом сообщила ей тогда Гретхен.

Фраза «к нам» совсем не понравилась Пандоре. Она что-то не помнила, чтобы приглашала Гретхен в гости на стаканчик. И тут спросила ее об этом именно в такой грубоватой форме, но Гретхен удалось каким-то образом проигнорировать ее вопрос. Настаивать Пандора не стала, и в итоге они втроем прекрасно провели вечер, выпив много чудесных коктейлей с мартини, которые великолепно умела готовить Гретхен.

Пандора быстро успокоилась. Да и как можно было подозревать их тогда? Ведь они втроем дружили уже многие годы, и если уж Гретхен и ее муж захотели вдруг поиграть в «опасные игры», то Пандору, в принципе, это совсем не касалось. Так размышляла в тот вечер Пандора, и это позволило ей хорошо повеселиться. Тем более что Гретхен была женщиной веселой, особенно после трех выпитых мартини. В тот вечер, помнится, она смешно и интересно рассказывала, как ловко ей удалось улизнуть через окно от обозлившегося за что-то Фридриха — ее мужа.

После того как они отсмеялись над этим забавным эпизодом, Пандора сказала, что Гретхен пора домой. Она не разрешила Ричарду подвезти Гретхен, так как он к тому временем уже слишком много выпил. «Вот ведь командирша, — ворчал Ричард, заказывая по телефону такси. — Все вы, американки, просто обожаете командовать и совсем не умеете развлекаться. Совершенно не умеете».

Пандора ничего ему не ответила. Она была занята тем, что с трудом запихивала совсем уж раскисшую Гретхен в подошедшее такси.

— У тебя хоть деньги есть? — шепотом спросила Пандора.

— Зачем? Существуют и другие способы оплатить проезд, — также шепотом ответила Гретхен. Таксист, однако, прекрасно ее расслышал.

— Ладно, на всякий случай, если вдруг другой способ не пройдет, вот, этого хватит. — Пандора сунула ей деньги и вернулась в дом, стирая со щек жирные отпечатки помады гретхеновских губ.

Чуть позже, когда Пандора стояла голая перед зеркалом и продолжала стирать с лица въевшуюся помаду, к ней, качаясь, подошел уже раздетый Ричард.

— Бедная женщина, быть замужем за такой скотиной, — посетовал он.

Пандора раздраженно обернулась.

— Послушай, ангелочек, — начала было она, но тут же замолчала, заметив вокруг головки его пениса красный отпечаток броской помады Гретхен.

— Смотри-ка, Ричард, — она сунула ему в нос ватную подушечку, которой стирала помаду со своих щек, — мы с тобой, оказывается, носим одну и ту же помаду, не так ли?

Ричард, взглянув вниз, охнул, сдвинул ноги и попытался прикрыться руками.

— Так вот чем вы занимались, когда я пришла. Ну и гад же ты, Ричард! Как ты мне надоел вместе со своей кучей несчастных баб, которых ты жаждешь от чего-то там спасти!

С этого вечера она не заходила в их общую спальню.

Звонок Ричарда разбередил былую рану, однако он не поколебал уверенности Пандоры в том, что их отношения зашли в тупик и пытаться спасти их было бессмысленно. А разрыв был хотя и болезненным, но совершенно неизбежным и наиболее логичным.

Пандора поняла, что опаздывает на обед к мисс Рози. «Проклятье, — думала она, пытаясь установить время по солнцу, — сейчас уже, наверное, больше часа!»

Ее наручные часы — еще одна бесполезная частичка прошлой жизни — валялись у кровати.

Спеша к дому мисс Рози, Пандора прошла мимо здания начальной школы. За партами в тени веранды сидели мальчики в голубых рубашках и девочки в бело-голубых платьицах. Многие из школьников заулыбались ей и помахали руками. Она улыбнулась в ответ, рассмеявшись, когда известный всей школе проказник специально для нее сделал на парте стойку на руках. Учительница шикнула было на озорника, но не сдержавшись захохотала вместе со всеми.

Над головой Пандоры шумел листвой миндаль, готовый уронить в дорожную пыль созревшие бурые плоды. Папайи с тонкими стволами склонились под тяжестью фруктов, как бы предлагая женщине свои щедрые дары. Ее босые ноги поднимали при ходьбе облака пыли. Из-под ног разбегались толстые куры-несушки. Лаяли собаки, кошки пробирались меж веток густой изгороди кустарников. Пандора вздохнула. Ей сейчас, вроде бы, полагалось чуточку взгрустнуть по ее с Ричардом прошлому, но в такой чудный день у нее это пока никак не получалось.

Впереди Пандора увидела мисс Рози, сидящую с белым эмалированным тазом на коленях под грейпфрутовым деревом.

— Извините, мисс Рози, я опоздала. — Пандора побежала по расчищенной дорожке.

— Не надо было и торопиться, деточка моя. — Мисс Рози успокаивающе махнула рукой. — Я сижу тут в теньке и никуда не спешу. Пусть другие бегают и суетятся. — Мисс Рози действительно весьма удобно расположилась в своем старом кресле. Рядом с креслом стояла столь же старая софа. И кресло, и софа уже начали понемногу рассыпаться, но зато на их древней обивке образовались удобные для сидения бугорки и впадинки. Темного цвета бадья с какой-то жидкостью стояла у ног мисс Рози. В руках она держала острый «островитянский» нож и резала в бадью что-то белое и волокнистое.

— Это моллюски, их называют волнистыми рожками. — Мисс Рози опередила вопрос. — Еще со времен моего детства я и моя подруга — мисс Энни — собираем их каждое утро на берегу моря.

Пандора безуспешно пыталась вспомнить какую-нибудь свою подругу, с кем бы общалась до сих пор. Как мисс Рози с мисс Энни на протяжении шестидесяти лет. Она, правда, вспомнила некую Мейбл Йервуд, девчонку, от которой всегда как-то неприятно пахло. С ней Пандора пропрыгала через скакалочку во дворе несколько лет подряд. Но затем семья Пандоры переехала жить в другое место, и они больше не встречались. Был также Билли Слипкинз, с ним они ходили однажды на субботний утренник. Но потом Пандора опять переехала. Так как же, интересно, после ничем не примечательного детства сможет она прижиться на этом тихом маленьком острове, где ничего не происходит и ничто не изменяется временем? Этот вопрос волновал Пандору.

Глава восьмая

Хозяйство, которое вела Пандора в хижине Бена, было для нее чистой воды забавой. После нудных лет, проведенных на грязных кухнях типовых квартир в разных городах Айдахо, где ей приходилось жить вместе с матерью, кухня в хижине, хотя и столь же плохо оборудованная, отнюдь не удручала, а, напротив, радовала. Холодильник у Бена был старый, и ей приходилось настойчиво сражаться с разводами темно-зеленой плесени, то и дело возникавшими по краям дверцы. Крышка морозильника сломалась, поэтому сам он производил на свет лишь массы бесполезных ледяных наростов и совершенно никак не реагировал на воду в белоснежных лотках для ледяных кубиков. Эти лотки Пандора купила в магазине мистера Форгана, который иногда лично наведывался к ней, и они вдвоем долго беседовали за чашечкой кофе на предмет возможной починки строптивого холодильника. В недрах старого устройства, казалось, не работала ни одна деталь. Исключение, правда, составляли те редкие случаи, когда Бен вдруг выходил из себя и изо всех сил пинал несносный аппарат ногой в бок. Только тогда холодильник шел на попятную: начинал пыхтеть, гудеть и щелкать, как бы выражая Бену свои расстроенные чувства. Но даже этот ужасный холодильник не мог испортить Пандоре настроение, потому что в отличие от всех домов, где они жили с матерью, воздух хижины Бена был чист и приятен. К тому же за окном шумело море и ярко светило солнце.

Правда, порой в домик захаживали непрошеные гости, самыми неприятными из них были тараканы. По ночам, топоча крошечными лапками, они перебегали по полу из одного угла комнаты в другой. Целые армии затаивались за дверью шкафа, в кухонных ящиках; тараканья возня слышалась даже под полом хижины.

А походы в недавно пристроенную сзади домика ванную превращались для Пандоры в неизменный кошмар. Первый раз она вошла туда уверенно, без опасений, потянулась к выключателю и тут ощутила, что вокруг нее полно маленьких созданий, ползающих не только по полу, но и по ее ногам. Включив свет, она завизжала. Примчавшийся на помощь Бен не мог сдержать смеха:

— Да ведь это всего лишь тараканы. Ты что их раньше никогда не видела?

— Конечно, видела, — ответила Пандора. — У нас дома они были, но не такие громадные и не в таком количестве.

Бен отнес ее в дом, уложил в постель.

— Ты ко всему этому привыкнешь, — сказал он ей тогда, поглаживая по голове. — Обещаю, все будет так, как я говорю. Ох, как же сладко ты пахнешь, — пробормотал он, прикасаясь носом к ее уху.

Пандора обняла его. И, хотя тараканьи полчища еще стояли перед глазами, она вновь ощутила все взлеты и падения наслаждения, которое испытывала с Беном. Потом она уснула, уверенная в том, что любовь этого мужчины и есть источник радости, питающей ее сейчас.

Сексуальные желания Нормана были смешением животного инстинкта и чувства мести всем женщинам, которые в его представлении когда-то его предали. К числу этих женщин принадлежала и мать Нормана.

78

Секс с Маркусом тоже было трудно назвать удовольствием. Для него этот акт являлся символом грубой силы, а Пандору он представлял насекомым, каким-нибудь богомолом, отчаянно молившимся о том, чтобы у Маркуса не возникло подозрения, что несчастный «богомол» готовит против него какую-то каверзу. Ах, неужели она была так глупа и не понимала, что именно ее невинность провоцировала Маркуса на еще бо́льшую жестокость.

Ричард любил две вещи: секс и хорошую свалку на матче по регби. Случалось, что в довершение откровенно нудной возни в постели и финального оргазменного вздоха Ричарда, Пандора награждалась сильным и благодарным шлепком по ягодицам. Правда, даже это случалось не часто. Конечно, были и исключения, когда спортивные привычки Ричарда не переносились в постель, что делало секс радостным и нежным, таким, как сейчас с Беном. Может быть, отчасти благодаря тем редким исключениям, она и была сейчас так счастлива в постели с Беном.

Пандора мягко отстранилась от спящего возлюбленного. Бен продолжал спать и улыбался во сне. Пандора опять подумала о Ричарде. Как он там со своей Гретхен?

С Маркусом вообще-то, если уж на то пошло, они тоже прожили вместе немало — восемь лет, и это в нынешние-то времена скорых и легких разводов. Что же касается Нормана, то его Пандора могла сейчас представить себе не иначе, как прозябающим в какой-нибудь хибаре у железной дороги, в такой же, где она сама жила когда-то вместе с родителями. Ей вдруг отчетливо увиделось худое лицо отца, освещенное тусклым газовым фонарем, поднесенным к пушистой от бакенбардов щеке. «Спокойной ночи, моя маленькая леди», — говорил он ей по вечерам и быстро целовал. Она понимала, что его поцелуи были их тайной. Но грубая сцена, устроенная матерью, порвала между ними всякие отношения. Маркус так до конца и остался убежденным в том, что отец Пандоры — негодяй, соблазнивший собственную дочь. Пандора с ним не спорила, она-то знала, как все было на самом деле.

Утомленная воспоминаниями, женщина повернулась на бок и постаралась уснуть.

Недели через две Пандора решила навестить Максину — гостиничную повариху, славившуюся кулинарным мастерством, высоченным лбом и огромными, могучими руками. Пандора всегда с восхищением следила за тем, как повариха месила горы теста для бесчисленного количества булочек. Или как, готовя суп, Максина одними пальцами разворачивала ракушки, а потом отмывала струями чистой воды их чернильных упругих обитателей до послушной покорности и белизны слоновой кости. У поварихи были широкая улыбка и красивый изгиб плоских ноздрей. К тому же, как и Джанин, она считалась одной их тех редких женщин, кто мог призвать к порядку любого разбушевавшегося мужчину.

— Ну, как дела? — спросила Пандора, ощущая какую-то глупую радость от пребывания среди всех этих дымящихся котлов на далеком островке в малоизвестной части Карибов.

— Потихоньку, милая моя. — Максина стиснула Пандору своими гигантскими, пахнущими рыбой руками. — Вот только этот гад Лен сбежал на Большое Яйцо за какой-то девкой.

Пандора вскинула брови.

— Как? Лен? Повар?

Максина кивнула.

— Не знаю, чем он ей приглянулся. От него же всегда несет жиром да луком. Но эта девка из Флориды все-таки утащила его с собой. Наверное, заплатила ему, вот он и сбежал.

Несколько чернокожих голов согласно закивали в

поддержку. Пандора прекрасно их понимала. Отвратительный характер Лена был всем известен. Поговаривали, что его боялись даже скорпионы.

— Ну, ничего, хоть отдохнем от него тут. — Максина налила Пандоре чашку кофе. — Смотри, вон сидят английские училки, — показала она в сторону. — Приехали только утром, а ноют уже вовсю.

— Пойду поговорю с ними. Может, я их развеселю немного, — проговорила Пандора. Не все начинали свою жизнь на острове так счастливо, как она. Божье благоволение снизошло именно на нее. И теперь, пересекая бар, Пандора ощущала себя как Полианна, отправляющаяся спасти и утешить мир.

— Приветик, — бодро начала она, усаживаясь на стул рядом с белотелой обрюзгшей женщиной, державшей по ребенку на каждой из своих жирных коленок. — Меня зовут Пандора.

— Так вы что, вот тут живете? — прозвучало в ответ.

Толстуха резко взмахнула рукой и шлепнула девочку, сидевшую на колене.

— Я же тебе велела заткнуться, разве нет?

Ребенок заголосил на весь бар.

Пандора попыталась установить контакт другим способом.

— Вы, наверное, устали? — спросила она, глядя на сидевшего рядом замухрышку, который, должно быть, был мужем толстухи.

Тот кивнул.

— Мы даже не предполагали, что все окажется так. На Большом Яйце мы провели всего один день. Там было полно дискотек, забегаловок, продававших гамбургеры. А в тамошнем отеле — целых два бассейна. Ну, а затем... — голос его погрустнел, — затем мы приехали сюда. И застрянем тут, видимо, на века.

— Как вас зовут? — Пандора опять обратилась к

мужчине, чувствуя, что в целом он настроен менее воинственно.

— Невил. А это моя жена — Дорин.

— Пусть дети побегают, Дорин. Ничего страшного не случится. Бассейн совершенно безопасен, а море здесь неглубокое. Детям — раздолье. Управляющий тут Лайонел. Это просто чудо, что он пускает местных в бар и бассейн.

— Он что, пускает сюда черных? — При этом Дорин ткнула пальцем в группу подростков, расположившихся на краю бассейна.

Пандора все еще пыталась не показывать нарастающего раздражения.

— Да, они местные. Это их остров. А мы тут — гости. — Теперь Пандора чувствовала себя не столько Полианной, сколько Мэри Поппинс. Ей даже захотелось иметь в руках ее знаменитый острый зонтик. Может быть, сильный укол зонтиком заставил бы этих двух левиафанов* начать хоть немного двигаться и соображать.

По ходу разговора мальчик умудрился выскользнуть из рук матери и теперь, взобравшись на соседний столик, счастливо писал на землю. Роты любопытных муравьев немедленно устремились к пенистой лужице. Невил вскочил было, чтобы схватить мальчишку, но тут же был сильно искусан этими крошечными, совершенно безобидными с виду насекомыми. Он подпрыгнул от неожиданности, а Дорин и ее дочь опять заорали, да так громко, что, казалось, в гостинице не осталось ни одного уголка, куда не доходили бы эти ужасные вопли.

В этот момент Пандора заметила менеджера гостиницы Лайонела Маршала, выглядывавшего из двери своего кабинета. Поймав ее взгляд, Лайонел прищелкнул пальцами, сигнализируя ей на понятном им обо-

_____
* Левиафан — в библейской мифологии морское чудовище. В переносном смысле — нечто огромное и чудовищное.

им языке жестов, что, мол, ситуация, по его мнению, не требует его вмешательства и что вполне справится она сама.

Пандора грустно вздохнула, но тут раздался спасительный стук каблуков и она увидела пеструю толпу англичан, которые, как известно, никогда не отказывались, к ее счастью, пообщаться с соотечественниками. Всех вновь прибывших Пандора уже встречала раньше на острове. До сих пор ей удавалось вежливо, но твердо сводить на нет их настойчивые попытки познакомится. Исключение составляла лишь Эсмеральда — жена хилого пьющего учителя естественных наук, которая сейчас показалась в дверях во главе вереницы бледных вечно чем-то недовольных детей.

Сама же Эсмеральда шла с гордо поднятой головой, выставив напоказ широкие скулы как свидетельство некоей вновь обретенной уверенности в себе.

— Эй, вы, как дела? — крикнула Эсмеральда, взглянув на все еще продолжавшего писать малыша. Приблизившись к Дорин, она весело хлопнула ее по спине. — У нас тут кое-где припасена всякая вкуснятина и холодное пиво. Мы вас приглашаем.

Пандора с улыбкой и облегчением наблюдала, как компания направилась к выходу. Ее, правда, немного покоробило, когда Дорин у самого выхода вдруг обернулась и, ткнув в ее сторону толстым пальцем, громко спросила:

— Так это, что ли, та самая?

Эсмеральда утвердительно затрясла головой.

— Да, это — Пандора. Та самая американка, что решила стать дикаркой и жить с дикарями.

Слова эти сначала ошарашили Пандору, а потом рассмешили. «Похоже, — подумала она, — они наконец-то поставили на мне крест». На фоне толпы англичан, одетых в шорты и майки, она действительно выглядела просто непотребно. Еще давным-давно Бен выделил ей корзину с длинной ручкой, чтобы носить фрукты и продукты, как у всех островитян. На плечи Пандора обычно накидывала лишь кусок материи, раздобытый ею в магазинчике мисс Банди, одном из немногих на острове. А под материей она носила лишь купальный костюм. Ну и, в довершение всего, она теперь всегда ходила босиком.

Пандора прошествовала в кабинет Лайонела, улыбнулась ему сквозь стекло. Менеджер открыл дверь, пригласив ее зайти. Пандора с благодарностью опустилась в удобное кожаное кресло. Воздух кондиционера как бы накинул прохладную мантию на ее спину и плечи.

— Ого, — призналась Пандора, — никогда не думала, что так соскучусь по помещениям с кондиционерами.

— Брось, они не стоят того. Ты сама это знаешь.

Пандора взглянула на него, глаза ее блеснули.

— Спасибо, Лайонел, — сказала она, — ты прав, я обойдусь и без них.

Пандора много слышала о доме на высоком холме, где жили вместе Лайонел и Линус Маршал. Они были для нее людьми из ее прошлого. Но в это прошлое она никогда не хотела бы возвращаться.

Идя потом по пыльным тропинкам к дому, женщина размышляла о том, насколько Бен был прав. Малое Яйцо — тот микромир, где можно найти все, что захочешь. Пандора завернула в магазинчик купить холодного пива. Она знала, что там непременно встретит Морин.

В жизни своей Морин боялась когда-то только одного — как бы какая дуреха не набралась глупости позариться на ее мужа Эдгара. Видимо, эти страхи не покинули Морин и сейчас, хотя с Эдгаром они находились в разводе уже лет десять. Ну а вообще, одиноких мужчин на Малом Яйце было не найти. Большинство парней уезжали с острова после школы, а возвращались уже с женами, уроженками Гондураса, Флориды и других земель. Мало кто женился на местных женщинах, привыкших держать своих мужей в узде и готовых, при необходимости, пустить в ход острые, жадные до крови островитянские ножи.

— Дай мне баночку «Курс», Морин, — попросила Пандора, оглядываясь: кроме них, в магазинчике никого не было. Сквозь стекло двери черного хода блестело море. Позади Морин на вешалках висели майки и кофты с картинками, расхваливавшими красоты Малого Яйца. Там же сверкали в изобилии бутылки с самыми разнообразными напитками. В скором времени сюда должны были нагрянуть обитательницы острова, как всегда, уставшие после очередного жаркого рабочего дня. Конечно же, заявится и Мэри, которая весь вечер будет тщетно пытаться справиться со своими двумя сорванцами — Ширли и Дойла. Пока что у Пандоры было время наслаждаться окружающей тишиной и потягивать холодное пиво в одиночестве. «Очень трудно стать своим где бы то ни было, — размышляла Пандора. — Даже счастье приходит легче. На определенном этапе своего жизненного пути по направлению к какой-то цели конечный результат может сделать тебя счастливым. Но при этом ты будешь сознавать, что все равно должен оставить все это и двинуться дальше. Можно, конечно, для своего счастья сделать и что-нибудь другое, например, как в детстве, завести дневничок и записывать туда мысли и воспоминания. Но гораздо сложнее чувствовать, что вот эта земля под ногами останется твоей навсегда, никогда не вынудит тебя покинуть ее...» Пандора почувствовала зависть к Морин — та была своей на острове, так как прожила здесь всю жизнь.

Сегодня Морин находилась явно не в духе. Ее пышная шевелюра воинственно нависала над нахмуренными бровями.

— Вот сволочь! Тварь! — ругалась она, зубами открывая себе бутылку пива.— Лиззи все-таки трахнулась с моим Эдгаром.

— Не может быть! — Пандора подалась вперед, изобразив на лице потрясенное выражение. — Где же это случилось?

Оказалось, что Эдгар, в очередной раз здорово поддав, ковылял домой из гостиничного бара. В грейпфрутовых зарослях его и поджидала «эта наглая шлюха». Эдгар не смог отстоять свою честь, пал под шлюхиными поцелуями. Известие дошло до Морин по кокосовой почте, слухами. Поэтому-то она и вознамерилась сегодня же подкараулить свою врагиню в тех зарослях и задать ей как следует.

Пандора изо всех сил сдерживала давивший ее смех.

— Почему же ты не накажешь самого Эдгара, Морин? Все же он мог и отказаться.

Морин покачала головой.

— Мужики не умеют отказывать, — ответила Морин, упираясь локтями в стойку бара. — Во всяком случае, мужчины с наших островов, Большого и Малого. Да и зачем? Все равно детей от этого не будет. Притом, здесь и делать-то нечего, кроме как пить да трахаться.

Пандора отхлебнула большой глоток из своего бокала и слизнула пивную пену с губ.

— Не все же на острове такие, Морин? Ведь есть те, кто бывает в церквях? У вас их здесь множество.

— Да, церквей предостаточно. Старый брат Сильвер — хороший человек, он славно служит на похоронах. Но этот гад, Сонни, — Морин смачно сплюнула, — вот он когда-нибудь накличет на наш остров самого дьявола, тогда мы и узнаем, почем фунт лиха.

Пандоре стало как-то неспокойно.

— Что ты имеешь в виду?

— Этот зануда такой же, как мисс Мейзи. — Морин перекрестилась. — Когда силы тьмы объединяют обеа и левую тропу, они становятся очень опасными.

Вдали вдруг ухнул раскат грома.

— Мне пора домой, Морин. Спасибо за пиво.

Морин улыбнулась, опустив тяжелую ладонь на стойку.

— Не за что. Пока. До скорого.

Пандора пошла по дороге. С неба начали падать маленькие снарядики дождевых капель, разрывавшиеся на ее плечах и под ногами. Капли были теплыми, и Пандора с удовольствием открыла лицо дождю. В монастыре она не проходила ни «обеа», ни «левой тропы». Вдруг прямо перед ней на дороге сверкнула молния. Характерный, «электрический», запах ударил в нос. «Да, это тебе не Канзас», — подумала Пандора.

Глава девятая

Бен работал вместе с другими «ныряльщиками» на лодке «Зимородок». Компания подобралась веселая, тем более что все они росли вместе и море казалось им площадкой для игр. Легкий аэроплан с Большого Яйца приземлялся на Малом острове каждый день в восемь часов утра и выгружал очередную партию желающих понырять. Обычно приезжавшие выглядели нездоровыми, замученными, бледными и прятали глаза от яркого солнца. Те, кто только приобщались к подводному плаванию, были, по традиции, увешаны совершенно бесполезным снаряжением. Опытные ныряльщики, наоборот, везли с собой лишь аккуратно упакованные мешки, вмещавшие всю необходимую профессиональную экипировку.

Вокруг Малого Яйца было разбросано множество крохотных островков, так что всей этой разношерстной многочисленной команде было где развернуться. А подводным плаванием, как известно, интересуются очень многие.

Пандора не сразу поняла, как море может обладать такой властью над человеком. Но Бен часто, вместо того чтобы проводить послеобеденные часы с Пандорой, оставлял ее одну на пляже, а сам, облачившись в подводные доспехи, в одиночку отправлялся на морскую разведку.

— Ты не можешь нырять один, Бен. По вашим

же правилам ныряльщиков, ты должен брать с собой еще кого-то.

— Вот я и возьму этого кого-то, когда ты согласишься наконец отправиться со мной, — улыбаясь, отвечал Бен. — Слушай, всю эту неделю я либо вкалывал на дороге, либо сопровождал под воду туристов. И лишь теперь мне выдалось время побыть одному в море. Не пойму, Пандора, почему ты не хочешь, чтобы я и тебя научил нырять?

Пандора и сама этого не знала. Но ее почему-то очень пугала темно-зеленая трава, что росла по всем рифам. Лежа на берегу, Пандора читала замусоленную брошюру «Практический путеводитель островитян», который привлекал ее изобилием картинок с изображением ракушек и раковин, встречавшихся в тропических водах Атлантического океана, Карибского моря и Мексиканского залива. Пандора страшно любила ракушки. Дожидаясь Бена, она обычно ходила вдоль кромки уходящего с отливом моря, осторожно опуская в мокрый песок напряженные в поиске пальцы. Пока что ей не очень везло: она нашла всего лишь несколько розоватых раковин. Их она отнесла в хижину, где уже стояли найденные ею раньше ракушки каури, испещренные коричневыми крапинками. Каури были замечательны тем, что уютно умещались в ладони и в них можно было слышать шум прибоя. Прогулки по пляжу очень успокаивали женщину. Радовал глаз сам вид побережья, в отличие от многих где ей удалось побывать, удивительно чистого, без привычных россыпей пляжного мусора и следов нефтяных сбросов проходящих кораблей.

К этому моменту жизнь Пандоры на острове стала окончательно входить в свою колею. Она рано вставала, когда солнце лишь начинало касаться неба своими восходящими лучами. По утрам Пандора часто становилось свидетельницей очередной схватки петухов со стайками зеленых попугаев в соседнем саду. Побеждали чаще всего попугаи, тучами спускающиеся с гор и победно устраивающиеся на ветвях деревьев. Там они выхватывали мощными клювами здоровенные куски из плодов папайи и приступали к завтраку, злобно покрикивая, как бы насмехаясь над тщетными попытками соседей спасти свой урожай. Рядом с Пандорой жили старый капитан Харди и его жена Мона. Большую часть их супружества капитан провел в море, вдали от дома. Сейчас он очень любил сиживать на крыльце Пандоры и рассказывать о днях, проведенных где-нибудь в Китае, или о муссонах, набегавших на его корабль с берегов Сингапура.

— Они считают, что тут бывают ураганы, — говорил капитан с презрением. — Да разве они знают, что такое настоящий ураган! Вот в Южно-Китайском море, там случаются ураганы, которые с воем налетают сзади на джонки, вздувают их паруса и поднимают в воздух, а те летят, хлопая парусами, как крыльями.

Пандора внимательно выслушивала капитана, не выказывая даже малейшего недоверия к его невероятным историям. Этому она сумела научиться, живя на острове.

И еще Пандора с удивлением отмечала, что ее вечные боязнь и беспокойство исчезли бесследно. А на смену им пришли умиротворение и раскованность. Теперь она могла без колебаний и смущения войти в любой местный магазинчик, купить там, например, ножнички для ногтей и, не стесняясь и не краснея, отсчитать нужную сумму вплоть до последней мелкой монеты, которая от нее требовалась. Если вдруг она забывала вовремя купить жидкость для мытья посуды, добрый и снисходительный Бог, обитавший на острове, всегда прощал ей ошибку. В первый раз, когда это с ней случилось, она, по привычке, замерла над раковиной, испуганная и униженная. Почувствовала, как затряслись ее руки, напрягся затылок. Она почти наяву услышала за спиной визг матери: «Ах, ты, тварь забывчивая!» И в ожидании неотвратимой оплеухи у нее даже заболело ухо.

Визгливый голос Моники, ее постоянное стремление любую мелочь превратить в драму, в скандал, настолько отравили жизнь Пандоры, что теперешнее мирное существование на острове парадоксальным образом воспринималось ею порой как пытка. Если изо дня в день люди пытаются наполнить твою жизнь напряжением, бесчисленными драмами, конфликтами, неожиданно наступивший мир, покой могут, оказывается, и пугать. А все потому — с ужасом поняла Пандора, — что она ждет, когда покою вдруг придет конец и тишина взорвется шумом, грохотом, насилием, олицетворяющими ее мать.

Грустные раздумья прервал Бен, появившийся вдруг рядом.

— Пандора, — встревожился он, — что с тобой? Тебя что, скорпион укусил?

— Почти что. — Она взяла себя в руки, но не сумела сдержать сильной дрожи, охватившей ее хрупкую фигуру. — Просто вспомнила о неприятном. Сейчас все пройдет, и через минуту я буду в порядке.

Бен обнял ее.

— Погоди-ка. Не надо расстраиваться. Пошли погуляем. Я угощу тебя холодным пивом.

Они вышли, Бен усадил ее на качели, которые на днях специально для Пандоры подвесил к балке веранды. Солнце уже ушло за крышу домика, с моря дул свежий бриз, то и дело отбрасывавший мокрые пряди с лица Пандоры. Постепенно она почувствовала, что гримаса испуга, исказившая вдруг ее лицо, отпускает мускулы, а неконтролируемая судорожная дрожь стихает, оставляя лишь легкий озноб. Боль в спине тоже прошла. Пандора смогла наконец глубоко вздохнуть и вновь увидеть их сад — ее и Бена.

Состояние, пережитое ею сейчас, Маркус называл

«галлюцинациями». В эти моменты единственное, что она видела перед собой, была стена, голая стена в темноте, как будто кто-то закрыл ее в шкафу. Пандора думала: откуда эти ассоциации, почему именно шкаф? Ей смутно вспоминались слова, которые ее мать произнесла как-то в разговоре с монашками из монастыря, где Пандора воспитывалась. Мамаша тогда, кажется, посоветовала запирать свою дочку в чулан или еще в какое-нибудь темное место и держать там до тех пор, пока не кончится ее, как она называла, «припадок». «Припадки» начались у Пандоры после ухода отца. Но Моника всегда настаивала на том, что дочь была «припадочной» с рождения.

Бен принес из дома две бутылки пива на каком-то особенном подносике, специально приспособленном под пивные бутылки.

— Ну, скажи, что все-таки произошло, Пандора?

— Ничего особенного. — Пандора испытывала явное смущение. В конце концов, она была уже достаточно взрослой, чтобы перестать вести себя так беспомощно. — Какая симпатичная штуковина — этот поднос. Ты его здесь купил?

— Нет, не здесь. Расскажи мне, что так напугало тебя. Чего ты все время ждешь с таким страхом, а? Что с тобой может случиться?

Пандора почувствовала, что глаза застилают слезы.

— Я боялась, что ты рассердишься на меня, — ответила она наконец, ненавидя себя за детские интонации, прорвавшиеся вдруг в ее голосе.

— За что? Почему я должен был рассердиться?

— Потому что я забыла... — Двенадцатилетняя девочка в ее душе взяла верх, и Пандора, как ни сдерживалась, не смогла совладать с собой и разрыдалась. По лицу потекли огромные горючие слезы. — Не сердись, — всхлипнула Пандора, и пиво выпало у нее из рук. — Пожалуйста, не сердись, — повторила она, — сейчас я сбегаю и куплю эту несчастную моющую жидкость. У меня есть деньги. — И Пандора с головой зарылась в складки своей юбки.

Бен от удивления даже присел. Перед ним сидела совершенно незнакомая ему Пандора. Это был призрак, занесенный сюда черным ураганом, нечто слепленное из песка и пыли, с пальмовой веткой вместо волос и водорослями вместо рук и ног.

— Возьми мою руку, Пандора. И мы пойдем к морю. Пошли. Недалеко, только лишь до того края сада. Ты говоришь, что забыла что-то купить? А я тебе покажу то, что гораздо лучше, сильнее всего, о чем ты сейчас думаешь.

Пандора вгляделась в лицо Бена.

— Так ты не сердишься? — спросила она.

— Конечно, нет. Ни один человек в здравом уме никогда не рассердится на другого за то, что тот чего-то не купил. Такое ведь со всеми случается.

Пандора пошла по тропинке за Беном, утирая слезы подолом юбки. «Кого же все-таки я испугалась? — спрашивала она себя. — Когда я смогу наконец избавиться от череды этих тиранов, мучающих и преследующих меня всю жизнь?!»

В то утро море просто блистало на солнце. В небе — ни облачка. Тихий ветер едва шелестел по верхам рифов. Вдали, как острые зубы моря, безмолвно вздымались края коралловых скал, вокруг которых лежала темно-синяя глубокая вода.

— Это здесь. — Бен поставил свое пиво в песок. — Умой лицо морской водой.

Пандора вошла по щиколотку в воду, улыбнулась, увидев, как крохотная рыбка вдруг с ожесточением набросилась на ее ногу.

— Что это она делает, — спросила Пандора, — она, кажется, настроена весьма воинственно.

— Это желтоголовый губан, и ты вторглась на его территорию. — Бен показал на лежавший рядом камень. — Если ты будешь приносить ему кусочки курицы или еще что-нибудь съестное, то он с тобой подружится. Ну ладно, пошли. Я не показал тебе главного.

Рука об руку они двинулись дальше по пляжу.

— Я бы тоже хотела родиться на таком вот рифовом острове, Бен, расти на нем, а потом выйти в открытое море, как делаете вы. Наверное, если взрослеешь в спокойствии и безопасности, то потом можно всю оставшуюся жизнь ничего не бояться.

— Может быть, Пандора, так оно и есть. На нашем острове действительно есть люди, которые никогда не покидали его. Они не знали голода, не бедствовали. Когда я был маленьким, г-н Саливен дал мне почитать «Гекльберри Финна». Эта книга потрясла меня. Я знал, что на этих островах были когда-то рабы. Мои предки, например, тоже из рабов. Но я и представить себе не мог, что рабы могли быть в Америке. Наши проповедники ведь всегда говорили об Америке, только как о рае земном.

Бен остановился и подтолкнул ногой один из склонившихся к земле бурых бобовых стручков.

— Вот, гляди. То, что надо. Возьми один. Из него можно получить и моющую жидкость, и шампунь, и мыло, и вообще все, что захочешь.

Пандора сорвала стручок, по форме напоминавший сердце.

— Вот из этого? Неужели?

Бен достал из-за пояса большой «ныряльщицкий» нож и ловким движением вскрыл стручок.

— Его нужно истолочь и сварить. И ты увидишь, он даст столько же пены, сколько и настоящее мыло. До того, как сюда стали приходить корабли из Майами, все только этим и мылись.

— Жизнь была тогда лучше, Бен?

— Пожалуй, кое в чем да. Семьи тогда были покрепче. Хотя заработать на пропитание было все же сложнее. Мужчины месяцами пропадали в море. Они

94

приходили домой, к женам, и уходили в море опять, зачав еще одного ребенка, сына или дочь. Одежду нам раздавали миссионеры, а потому каждый носил то, что ему доставалось. Но, несмотря на все это, было весело: на острове много пели и танцевали. В рождественскую ночь на улицу все выходили, разодетые в лучшие свои наряды. Мужчины играли на скрипках, кое-кто — на гитарах, а, например, бабушка и мисс Энни ходили, окруженные детьми, и громко распевали церковные песни. Мы бродили из одного конца острова в другой, а люди присоединялись к нам. Все размахивали руками, танцевали, веселились. Кое-кто угощал нас пирожными. И в довершение всего устраивался общий котел.

— Общий котел?

— Да, так мы это тогда называли. Капитан Харди наполнял огромные оловянные котлы водой и варил в них здоровенные куски мяса забитой к Рождеству коровы, рыбу, одного или двух цыплят. Еще он бросал в котлы целыми пригорошнями красные и зеленые перцы. Наверху всего этого варева плавали клецки. Бог ты мой, Пандора! Как же пахли эти клецки!

Пандора почувствовала, что напряжение отпускает ее и стихает боль в затылке. Она заметила, что не втягивает уже больше голову в плечи, а идет спокойно, расслабленно.

— А в это Рождество будет такой праздник? — спросила она с надеждой в голосе.

— Может быть, хотя и не такой, как раньше. — Бен продолжал вертеть стручок в руке. — Не все получится, как прежде, потому что теперь сюда на Рождество заявляются туристы из Майами. А вот мы с тобой вдвоем можем себе устроить все по-старому. К тому же у меня есть скрипка, а к бабушке на Рождество приедет целая куча ее родственников. Все три дня перед Рождеством бабушка и мисс Энн только и делают, что готовят, чтобы хватило всем до самой новогодней ночи.

— Как здорово! Спасибо, Бен. Я уже совсем успокоилась. Извини меня — немного сорвалась.

Бен склонил голову набок.

— Сегодня я должен буду сопровождать одного туриста, захотевшего понырять, но вот завтра утром мы с тобой отправимся плавать вдвоем. Я так решил. — Увидев беспокойство в глазах Пандоры, Бен поспешил успокоить ее. — Не бойся, мы не будем торопить события. Только тогда, когда ты немного привыкнешь к маске, мы потихоньку начнем осваиваться под водой.

Глава десятая

Пандоре всегда очень нравилось наблюдать за тем, как ведут себя рыбы. Девочкой она однажды даже выиграла на ярмарке двух аквариумных золотых рыбок. Она хорошо помнила тот вечер, который был одним из самых светлых воспоминаний. Ее мать, уступив тогда долгим и настойчивым уговорам отца, в конце концов согласилась, чтобы вся их семья пошла на городскую ярмарку, каждый год разворачивавшуюся на небольшой поляне напротив железнодорожной станции. Согласилась, несмотря на то что по пути на ярмарку семье предстояло пройти мимо соседних домов, где из-за занавесок (Моника не сомневалась) за ними обязательно будут следить любопытные соседи.

В качестве победного аргумента Фрэнк, отец Пандоры, выставил следующий: коль скоро эта ярмарка организуется для сбора средств в пользу пострадавших на производстве работников железнодорожной станции, где он работал, то их явка на мероприятие была как бы обязательной. Во всяком случае, они непременно должны были выслушать торжественную речь, с которой, по традиции, должен выступить начальник станции.

Пандоре исполнилось тогда шесть лет. Это она точно помнила, потому что как раз в это время страшно переживала из-за потери двух передних молочных зубов. День за днем перед сном она внимательно обследовала образовавшиеся ямки, тщетно надеясь

4 Плавать с дельфинами

97

увидеть след перламутровых верхушек будущих зубов.

Всю неделю мать не упускала случая пригрозить ей, что они никуда не пойдут. Но, на счастье Пандоры, случилось так, что соседка и близкая подружка Моники — мисс Силесия — угодила в больницу. Пандора была вне себя от радости, ведь теперь ей не грозило оставаться весь праздничный вечер в воняющей кошачьей мочой квартире этой самой мисс. При этом Пандора все же чувствовала себя немного виноватой, как будто именно она навлекла беду на несчастную соседку. Свою мнимую вину девочка особенно остро ощутила, когда стенающую, жалующуюся на какие-то «газы» соседку, санитары на ее глазах пронесли на носилках по заросшей сорняками садовой дорожке к машине «скорой помощи». Саму же Силесию, однако, больше всего мучило то, что страдать ей приходилось именно тогда, когда прочие готовились вкусить за праздничными столами ветчины да желтых меренг.

— Ты присмотришь за моими кисками, Моника? — жалобно бросила она с носилок.

Моника, обожавшая все, что касалось чужих болезней и больничных злоключений, нежно погладила руку распираемой газами подружки. Проводив носилки до самых дверей «скорой помощи», она чмокнула Силесию в щеку и с чувством произнесла:

— Ни о чем не беспокойся. Я все беру на себя. — С этими словами она повернулась и пошла к дому, гордо подняв голову и раскачиваясь на высоченных каблуках-шпильках. Моника чувствовала, что в очередной раз заслужила восхищение соседей, собравшихся у дома Силесии по тревожному вою сирены «скорой помощи». Мать Пандоры хорошо знала, что было в головах окружавших ее людей. Ведь это она долго и основательно работала над тем, чтобы придать правильное, с ее точки зрения, направление всем их мыслям. Моника всегда умела вовремя и убедительно посоветовать соседкам, например, как поступить, чтобы удержать мужей, или, наоборот, чтобы от них избавиться. О соседках она знала все, даже кто что может себе позволить: стрижку, перманент, маникюр, педикюр, кто и сколько дает чаевых. Но самое главное — она знала, что пользуется среди живших вокруг большим уважением, и прилагала все усилия, чтобы сберечь и не потерять свою репутацию. Моника была известна в округе как женщина, не склонная много рассказывать о себе. Считалось также, что у нее хорошая семья, муж, приходящий каждый вечер домой вовремя и приносящий весь заработок жене (что не про всех мужей можно было сказать) и маленькая дочь. Девочку, правда, все немного жалели, потому что была она простовата и слишком уж тиха. Хотя некоторые надеялись, что она, может быть, еще и расцветет. Такое, мол, случается.

Сама же девочка, разглядывая себя в запотевшем зеркале душной спальни, совсем не верила в то, что сможет скоро «расцвести». Порой она думала даже, что, вероятно, такое счастье вообще к ней никогда не придет.

Единственное, на что она могла рассчитывать, так это на то, что два ее передних зуба когда-нибудь все-таки вырастут. Моника, правда, и тут дожидаться не стала, объявив, что ее дочь обязательно должна надеть на зубы скобы.

— Не могу понять, зачем это надо, — пытался было возразить Фрэнк, но быстро отступил, не желая раздражать лишний раз жену. Скобы, между тем, в те послевоенные времена уже давно никто не носил.

Как бы там ни было, но в тот счастливый вечер они все же отправились втроем на ярмарку. Готовясь к выходу, Пандора так отчаянно расчесывала свои пышные рыжие волосы, что гребешок стал звенеть от электрических разрядов и рвать при каждом движении все новые и новые пряди.

На ярмарке играл духовой оркестр, состоящий из пяти приятелей Фрэнка. Музыканты были явно навеселе от выпитого пива. Они фальшивили, но очень старались.

Моника, в сильно заплиссированной юбке и неизменных туфлях на каблуках-шпильках, с подчеркнутой осторожностью проследовала мимо оркестра. Почти на цыпочках она пересекла поляну, направляясь к палатке с прохладительными напитками. Фрэнк и Пандора послушно следовали за ней. Отцу было жарко, он весь взмок в своем старом неудобном костюме. Прийти в чем-то более свободном он не посмел: Моника настояла на том, чтобы муж был одет в костюм, рубашку и галстук, приведя следующий аргумент: «Ведь начальник станции обязательно придет в полном обмундировании».

Палатка с напитками раскинулась вблизи роскошного чернобокого паровоза, которому суждено было еще перевезти на своем веку несметное множество вагонов и пассажиров в самые разные концы прерий штата Айдахо. Паровоз этот, годы спустя, куда-то бесследно исчез, но в те времена все в городе знали эту могучую машину и ее долгий, неторопливый гудок. По этому гудку сверяли часы, узнавали время прибытия в город пассажиров, а также товаров.

Начальник станции мельком взглянул на собравшихся и начал долгую речь. Прежде всего говорящий задался вопросом о ценности великих железных дорог, пересекавших в разных направлениях земли родины. Затем он рассказал о человеческих жертвах, принесенных во имя бесперебойной работы и безопасности железных дорог, во имя благополучия жен и детей железнодорожников. При этих словах он простер свою руку в белой перчатке в сторону выстроившихся рядами крошечных домиков, огороженных белыми заборчиками. Свою речь оратор закончил проникновенным гимном в честь того самого стоявшего неподалеку черного паровоза, к которому был явно неравнодушен. Объявив наконец ярмарку открытой, он влез по ступенькам в кабину паровоза и дал торжественный троекратный гудок. От каждого из перекатов этого гудка сердце Пандоры сжималось. Частично от страха, потому что она пугалась громкого звука, но также и от того, что в душе она просто жаждала броситься к паровозу, отпихнуть начальника станции и с радостным гудением умчаться на чудесной машине отсюда подальше. Как бы она хотела, чтобы паровоз, набирая скорость, понес ее вдаль сквозь густую, высокую, золотую пшеницу, а она стояла бы на черной его броне и кричала: *«Прощай, мать! Прощай, мисс Силесия и твои вонючие кошки! Прощай, школа!..»*. При этом крикнуть «прощай, отец» ей не пришло в голову. Хотя бы потому, что это была и его станция, ведь он тут работал. И пусть красивую форму носил не отец, а начальник станции, зато Фрэнк был допущен к мытью жарких боков так любимого всеми черного железного чудища-паровоза.

— Я вызвалась помочь разливать лимонад, — неожиданно сообщила Моника. — Так что вы оба делайте, что захотите. Только прошу вас, не влипните в какую-нибудь историю. Вот тебе, Фрэнк, доллар на пиво. А ты, Пандора, держи 50 центов. Купи ленточку или еще что-нибудь, что понравится. Хотя я почти уверена, что все равно ничего стоящего ты выбрать себе не сумеешь.

Пандора улыбнулась отцу. Он взял ее за руку, и они двинулись вместе по пыльной, заплеванной катышками жевательных резинок дорожке по направлению к аттракционам. Там-то Пандора и увидела на стойке среди кокосовых орехов, неказистых игрушек и прочих призов для самых метких метателей колец двух золотых рыбок в банке-аквариуме. Рыбки ужасно ей понравились, она завороженно смотрела на них во все глаза. Именно эти рыбки побудили ее прочесть про рыб и их подводную жизнь все книги, какие смогла найти в школьной библиотеке. В этой же библиотеке, в глубине стеллажей с художественной литературой, разыскала она и книжку о маленьком итальянском мальчике и его друге-дельфине. Их дружба была чиста и прекрасна. Дельфин даже стал со временем позволять мальчику забираться к себе на спину и так, путешествуя и ныряя вдвоем глубоко-глубоко, они испытали много захватывающих приключений в теплых водах Средиземного моря. Книжка просто потрясла Пандору, она жила прочитанным многие недели. Особенно тронуло ее то, что мальчик был полностью предоставлен самому себе, что ему не мешали никакие взрослые, он был свободен, один, наедине с дельфином и морем.

Пандора была уверена, что и эти две чудесные золотые рыбки тоже во все глаза смотрели на нее, следили за каждым ее движением.

— Пап, а ты можешь выиграть для меня вон ту банку? Тех двух рыбок? Мне так хочется, чтобы они у меня были. Я сама буду о них заботиться, кормить их муравьиными личинками и всем, чем надо, буду убирать за ними. А, пап? — Пандора от нетерпения стала переминаться с ноги на ногу.

Фрэнк посмотрел на дочь. Длинные печальные борозды вокруг рта стали вдруг еще заметнее.

— Твоей маме это не очень понравится. Она ведь не любит всякую живность. И рыбу она любит только ту, что в холодильнике.

— Знаю, па. Но я уговорю ее. Я скажу ей, что буду убирать за вонючими кошками мисс Силесии до тех пор, пока она не вернется из больницы. Я ей даже скажу, что буду бегать в магазин в любое нужное время. Я смогу ее уговорить. Ну, пожалуйста, пап!

Фрэнк пожал плечами.

— Ну, ладно, — произнес он. — Но потом не говори, малышка, что я тебя не предупреждал. —

Фрэнк приблизился к хозяину аттракционов. — Тони, дай-ка мне шесть колец, — попросил он.

— Есть дать шесть колец! Будет исполнено, Фрэнк! Фрэнк обязательно попадет, ведь у него такие длинные руки! — весело прозвучало ему в ответ.

Фрэнк усмехнулся.

— Если я их выиграю этих рыбок, Тони, тебе придется поставить мне пиво.

Тони поддержал шутку.

— Да я тебе два пива поставлю, если ты их заберешь у меня. Все равно эта ерунда никому не нужна.

— Мне нужна, — глубоко вздохнув, пробормотала Пандора.

С первой попытки Фрэнк попал кольцом на край банки с рыбками, но в последний момент оно все же соскользнуло на землю.

— Я знаю, мой Боже, что не следует молить тебя по пустякам, — шептала тем временем Пандора, — но ведь тут дело вовсе не в пустяках. Рыбки ведь тоже Твои творения. И я обещаю тебе, Великий Боже, быть с ними доброй и ухаживать за ними всю их жизнь.

Второе кольцо пролетело мимо цели, даже не задев банки.

— Выпей пива, Фрэнк, расслабься, — посоветовал Тони.

— Ни в коем разе! Я просто пристреливаюсь. Смотри, следующее ляжет точно.

Следующее кольцо опять попало на край банки, секунду держалось на нем, но потом вновь сорвалось вниз. Рыбки заметались взад-вперед, а Пандора от переживаний чуть не описалась.

— Ну, давай, па! Давай же! — вслух молила девочка.

— Не бойся. Я попаду и выиграю тебе этих рыбок, — не сдавался отец. И оказался прав: четвертое кольцо легло точно на банку.

— Все! Он попал, малышка! — Тони обвязал горлышко банки бечевкой, чтобы удобнее было нести, и отдал приз Пандоре. — Бери! Они твои!

Пандора обхватила банку обеими руками, поднесла к лицу. Девочка и рыбки принялись рассматривать друг друга. Рыбка покрупнее даже пустила в сторону Пандоры несколько дружественных пузырьков.

— Спасибо, папочка, — сказала Пандора и потянулась к отцу, чтобы поцеловать.

— Ну, что ты, ерунда. Когда я был маленьким, я тоже любил рыбок, ходил рыбачить.

Тони крикнул своему сыну, чтобы тот приглядел за аттракционом, а сам обратился к Фрэнку.

— Пойдем, Фрэнк. Угощу тебя пивом, ты его заработал.

Пандора направилась вместе с ними. Она шла осторожно, на цыпочках, чтобы сильно не болтать воду в банке. У большой зеленой палатки, набитой посетителями, в основном, мужчинами, Фрэнк остановился.

— Побудь здесь, малышка, — попросил он. — Я недолго.

Тони погладил ее по голове.

— На, держи, — сказал он, давая Пандоре круглый стаканчик с рыбьим кормом. — Это в дополнение к призу, бесплатно, так сказать, от фирмы.

Пандора улеглась на пыльную траву, не обращая внимания на проходивших мимо людей. Тем более что видела она в основном шагавшие в ту или другую сторону ноги. Вечерело, над палатками и прилавками зажглись тусклые фонари. Голоса разогретых спиртным людей стали громкими и хриплыми. Юноши и девушки либо объединялись в гогочущие по любому поводу компании, либо, напротив, разбивались на романтически настроенные парочки, застывшие то тут, то там в безмолвных и страстных объятиях. Пандора глядела на них и была почему-то уверена, что никогда такой не станет. Она, например, и представить себе не могла, что сможет, даже шутя, замахнуться на кого-нибудь из мальчишек или презрительно поморщить нос в ответ на неуместное замечание. Скорее всего, думала Пандора, из нее выйдет одна из тех несносных бедняжек, кто лишь раз влюбляется и любит всю оставшуюся жизнь. Правда, в тот момент все это было для нее далеким будущим. Мысли маленькой девочки целиком поглощали золотые рыбки, которые так искренне и нежно таращились на нее сквозь стекло банки. Пандора понимала, что с этого момента жизнь рыбок в ее руках.

Она бросила в банку немного корма — несколько муравьиных личинок. Инструкция на боку упаковки корма предлагала давать рыбкам по одной-двум щепоткам. Пандора не знала, сколько составляет «щепотка», но, видимо, в раздаче корма не ошиблась, потому что рыбки с энтузиазмом принялись носиться по банке, подбирая одну за другой все брошенные им личинки.

Мелькание ног рядом с Пандорой ускорилось. Причем, теперь в большинстве случаев мимо девочки проходили мужские башмаки в обязательном сопровождении женских, отбивавших злые пулеметные очереди, каблуков. Это означало, что становилось совсем поздно, и жены начали наведываться к пивной палатке, чтобы забрать наконец оттуда своих подгулявших мужей. В результате стоявший здесь недавно гармоничный ровный гул мужских голосов все больше и больше уступал место вспышкам визгливых семейных перепалок, а иногда и поспешным шагам спотыкающихся, отступавших по дороге к дому побежденных мужчин под натиском воинственно напирающих на них женушек.

Пандора решила, что какой-нибудь из этих ссорящихся парочек недолго будет на нее и наступить. Поэтому она поднялась наконец-таки с травы и тут же заметила мать, решительно приближавшуюся, рассекая встречный поток людей.

— Где отец? — спросила Моника. Жесткой ладонью она провела по лбу Пандоры, откинула назад ее волосы. — Бог ты мой, детка, на кого ты похожа! Подтяни гольфы! Так, а это еще что такое?

— Это папа выиграл для меня двух золотых рыбок, мамочка. Они не будут нам мешать. Я их поставлю в свою комнату.

— Ну ладно, разберемся.

Это «разберемся» всегда пугало Пандору. Потому что могло означать как сигнал к мгновенному, так сказать, применению силы со стороны матери, так и начало осуществления ею совершенно иной тактики — открыто замышляемых террористических действий. Моника часто вела «войну на истощение», не торопясь с репрессиями, а устраивая неожиданные атаки, засады, западни, коварно перемежая их с периодами затишья. Когда жертвой таких «боевых» действий матери бывал отец, Пандора чувствовала, что он терпит их и не уходит из дома только из-за любви к своей дочери, из чувства ответственности за ее судьбу.

Появление матери у пивной палатки, понимала Пандора, пока что ей ничем не грозило. Ведь сначала Моника должна будет заняться Фрэнком, вытащит мужа из круга приятелей, как всегда нарочито грубо его унизив при этом, а потом отконвоирует домой к ужину. За ужином, знала Пандора, все опять будут молчать. Все, кроме Моники, которая, конечно, примется занудно бубнить о том, с каким трудом удается ей хранить семейный очаг, поддерживать в нем, так сказать, огонь, заботясь о неблагодарном муже да бездарной, глупой девчонке.

После ужина, размышляла Пандора, если повезет, рыбок можно будет незаметно пронести к себе в спальню, а мать — отвлечь, скажем, оживленным обсуждением состояния кишок мисс Силесии. Вряд ли Моника откажется от удовольствия поговорить о пикантных подробностях чьей-либо болезни. Остаток же вечера можно будет провести в доме мисс Силесии, где Пандора будет, естественно, занята уборкой за кошками, а Моника могла бы свободно разнюхать, что и где лежит в доме соседки, — планировала Пандора.

Все эти размышления придали ей аппетит, и за ужином она с удовольствием съела большой кусок лимонного пирога.

Все лето рыбки провели в банке на столике в ее спальне, там, где Пандора делала уроки. Она очень хорошо помнила эту комнату. Пожалуй, это была самая уютная спальня во всей ее жизни. Постоянные переводы Фрэнка по службе с одной станции на другую вынуждали семью то и дело переезжать, менять квартиры и дома. Но тогда им повезло, они никуда не переезжали, и, к тому же, именно то лето оказалось освещенным неоновыми ярмарочными фонарями счастливого вечера, когда ее молитвы исполнились и ей достались две золотые рыбки.

Фрэнк считал, что рыбка потолще была самкой. Хотя и признавал, что определять рыбий пол совершенно не умеет. Пандора решила все же с ним согласиться и нарекла предполагаемую самку Диной в честь любимой ею и отцом певицы Дины Шор, обладавшей глубоким, сильным голосом. Самца назвали Бингом, как Бинга Кросби, чьи оттопыренные уши и вид вечно испуганного мальчишки Пандоре очень нравились. Когда она смотрела на аквариумного Бинга, поглощающего муравьиные личинки, ей казалось, что она видит настоящего певца, например, в какой-нибудь субботней телепередаче, где он, прежде чем запеть, начинал вдруг «прожевывать» первые звуки песни, как бы ощупывая их языком, проверяя их качество, их готовность вырваться наружу и быть услышанными аудиторией.

Пандора часто разговаривала со своими рыбками. Осенью лес за железной дорогой начал желтеть, обтая окраску тяжелого золота. Потом буро-желтая листва слетела на ветру, и деревья, лишенные одежд, простерли к небу свои голые руки-ветви. Что-то подобное произошло в ту осень и с рыбками. Что точно случилось с ними, Пандора не помнила, так давно это было. Но вот почему-то с тех самых пор водоросли, особенно темные, встречавшиеся вокруг Малого Яйца, неизменно пробуждали в ее сердце какие-то забытые страхи, связанные с событиями той осени. Большего пока Пандора вспомнить не могла. Чулан ее души хранил в себе многое. Но она понимала, что когда-нибудь и этот «багаж» всплывет в ее памяти.

День выдался прекрасным для подводного плавания. Утром Бен проснулся, обхватил руками голые коленки и внимательно всмотрелся в морской горизонт. Пандора уютно устроилась рядом.

— Возьми меня, — позвала она. — Мне опять приснились рыбы.

— Хорошо. А потом давай поплаваем под водой, — предложил Бен. — У нас в распоряжении все утро. — Он повернулся к Пандоре. — Так ты хочешь, чтобы я взял тебя сейчас, или же после чашечки кофе?

— Прямо сейчас! — ответила она.

«Как ужасающе поздно я поняла, что секс действительно может доставлять удовольствие». Мысль эта пришла Пандоре, когда они уже слились воедино, двигаясь в медленном ритме удовольствия, весело и нежно поддразнивая друг друга.

— Эй, подожди меня, — говорил Бен, — подожди меня, сексуальная американка.

— Обойдешься. — Пандора чувствовала, что начинает быстро взбираться вверх по пути к той самой завораживающей вершине, с которой она потом провалится в пульсирующую пропасть блаженства, где каждый последующий миг будет чувствительнее, острее, восторженнее предыдущего.

Вернувшись с чувственных высот на хорошо знакомую гладь постели, Пандора не торопилась, ждала, когда по тому же счастливому маршруту пройдет и Бен. Наконец и он, резко вздохнув, издал облегченный стон и затих.

— На этот раз кофе придется приготовить тебе, — отдышавшись, вымолвил Бен. — А еще я хотел бы сосисок и бекона, ты не против?

— Ладно. — Пандора поднялась с кровати. Тело казалось расслабленным и легким, мускулы — упругими, готовыми к работе и отдыху. Даже черты лица Пандоры не были напряжены, вопреки всему. «И все же жить вечно на этом острове с Беном я не могу, — подумала Пандора. — Ведь где-то в том, реальном, мире есть еще и Ричард. Хочу ли я на самом деле с ним развестись? Или в отношениях с ним мне все же есть за что «зацепиться»? Ну и, наконец, где-то поблизости, может быть, даже ближе, чем я бы того хотела, рыщет моя ненаглядная вездесущая мамаша».

Местного изготовления бекон, приправленный чабрецом, шипел на сковородке. Красные томаты проливали сок и семена на двуцветную яичницу из яиц, снесенных знаменитыми курами мисс Рози, подкрашивали нимбы тусклых белков, окружавшие яркие островки желтков. Сильный аромат кофе и запах чуть пережаренных сухариков окончательно разбудил Бена и вывел его из сладкой дремы, в которую он любил погружаться после любовных игр.

— Здорово было бы, если б жизнь могла всегда быть такой, как сейчас.

Пандора опустила поднос рядом с кроватью, села, внимательно посмотрев ему в глаза.

— Может быть, если я и вправду соглашусь отправиться с тобой на подводную прогулку, я узнаю наконец, почему же так боюсь воды. Ведь я люблю купаться, но совсем не доверяю воде.

Они поели. Бен вытер губы тыльной стороной ладони.

— На островах можно многое о себе узнать, — сказал он. — Поэтому-то я и не люблю Майами. Там все куда-то спешат: им некогда остановиться и прислушаться к себе. — Он слез с кровати, взял тарелки.

Пандора не отрываясь следила за тем, как он пересек комнату и направился в маленькую кухоньку, где она только что готовила завтрак. Его обнаженное тело в который раз восхитило женщину своей удивительной красотой. И все вокруг тоже было прекрасно, возвышенно, полно чистых чувств. Захотелось даже ущипнуть себя, чтобы проверить, уж не грезится ли ей все это.

Потом Пандора подумала, что пора бы перестать зацикливаться на дурных воспоминаниях или на ожидании чего-то плохого, и вообще не следует задаваться вопросом, как долго продлится ее счастье. Главное, свыкнуться с мыслью, что все это — действительно ее счастье, которое она чем-то в своей не очень простой жизни все-таки заслужила.

Она поднялась наконец и отправилась на поиски светло-зеленого купальника, который удивительно шел ей.

Глава одиннадцатая

— Вот в этом заливчике можно прекрасно понырять с маской. — Бен улыбнулся, глядя на Пандору,
выглядевшую несколько неуклюже в своих голубых
ластах. — Тебе в них удобно?

Пандора переступила с ноги на ногу.

— Нормально, — ответила она. — Хотя сейчас я
чувствую себя настоящим моржом.

— Не страшно. В воду заходи задом. Потом падай
на спину и не бойся, здесь совсем мелко.

Пандора, держа в руках маску и трубку, сделала два
неуверенных шага назад и с плеском опрокинулась в
тихую воду залива. Расхохотавшись, она поднялась.

— Так я, пожалуй, всех тут распугаю. Не на кого
будет смотреть.

— Ничего, вся здешняя живность быстро вернется
обратно. — Бен сосредоточенно плюнул раз-другой
на стекло своей маски. Заметив удивленный взгляд
Пандоры, он объяснил. — Слюна не дает маске запо-
тевать. Попробуй и ты сделать то же. — Бен надел
маску и подошел к Пандоре. — Дай я тебе помогу.
Главное — не паникуй. Просто дыши ртом и все.
Вдох-выдох, поняла? — Пандора кивнула. — Теперь я
дам тебе трубку, зажми вот этот резиновый раструб
зубами. Продолжай дышать ртом: вдох-выдох.

Взявшись за руки, они пошли туда, где было глубже.

— Видишь, вода нам уже до пояса. Наклони голо-

111

ву, опусти маску в воду. Так, теперь вдохни через трубку.

Пандора была потрясена увиденным: целая флотилия пурпурно-полосатых рыбешек сновала между ее ног.

— Чудесно! — воскликнула она и чуть не захлебнулась соленой морской водой. Закашлявшись, сорвала маску.

— В следующий раз ничего не говори, просто подними вверх большой палец.

— Хорошо, этот урок мне будет просто запомнить.

Пока что Пандоре все нравилось. Она боялась моря не так сильно, как ожидала. Да и бояться, собственно, было нечего — вокруг под ногами виднелся лишь чистейший белый океанский песок.

Бен обнял ее за талию и заставил лечь на живот.

— Теперь попытайся удержаться на плаву. Просто оставайся на поверхности и смотри вокруг.

Сначала Пандора видела одни камни да подводные скалы. Стайка полосатых рыбешек куда-то исчезла. Лишь спустя некоторое время она вдруг разглядела прямо под собой какое-то плоское, в складках кожи и песка существо. Большой глаз странного существа глядел прямо на Пандору. Резко выпрямившись, она подняла голову над водой.

— Глаз, — еле выговорила она и содрогнулась, — как у моих рыбок.

Бен взял ее за руку, притянул вниз, к воде.

— Да посмотри внимательнее. Это всего-навсего спрятавшийся в песок детеныш камбалы. Вреда от него не может быть никакого. И бояться его нечего.

Пандора нервно вздохнула.

— Я знаю, — призналась она, — но он напомнил мне рыбок, которые у меня были. Я знаю, что с ними случилось нечто ужасное. Но никак не могу вспомнить что именно. И это нечто все время дает о себе знать и пугает меня снова и снова.

— Давай попробуем еще разок, Пандора. Торопиться нам некуда, у нас куча времени.

Она опять послушно легла на воду, попробовала оттолкнуться ластами. Медленно, в сопровождении Бена, плывшего рядом с ней, двинулась вперед вдоль подводной стены, образованной остатками коралловых колоний. Пандора не сразу решилась покинуть покой прибрежной мелководной лагуны, остановившись было у ее ворот, но Бен крепко взял женщину за руку и увлек за собой, дальше в море. Здесь было уже поглубже. Снизу на Пандору с удивлением уставился целый косяк ярких голубеньких рыбок. Причем, как стало понятно, рыбки плавали на значительной глубине у самого дна и были до ее появления заняты тем, что выкапывали себе какой-то корм на песчаной косе, лежавшей между двумя коралловыми отрогами. Зрелище произвело на нее впечатление, и она замахала руками, показывая Бену на голубых рыбок.

— Это пятнистые рыбы-попугаи, — сообщил он ей, когда они на секунду подняли головы над водой. — А теперь следи за мной.

Он сделал глубокий вдох, задержал дыхание и нырнул вниз, прямо в косяк рыб. Балуясь, Бен лег на дно, на песок. Испуганный косяк вернулся вскоре на прежнее место кормежки. При этом рыбки проплывали в каких-то сантиметрах от человека, едва не касаясь его плавниками. «Поразительно! Он чувствует себя здесь совсем как дома, — размышляла Пандора. — А я неуклюжий пришелец».

Поправив маску, она сделала несколько гребков в сторону. Вдруг заметила далеко в глубине, у самого дна, плоскую треугольную рыбу с длинным, похожим на хлыст, хвостом. Пандора чуть было не запаниковала. Дыхание ее участилось. Но все же ей удалось взять себя в руки, принять прежнее положение. Она посмотрела назад, туда, где был Бен. Тот как раз подплывал к ней. Пандора опять взглянула вниз. Скат — она узнала пятнистого орлового ската по одной из красочных опознавательных таблиц, что рассматривала как-то в хижине у Бена, — даже не шелохнулся.

Пандора сделала несколько взмахов ластами и оказалась прямо под скатом. Женщина и рыба уставились друг на друга. К своему удивлению, Пандора обнаружила, что рыбьи глаза имеют голубой цвет. Еще больше ее удивило то, что взгляд ската выражал полнейшее понимание, казался ясным и осмысленным. Через довольно продолжительное время большой скат, в последний раз глянув в ее сторону, отплыл в тень, взмахивая плавниками-крыльями.

Женщина вынырнула, вся сияющая от удовольствия.

— Ты видел его? — спросила она.

Бен кивнул. Он откинул маску на лоб.

— Это мой давний друг. Я его зову Человечий Скат. Потому что он уж очень похож на человека.

— Удивительное существо!

Пандора легла на спину. Качаясь на теплых тихих волнах, чувствуя негу, приятную слабость в теле и мыслях, она думала о потерянных ею годах, прожитых совершенно бездарно, вдали от счастья. Больше терять время Пандора была не намерена.

Одновременно они с Беном повернулись на живот и тихо двинулись назад к входу в мелководную лагуну. Бен впереди, а следом за ним Пандора. Отлив слегка удерживал ее, но не особенно мешая плыть вперед.

И вдруг она увидела длинные нити темно-зеленых водорослей у стекла маски, почувствовала, как они коснулись ее тела. И далекая забытая боль в одно мгновение всплыла в памяти. Пандора вспомнила наконец, что случилось тогда с ее золотыми рыбками. Она не выдержала, сорвалась, как и тогда, много лет назад, заколотила в истерике руками по волнам, глотнула воды раз, другой. Контролировать себя Пандора уже не могла, лишь чувствовала, что Бен, ухватив ее крепко за шею, тащит за собой к берегу. Женщина отчаянно сопротивлялась, вырываясь из его объятий. Она боролась не с Беном, а с рекой, с той рекой, что текла в ее детстве позади железнодорожной станции и питала водой через систему бесчисленных труб, вентилей и фильтров вечно изнывающие от жажды паровозы. Вода в этой реке детства была белой, особенно к осени, и несла с собой горы пустых жестяных банок и использованных презервативов. По берегам реки обитали полчища крыс. Пандора ненавидела эту реку и никогда даже близко к ней не подходила.

И вот однажды, холодным ноябрьским днем, Моника вдруг принялась ни с того, ни с сего ругать ее за грязь и беспорядок в комнате.

— Я уберу, когда вернусь из школы, ма, — сказала тогда Пандора, — у нас сегодня контрольная по математике, я опаздываю. Придется повторять все в автобусе по пути в школу.

Уставившись в спину уходящей дочери, Моника вдруг заявила:

— А все потому, что ты слишком много времени тратишь, наблюдая за этими своими рыбешками.

Но Пандора не слышала, она уже бежала к автобусу. Укрывшись в безопасности его салона, девочка вытащила учебник математики и углубилась в повторение. Математика вообще трудно ей давалась. Вот английский шел гораздо легче.

Тот день в школе оказался каким-то особенно трудным. Долгим получился и путь до дома. Пандора услышала, что мать хозяйничает на кухне. Не заходя туда, Пандора вбежала в свою комнату, бросила портфель и тут только заметила, что банки-аквариума нет на обычном месте. Она пропала вместе с рыбками, которые с такой любовью в глазах встречали Пандору каждый вечер.

— Ма! Где мои рыбки? — закричала Пандора, врываясь на кухню.

Мать склонилась над духовкой. Ее волосы были аккуратно уложены и скреплены фиксирующим лаком. В руках, как в когтях, она держала пустую форму для пирогов.

— Я выбросила эту дрянь, Пандора. Зима наступает, и иметь в доме всякую гниль да вонючий корм было бы просто вредно для здоровья, — сказала Моника с непроницаемым лицом. Но девочка все же заметила искру беспокойства в ее глазах.

— Ты их выбросила? Куда?

Мать махнула рукой в сторону заднего двора.

— Ну, туда, где канализация выходит в реку.

Пандора схватила ее за руку и потянула из кухни во двор. Раздраженно хмурясь, Моника тем не менее последовала за дочерью.

— Ты всегда была дикаркой. И когда-нибудь это плохо для тебя кончится, — приговаривала она.

Ничего не слыша, Пандора неслась к реке. Добежав до того места, где в реку выходила труба слива, она остановилась. Из трубы шел отвратительный серый поток, напоминающий цветом грязное нижнее белье или нестираный сопливый платок.

— Вон она, твоя банка. — Моника ткнула пальцем в сторону одного из сгустков грязи и тины.

С трудом разглядев банку с рыбками, увязшую на дне реки, Пандора бросилась в воду и, с головой опустившись в мразь и вонь, попыталась достать пальцами до банки. Ей пришлось долго сражаться со щупальцами гнилой травы, глотать поганую воду, но в конце концов она все же добилась своего. Вынырнув, Пандора стала отчаянно загребать одной, незанятой рукой, пытаясь хоть как-то остаться на плаву. Второй рукой она держала банку, еще не зная, что она пуста.

Моника же все это время бегала взад-вперед по берегу и причитала:

— Святая Богоматерь! И это — моя дочь! Что же это она удумала! Прости, Боже, ей этот грех!

Обнаружив наконец, что банка пуста, Пандора выпустила ее. Все для нее вдруг потеряло смысл. Она почувствовала, что погружается в воду, отвратительные скользкие стебли сорняков и гнилых водорослей окутывают ее лицо. Она открыла глаза, но совершенно не испугалась. «Если бы я могла сейчас умереть, — думала Пандора, — я была бы счастлива. О Боже, мне не нужна такая жизнь! Я не хочу жить».

Пандоре показалось, что прошли многие часы. Когда грубые руки коснулись ее лица, повернули голову набок, она поняла, что лежит на лавке. Ее начало рвать так сильно, что казалось, это никогда не кончится. При этом она видела лишь дружелюбно «улыбающуюся» ей вскрытую консервную банку из-под томатного супа «Кэмпбелл». Затем девочка заметила, как к ней склонилась длинная фигура отца.

— Милая ты моя, зачем ты это сделала?

Он поднял ее и понес домой. С насквозь промокшей школьной формы ручьями стекала вода.

— Я куплю тебе еще двух рыбок, — обещал отец, укладывая дочь в постель после горячей ванны.

— Мне ничего больше не надо, — ответила Пандора.

В ту ночь к Богу не было обращено ни одной молитвы с маленькой кровати в домике у железнодорожной станции. А то место, где стояла банка с рыбками, так и осталось навсегда пустым.

— Пандора, перестань брыкаться.

Наконец до ее помутневшего от ужаса сознания стали доходить призывы Бена.

— Пандора?

Она почувствовала, как он заставил ее встать на оказавшееся вдруг под ногами дно, как сорвал с нее маску. Бен крепко обнял ее и замер, ожидая, когда слезы перестанут сбегать по ее щекам.

— И ты бросилась в воду только для того, чтобы спасти этих рыбешек? — спросил Бен после того, как Пандора все ему рассказала.

Она кивнула.

— Я знаю, в это трудно поверить. Но, кроме отца и этих рыбок, у меня никого тогда не было. И они тоже любили меня. Так, что мне иногда казалось... я, наверное, не смогу этого объяснить. В общем, ту любовь, что я должна была бы обращать на мою мать, я обращала на рыбок. Понимаешь? И, когда я возвращалась из школы, только рыбки были рады моему приходу. Они начинали шевелить хвостиками и носиться по банке. Я и говорила-то в основном с рыбками, потому что мать либо занималась своей прической, либо пропадала у соседей. Дома мне просто не к кому было обратиться. Да и вообще мать была против живности в доме. Она говорила, что у нее аллергия на всех домашних животных.

— Но теперь-то с тобой все в порядке. — Бен еще крепче обнял ее. — И, пожалуйста, не пугай меня так больше, Пандора. А если что-то будет тебя беспокоить, сразу расскажи мне.

Они выбрались на скалы и улеглись под палящим солнцем. Всплывший в памяти ужасный эпизод странным образом поднял настроение Пандоры — часть преследовавших ее страхов вдруг улетучилась. Это происшествие вовсе не было неконтролируемой истерикой с ее стороны — «припадком», как назвала бы случившееся Моника. Это была нормальная реакция на страшное событие, происшедшее когда-то.

«Теперь я буду плавать в этих темных черепашьих водорослях каждый день, — дала себе слово Пандора. — В конце концов, я сюда приехала для того, чтобы плавать, плавать с дельфинами».

Глава двенадцатая

Мопед свернул на аллею, ведущую к хижине. Пандора даже не повернула головы, только еще крепче прижалась к спине Бена. Ей было стыдно за свое поведение. И она не до конца еще оправилась от происшедшего. Чувствовалась и усталость.

Женщина думала о том, какой прекрасный был день, чистое море, удивительные рыбы... и все это она умудрилась превратить в сущий кошмар для самой себя.

— Не беспокойся, — успокаивал ее Бен, — такое часто случается: люди вдруг начинают паниковать под водой. К тому же, опасности-то никакой и не было. Жаль только, что все это испортило твою первую попытку понырять с маской. Но мы ведь попробуем еще разок, да? А теперь ложись в свой гамак, а я принесу тебе стаканчик бабушкиного сладкого липового чая.

Пандора устало опустилась на сетку гамака и завернулась в одеяло. Ее мокрое тело быстро согрелось, даже перестала чувствоваться мокрая ткань купальника.

«Ты погубишь свои почки», — ругала Пандору мать, когда заставала в таком виде.

Липовый чай, принесенный Беном чуть позже, уже не понадобился, так как Пандора спала. Он молча смотрел на нее, лежавшую на боку с поджатыми коленями, на ее расстроенное лицо, и у него не хватило смелости разбудить возлюбленную.

*   *   *

Когда Пандора появилась на пороге дома через два дня после того, как сбежала с Норманом, Моника ничего ей не сказала. В одной руке Пандора держала чемодан, другой тщетно пыталась спрятать от всевидящих соседей разбитый нос и огромный синяк под глазом. Что ж, успокоила себя тогда Моника, синяки в нашем городе не редкость.

Дверь Пандора открыла ключом, по городской традиции всегда остававшимся в замке. Этому обстоятельству она была рада, потому что ей почему-то не хотелось стучать в дверь материнского дома. Возможно, в ее глазах этот стук означал бы некий акт капитуляции, подчинения, мол, прости меня, Боже, я согрешила. Хотя, что и говорить, она действительно согрешила. С этим согласился бы даже отец О'Хэнлон. Обеты надо блюсти при любых обстоятельствах. Она же свой обет не соблюла — предала, бросила своего супруга.

Так и стояла Пандора в дверях, смущенная, безмолвная, со страшным темным синяком под глазом. Кровь струйкой текла из носа, и Пандора пыталась не дать красным каплям испачкать белый пиджак и блузку. Тот самый любимый пиджак, который она выбрала много недель назад и в котором решила бежать, чтобы выйти замуж за Нормана. Пандора приоткрыла дверь еще чуть-чуть и тут только в желтом свете прихожей заметила мать.

В кои-то веки волосы матери оказались распущены, покрасневшие глаза влажно блестели, а рот дрожал.

— Так значит, ты решила сбежать от меня так же, как твой отец. Ах ты негодяйка! Не думай, что я ничего не знала. Мне все рассказала мисс Джонс, в мэрии она регистрировала свою собаку и видела вас обоих, видела, как вы хихикали и перешептывались.

120

Ну и что теперь? Что ты теперь обо всем этом скажешь, маленькая тупая сучка? Посмотри только на свое лицо! — Моника подошла к Пандоре, подняла за подбородок ее голову к свету, падавшему от засиженной мухами лампы. Пандора всегда ненавидела эту лампу, висевшую на длинной цепи над лестничным проемом. Время от времени Моника начинала вдруг охоту за длинноногими пауками и мухами, для чего цепляла на лампу длинные рулоны липкой бумаги. В результате уже дня через два с потолка, качаясь и бросая тени, свисали гроздья прилипших к бумаге полуразложившихся насекомых.

Идеально белый абажур этой несчастной лампы со временем пожелтел и стал похож по цвету на старческие ногти. Пока Моника вглядывалась в лицо Пандоры, та заметила на висевших над ней липких бумажных рулонах по меньшей мере еще двух недавно попавшихся в западню длинноногих пауков, которых раньше она не видела. Отец Пандоры тоже казался порой похожим на длинноногого паука. До того дня, когда мать грубо разрушила ее полное взаимопонимание с отцом, Пандора обожала сидеть, качаясь на отцовской длинной ноге, и воображать, что они вместе с ним мчатся по лесам и полям. Она поняла, что сейчас расплачется. Если бы папа был здесь, он, конечно же, отправился бы к Норману, вытащил бы его из кровати и врезал как следует.

Как бы то ни было, Норман ей просто надоел. Завтра же она отправится в бакалейный магазин «Ханидью» и попросит взять ее обратно на работу. В магазине контролером она хорошо зарабатывала и через какое-то время точно смогла бы отложить достаточно денег, чтобы открыть собственное дело. Все это она продумала и решила в те минуты, пока тщетно ожидала хоть немного жалости и сочувствия со стороны матери.

— Ну, нет. Так быстро от него тебе отделаться не

удастся, — заявила Моника, как всегда сверхъестественным образом разгадав тайные мысли Пандоры. — Он еще притащится сюда, он еще будет умолять тебя вернуться! Ладно. Мне через час надо быть на работе. Пока можешь поселиться в своей комнате. Мы тут с мисс Силесией решили устроить себе праздник, съесть по тарелке ветчины с сыром и яйцами. Ее «газы» уже прошли. Салата и лука нам не надо. А вот все остальное для нашего праздника ты могла бы и приготовить. И не забудь, что мне яйца надо варить ровно четыре с половиной минуты. Да, и не вздумай срезать жир с ветчины. Тебе, кстати, жир тоже был бы полезен. Попробуй только сделать глупость и выкинуть жир!

— Не выкину, ма. А теперь можно мне подняться к себе в комнату и переодеться?

Моника пошла на кухню, а Пандора, тяжело ступая, двинулась вверх по знакомой до малейших деталей лестнице. Вот три скошенные ступеньки, а вот дырка в зелено-коричневой ковровой дорожке. А здесь, на самом верху лестницы, она когда-то часами просиживала по вечерам, украдкой, через приоткрытую дверь в гостиную, смотря фильмы, которые показывали по их черно-белому телевизору. При этом голоса родителей доносились до нее то громче, то тише, напоминая прокатывающиеся по прериям переливы далекого грома. Голоса эти даже больше походили на звуки пыльной бури, сухие и высокие, несущие в себе обещание сильного дождя. Правда, часто звуки прерывались, рассекались, как блеском молнии, пронзительным криком Моники.

— Слушай, что я тебе говорю, Фрэнк!

При этом в начальный звук имени отца, в «ф», Моника вкладывала всю силу зловещего предзнаменования, которую несет в себе предгромовой рокот, предвещающий неминуемый и ужасный раскат самого грома, каким у Моники выходил последний звук имени отца — «к». От этого «к» звенела посуда в угловом серванте.

Теперь, многие годы спустя, Пандора, ныне несчастная новобрачная, вернулась в комнату своего детства. Она опустила чемодан на пол и заплакала. Плакала не о себе и Нормане, и даже не о неудавшейся свадьбе. Потому что сама к ней стремилась и винить ей, кроме себя, было некого. Оплакивала она, скорее, всю свою жизнь, в которой наделала слишком много ошибок. Почти каждый вечер девушка уходила из детской комнаты, чтобы закатиться в какой-нибудь бар или кафешку с друзьями-подростками. Кончались же эти прогулки чаще всего одним и тем же — задним сиденьем чьей-нибудь машины, где она отдавалась всякому с той же легкостью, с какой можно подарить, например, жевательную резинку. Мало кто из ее подружек был настолько «смел». По правде говоря, Пандора со стыдом сегодня могла признать, что в подростковые годы она была самой, что ни на есть, доступной «подстилкой».

Если кто хотел пригласить девушку на свидание со вполне конкретной плотской целью, выбирали всегда Пандору. Она отдавалась любому, перед любым открывала свой «сосуд Пандоры»*. Об этом было известно всем в округе.

В монастыре, где Пандора потом оказалась, она везде и всюду опаздывала, а потому ей вечно приходилось то красться, то бежать по монастырским коридорам, задыхаясь и поправляя на ходу платье. Монахини-воспитательницы только обреченно вздыхали по этому поводу.

— Да и что от нее ожидать, — сказала как-то Монике классная воспитательница Пандоры, — ведь бедняжка почти каждые два года меняла школы. Она совсем неграмотная.

---

* Корни этого выражения — в греческой мифологии. Любопытная Пандора открыла в доме мужа, несмотря на его запрет, сосуд, наполненный бедствиями, которые распространились по земле. В переносном значении — «сосуд Пандоры» — источник всяких бедствий. У автора же это выражение носит, скорее, сексуальный смысл.

Мать Элиза не имела никакого представления о том, что, едва ступая за порог монастырской школы, Пандора с лихвой компенсировала свои школьные неуспехи повышенной активностью в контакте с мальчиками. Ей самой секс не доставлял ни малейшего удовольствия, а был лишь еще одним подтверждением силы, которой, по ее мнению, она таким образом обладала. В общении с мальчиками Пандоре помогало и ее умение предугадать поведение других людей, например ее собственной матери. Это умение, кстати, дало Пандоре гораздо больше знаний о людской психологии, чем специальные занятия по этому предмету в институте. «Уроки» матери позволяли ей безошибочно вести себя с кавалерами: так, Норман, желавший поддержать репутацию ловеласа, хотел как можно быстрее «забраться в трусики Пандоры», но она, в собственных интересах, не позволяла ему этого целую неделю, чем, безусловно, значительно укрепила собственный авторитет в глазах окружающих.

Пандора выпила бесчисленное количество сладких молочных коктейлей, день за днем наблюдая, как напротив, у сгоравшего от нетерпения Нормана, ходил вверх-вниз по горлу огромный острый кадык. Его здоровенные руки, руки механика, были в постоянном движении, пальцы то обхватывали под столиком коленки, то отпускали их. Пандора пила коктейли не торопясь, потягивая сладкий напиток через соломинку, томно причмокивая, чем явно провоцировала Нормана. Под конец одного из рандеву она даже вытянула ногу под столиком и дотронулась кончиком туфельки до его бедра. Он попытался было поймать ее ногу и зажать между своими коленями, но не успел.

— В субботу, Норман, — шепнула ему Пандора, когда он рванулся к ней, чуть было не опрокинув столик, — давай сделаем это в субботу.

Хорошо еще, что у Нормана оказался матрац в

задней комнатке мастерской. Сама комнатка была плохо прибранной, но положение спасало то, что Норман догадался все же раздобыть чистую подушку и прикрыть ею и полосатым бело-голубым одеялом давно посеревшую от грязи обивку матраца.

— Ух ты, Норман, какое у тебя чудесное одеяльце! — отметила Пандора, крутя в руках прямоугольную белую сумочку.

Норман довольно улыбнулся. Пандора обожала его улыбку. Нравились ей и его глубоко посаженные грустные глаза, которые разгорались порой неожиданным блеском. Немного вытянутое и тоже грустное лицо Нормана, также казалось ей весьма привлекательным. Пандора верила, что сможет заставить его улыбаться чаще.

— Хочешь чего-нибудь выпить? — спросил Норман, доставая пиво из холодильника, стоявшего у стены мастерской.

— А у тебя нет безалкогольного пива, а, Норман? Мать говорит, что девушкам не пристало пить настоящее пиво.

— Нет, нет у меня безалкогольного пива. Есть зато кока-кола. Будешь? — Его голос дрожал.

Пандоре всегда нравились именно вот эти несколько мгновений, что предшествовали началу действия. В эти мгновения все происходило, как в кино. И, сидя в убогой комнате на краешке стула рядом с матрацем, она чувствовала себя главной героиней романтического фильма, освещенной сотней прожекторов. В стороне, согнувшись за камерой, человек, отдающий всем какие-то инструкции. По матрацу разбросаны микрофончики, готовые уловить каждый стон, каждый вздох. Потому что снимается не просто обычный фильм, а продукция компании «Пандора Продакшнз» — лента под названием «Пандора — королева порно». Вот тогда бы Пандора действительно «открыла свой сосуд», откуда явились бы все те вещи, что могли свести с ума от вожделения, от страсти любого мужчину. Пока же, правда, в порнографической коллекции Пандоры было лишь три порножурнала — подарок одного благодарного клиента, и черный пояс для чулок с красными подвязками.

В тот день она его как раз и надела. А также купила пару французских шелковых чулок и белые-белые остроносые туфли, державшиеся теперь, правда, только на кончике больших пальцев. И вот пришло время наконец режиссеру призвать всех к тишине — съемка готова была начаться. Пандора допивала кока-колу. К сожалению, под рукой у нее не оказалось кокетливой соломинки. Она знала, что моменты пустого нервозного напряжения сейчас пройдут. Просто они были неизбежны, вписаны в сюжет фильма, в первую сцену первого действия.

Норман, сжимая стакан с пивом, приблизился к ее стулу, склонился над ней, коснувшись ее губ своими толстыми губами. Мгновение он не двигался, наслаждаясь.

— Нет, не так, Норман, — сказала ему Пандора. Она дала незаметный сигнал рабочим сцены, застывшим в ее воображении у осветительных прожекторов. — Смотри, что ты наделал. Ты сбил мне прическу и размазал всю помаду.

Норман застыл от удивления.

— Так мы что, все же не будем этим сегодня заниматься?

— А чем же мы уже занимаемся, как не этим, Норман? Чем? Ты что, ничему в школе так и не научился? Вот, дай мне просто стереть помаду самой моим чистеньким платочком, и тогда уж ты сможешь обнять меня и поцеловать так же аккуратно, как делает это Джеймс Дин в фильмах. Кстати, ты на него немного похож. Он такой красавчик, этот Джеймс Дин.

— Да замолчи ты. Дай лучше я тебя поцелую, — только и смог ответить Норман.

Пандора подняла глаза вверх. Мотор! Камера! Свет! Действие первое. Сцена первая. Дубль два. У Нормана, правда, было явно иное представление о грядущем событии. Он сгреб Пандору в охапку и с такой силой бросил на матрац, что у нее перехватило дыхание. Одной рукой он расстегнул ремень на брюках, другой — задрал ей юбку.

— Ну что ж ты так торопишься, — упрекнула его Пандора. — Ты мне чулки порвешь.

— Ничего, куплю новые, — буркнул Норман.

Скинув наконец-то джинсы и трусы, отбросив их в сторону, Норман с нетерпением стал расстегивать застежки на подвязках чулок Пандоры. Ухватив за одну из таких застежек, пришитых к резиновому поясу, он дернул за нее изо всех сил. Пояс не выдержал и лопнул с сухим, похожим на выстрел духового ружья, треском. Отлетевшая застежка угодила Норману прямо в глаз, но он этого даже не заметил, потому что понял, что все препятствия на его пути теперь устранены и он может в конце концов приступить к главному.

Пандора лежала не шевелясь под его тяжелым, двигающимся взад-вперед телом. «Да, это, пожалуй, займет порядком времени», — думала Пандора. Норман явно не был в этих делах экспрессом, то есть не походил на всяких там прочих мальчишек, которые, едва войдя в нее, издавали пару громких «свистков» и почти сразу же «кончали». Не был он, слава Богу, похож и на других ее знакомцев — нервных типчиков, которые выпускали все, что могли, еще до вхождения внутрь, но зато потом долго и занудно отрабатывали номер всухую. Нет, Норман трахнул на своем веку приличное число женщин и, надо сказать, умел получать от этого дела удовольствие.

127

Пандора осмотрелась вокруг — гараж был большой и достаточно чистый. Она знала, что Норман бросил школу и жил один в этом доме. Отец его умер, а мать обитала где-то на юге Флориды. Размышляя об этом и осматриваясь по сторонам, Пандора поняла вдруг, что Норман мог бы стать для нее выходом, спасением от этой нудной, тоскливой жизни, какую она вела со своей матерью.

Но ничего, однако, из этого не вышло. И она опять оказалась в своем доме, в той же самой комнате, где уже, правда, теперь не было золотых рыбок.

С помощью нескольких слоев пудры мисс Силесии удалось замаскировать синяк Пандоры. Сама же мисс Силесия просто сгорала от желания оказаться первой, кто оповестит соседок на улице о возвращении Пандоры: *дочка Моники вернулась через каких-нибудь пару дней после отъезда в свадебное путешествие, вернулась с разбитым носом и синяком под глазом.*

— Пандора, мы тебя так рано домой не ждали. Что случилось? Что, влюбленные поссорились? — Мисс Силесия с придыханием рассмеялась, обнажив гнилые пеньки пожелтевших зубов.

— Да, что-то вроде этого, — ответила Пандора, передавая гостье ветчину. Она ненавидела розовые, вечно мокрые ломти свинины, обрамленные сверкающе белыми полосками жира. Моника всегда требовала, чтобы к столу гостям еще подавался прессованный сыр, вареные яйца, нарезанные так, чтобы в глаза бросались лимонно-желтые купола желтков. Пандора поставила перед соседкой тарелку, а мать принесла чай со льдом. Пандора ждала, когда же наконец раздастся звук подъезжающей машины или зазвонит телефон и объявится Норман. Она понятия не имела, где он был в тот момент.

Моника тяжело опустилась на свой персональный

стул. У стула этого была особенная, высокая, спинка, на которую Моника могла откидываться, не нарушая при этом форму прически.

— Так все будут чай со льдом? — спросила она подчеркнуто весело. Глаза ее горели. Да и вся она была явно взволнованна. Именно такого волнения, нервного возбуждения Монике всегда и недоставало в жизни с Фрэнком, ее ужасающе скучным мужем.

Пандора отметила, что мать покрасила ногти обычным ярко-алым цветом. Отметила она и то, что лак лежал, как всегда, идеально, что, как знала Пандора, требовало неимоверного терпения.

Начиналось все с того, что мать долго-долго взбалтывала пузырек с алым лаком. Потом наносила его на ногти первым слоем и принималась ожесточенно трясти пальцами в воздухе, то и дело останавливаясь и проверяя, не трескается и не отваливается ли прошлонедельный слой, прилипший к только что нанесенному. После этого Моника накладывала следующий слой лака, на этот раз прозрачного, который служил как бы фундаментом и вообще, якобы, замедлял кровообращение в пальцах. На этот второй слой мать принималась долго и упорно дуть. И только затем накладывался финальный слой алого лака. Накрашенные руки Моника вздымала над головой и медленно помахивала ими то в одну, то в другую сторону. Через несколько минут готовый маникюр сиял призывно и многообещающе.

Только вот что именно обещали наманикюренные руки Моники? Пандора часто задавала себе этот вопрос. Эти руки точно уж никогда не смогут обласкать горячую, покрытую волосами мужскую мошонку. Вероятнее всего, Моника вообще не знала, где это место у мужчин находится. Бывало, мать даже с гордостью говорила Пандоре, что только лишь ей и Святой Марии удалось забеременеть и родить от Святого Духа. Моника даже хотела сходить в церковь, к отцу Додду, и рассказать про свою причастность к чуду непорочного зачатия. Но Фрэнк отговорил ее от этого. Потом, правда, мать частенько ворчала, что и правильно она тогда никуда не пошла, потому что, глянув на острое личико Пандоры, на ее неровные зубы и глаза цвета зеленого чая, все решили бы, что чудесное зачатие случилось вовсе не по Божьей милости, а по воле сатаны. Пандора посмотрела на собственные руки. Два ногтя были страшно обкусаны, бо́льшая часть розового лака слезла. На ней была плиссированная серая юбка и белая блузка с воротничком под Питера Пэна. Пандора очень хотела показать окружающим, что ничего ужасного с ней в эти дни не случилось, что глаз ее вовсе не вздулся и не горел, и, главное, обручальное кольцо на ее правой руке, которое так много для нее значило, так и останется там навсегда. Может быть, ей удастся еще поговорить с Норманом и она выяснит, что именно его вдруг так расстроило на второй день замужества.

Она знала, что Норман, будучи в плохом настроении, может и вспылить. Об этом она знала еще до того, как вышла за него замуж, но он бывал также добрым и ласковым. К тому же он обожал маленьких лохматых котят и щенков. И, наконец, он гордился Пандорой, и об этом она тоже знала. Всякий, кто заглядывался на нее, когда они шли рядом, подвергал себя большой опасности. Единственный человек, который имел на окружающих такое же огромное влияние, был ее отец...

Пандора взглянула на свою тарелку, на запотевший стакан с холодным чаем. Нет, разница между влиянием отца и Нормана была существенная. Нормана люди боялись, а Фрэнка уважали.

Допив чай, Пандора позвонила в гараж и долго ждала ответа. Перед самым сном она позвонила опять. На этот раз в квартиру Нормана, которая находилась над гаражом и куда они успели поставить новую двуспальную кровать. Но и там никто не взял трубку. Пандора лежала в своей знакомой с детства узкой постели и чувствовала себя совсем маленькой и беззащитной. Именно в этот момент она окончательно поняла, что первый ее брак завершится полной неудачей.

Глава тринадцатая

На следующее утро Моника уходила на работу, отдавая Пандоре на ходу указания:

— Нечего шататься по дому без дела. Снимай ночную рубашку и начинай уборку. Да, и постарайся к моему возвращению изменить свое кислое выражение лица на улыбку. А я по пути домой загляну к Норману и проверю, как он там поживает.

— Спасибо, не надо этого делать, ма, — ответила Пандора. Она как раз мыла руки. — Я, пожалуй, сама к нему схожу.

— Не глупи, девочка. С Норманом я смогу справиться. Ему просто надо подсказать, где он переборщивает. К тому же, я тебе не разрешу тут оставаться больше чем на несколько дней. Молодожены могут и поссориться. Но это не означает, что их браку пришел конец. Так что приберись тут, а я после работы навещу твоего бездельника да как следует припугну его.

— Он вовсе не бездельник, ма. Он здорово вкалывает на ремонте грузовиков. И хорошо умеет это делать. Норман просто довольно вспыльчивый. Вот и все.

— Вот твой отец никого и никогда пальцем не тронул.

— Я знаю, ма. Но однажды он просто вышел вот в эту дверь и никогда уже больше не вернулся. — Мыло вдруг выскользнуло из рук Пандоры и, прокатившись по краю мойки, упало на пол. — Мой муж никогда не уйдет от меня так, как ушел от тебя отец. Если я, конечно, буду правильно себя с ним вести, что я и намерена сделать.

— Ты что же, хочешь сказать, что я плохо обращалась с Фрэнком, девочка моя?

Пандора вздохнула. Ей не хотелось опять вступать в нескончаемую невыносимую дискуссию на эту тему.

— Вот что я тебе скажу. Твой папа любил меня до тех пор, пока не появилась ты, пока из-за твоего рождения у меня не вырос живот и не вздулись вены на ногах. С тех пор я не могу больше носить коротких юбок. Это ты погубила мой брак с твоим отцом, ты, визглявая потаскушка. Что, забыла, как мне приходилось буквально стаскивать тебя с Фрэнка?!

— Ничего такого никогда не было, ма! Мы просто играли вместе. — Пандора замерла. Впервые мать упомянула при ней тот случай. Сейчас они обе стояли на кухне, а за их спинами была открытая дверь как раз в ту комнату, где отец обычно сиживал, расстегнув ремень на брюках и вытянув вперед ноги. Пандоре вдруг показалось даже, что она уловила его запах, похожий на чуть прокопченный аромат прохладного воздуха, который всегда как бы витал вокруг седой шевелюры отца.

Моника сверлила глазами дочь, думая о том, как бы побольнее уязвить эту гадкую девчонку, которая так обворожила когда-то ее тихого доброго мужа, что он додумался до того, что бросил-таки свою сварливую женушку. То, что она сварлива, Моника прекрасно знала. Не было это секретом и для посетительниц парикмахерской, которой она заведовала. «С Моникой лучше не связываться» — это понимали все вокруг. Поэтому и в самой парикмахерской жизнь текла в четком ритме, напоминающем движение поездов. Строго по часам, по минутам, указанным в некоем парикмахерском расписании. Быстро и организованно дамочки-клиентки сменяли друг друга под сушильными колпаками, потому что знали, что Моника — это «гнев Господний» и на себя его лучше не навлекать. Моника всегда носила в кармане распятие и не прочь была угрожающе сотрясать им, если вдруг оказывалась раздражена. Особенно близкой она считала себя к Деве Марии, поэтому всякое с ее стороны поминание этой святой должно было рассматриваться окружающими как приказ тому или иному смертному в два счета выполнить то, чего хотела от него Моника.

На этот раз, правда, Моника решила, что свое дурное настроение ей стоит излить не здесь, а в доме Нормана. Поэтому она неожиданно улыбнулась.

— Мне пора идти, — сказала она, проигнорировав последнее заявление Пандоры. — А ты лучше приготовь нам на вечер салат из консервов с редиской. Нет ничего лучше холодного салата после тяжелого рабочего дня.

Дверь за Моникой захлопнулась, и Пандора осталась одна в тишине комнат. Может, еще раз позвонить? Или не надо? Все равно ведь мать зайдет к нему после работы.

Пандора принялась за уборку на кухне. Грязи особой вокруг не было, потому что ее мать была не из тех женщин, что могут жить в грязи. Просто дом был уже довольно старый, и это заметно во многом, например в неоднократно перекрашивавшихся стенах, мебели. Причем перекрашивали неаккуратно, нетщательно, и это сразу бросалось в глаза. «Отец в свое время делал это совсем по-другому», — думала Пандора, уставившись на стену, покрытую рытвинками и ложбинками с забившейся в них грязью.

Моника всю жизнь куда-то торопилась, а потому и делала все быстро, в спешке. Например, стол она не столько протирала, сколько наскоро смахивала с него крошки. Крошки эти, конечно, застревали по углам, в щелях поверхности стола и засыхали там маленькими шариками. В очередной раз подметив все это, Пандора решила переодеться в джинсы, взять средство «Клорокс» и как следует отдраить кухню. Может быть, решила она, если я сначала приберу на кухне, а затем займусь гостиной, то день пролетит быстрее. Быстрее вернется с работы мать и принесет известия от Нормана. «С Норманом нам надо попробовать еще разок. Ведь я просто так никогда не сдаюсь», — думала Пандора. Настойчивости ее научил отец, пусть даже он сам и вынужден был сдаться. Ну что ж, она-то не намерена сдаваться, во всяком случае, она не собирается жить в полном неведении о том, где в тот момент находится человек, кого она Господу Богу обещала любить до гробовой доски.

Липовый чай мисс Рози был удивительно освежающим. Бену, который принес его, пришлось в конце концов разбудить Пандору, прикорнувшую в гамаке. Он легонько толкнул гамак и поцеловал подругу в лоб.

— Ты что, гонялась во сне за ящерицами? — шутливо заметил Бен, рассматривая ее.

— Вовсе нет. — Пандора выпрямилась. — Мне приснилось, как я когда-то убирала на кухне у матери. В день, когда сбежала от Нормана сразу после нашей свадьбы.

Она отхлебнула чая.

— Хочешь рассказать мне об этом? — Бен присел на пол, скрестив ноги.

— А тебе не надоедают рассказы о вечных моих жизненных провалах да неудачах в отношениях с мужчинами?

— Да нет, совсем не надоедают. Все, кто приезжает на этот остров, обязательно рассказывают что-то подобное.

— А как ты думаешь, Бен, случаются ли вообще счастливые браки? А?

135

— Конечно случаются. Вот, например, мои бабушка и дедушка были счастливы. Конечно, не все время. Иногда им приходилось и трудновато. Но друг к другу они относились с любовью и терпением. Так что счастливые браки наверняка бывают.

— Ну что ж, мне такое счастье не подвернулось. В тот день, который мне приснился, мать действительно сходила к Норману, и он сказал, что я могу вернуться к нему, если захочу. Он не потребовал извинений, да и сам не извинялся. Просто сказал, что я могу вернуться. Что я и сделала. Упаковала чемодан, простилась с кухней, которая за все свое существование никогда не блистала такой чистотой, и пошла домой, к своему мужу. Впрочем, я зря все это рассказываю тебе, Бен. Ведь и дальше у нас с Норманом лучше отношения не стали. Так что давай займемся чем-нибудь более веселым, чем эти дурацкие воспоминания.

Бен встал, прикрыл глаза ладонью от солнца.

— Ветер меняется на южный, — сообщил он. — Хороший будет день для рыбалки. Я могу позвонить Окто, узнаю, здесь ли он. И мы с ним и еще кое с кем из ребят можем махнуть на пикник на Огненный остров. Хочешь?

Пандора допила чай, поднялась, обвила руками шею Бена.

— Это было бы просто замечательно, — ответила она.

— Тогда я пойду готовить катер, Пандора. А ты собери сумку-холодильник с пивом. И не забудь взять нож поострее. Если повезет, мы поймаем желтохвоста или дельфина. — Он заметил, как Пандора вдруг побледнела. — Да не того дельфина, глупышка, а рыбу-дельфина. Никто с острова никогда бы себе не позволил тронуть настоящего дельфина.

Пандора улыбнулась.

— Может, мы увидим хотя бы одного, а?

— В это время их здесь маловато. Они приходят обычно в марте, спускаются с севера, чтобы избежать холодных вод и ветров. Но, кто знает, нам может и повезти.

Пандора заторопилась в дом. Какое-то мгновение она ощущала себя как бы меж нескольких миров. Между тусклым, мрачным, опасным миром Нормана и миром, существовавшим на этом острове, напоминающем рай. При этом давал о себе знать еще более тайный, насыщенный ужасами и страхами, весь в пурпурных адских тенях мир Маркуса. А где-то поблизости присутствовал еще и мир Ричарда.

В Библии было одно место, которое неизменно заставляло Пандору плакать, особенно если она вспоминала в этот момент о Ричарде. Наизусть это место она не помнила, потому как и саму Библию ни разу не открывала с момента ухода из монастыря, где воспитывалась. Зато прекрасно помнила, как опечалился Господь, когда царь Давид сообщил ему о предательстве друга: «Да, мой близкий друг, — сказал, кажется, Господь, — кому я верил, с кем делил хлеб, выступил против меня». Как же много лет она потеряла! И вот только теперь получила возможность снять повязки с нескольких своих ран и открыть их лечебным прикосновениям морского воздуха и солнца. Может быть, когда-нибудь придет время и она совсем оправится от своих многочисленных ран. Мрачные мысли наконец совсем оставили Пандору, и она стала торопливо набирать из морозильника лед для походной сумки-холодильника.

Катер Бена имел четырнадцать футов в длину от кормы до носа. Выкрашен он был в белый цвет с легким голубоватым оттенком. В крошечной кабинке располагались два сиденья, еще два находились сзади, встроенные в корму. Сделан был катер из стекловолокна, и, как утверждал Бен, потопить его практически невозможно.

Пандора напомнила Бену, что в таких катерах она совсем не разбирается. В те годы, когда она являлась великосветской дамой и женой Маркуса, судьба все больше сводила ее с плавучими средствами иного типа, больше похожими на моторизованные плавающие дворцы.

Что же касается их прогулок с Ричардом на гребной лодке, то они чаще всего заканчивались этой лодки опрокидыванием. Но, несмотря на все это, катер, в котором она сейчас оказалась вместе с Беном, Пандоре понравился. При движении он издавал звук, напоминающий стрекотание кузнечика. Но, после того как Бен прибавил оборотов, мощный двигатель в 75 лошадиных сил перешел на ровный, достаточно громкий рокот. Катер начал разгоняться. Поднятый якорь, блестящий от сбегавших по его поверхности струек воды, Бен закрепил на носу судна. Сделав вираж, Бен отвернул катер от мелких вод и крутым курсом пошел вверх, вдоль гряды рифов.

Катер отвечал на повороты руля так же быстро и четко, как опытный танцор отвечал бы на привычные команды. Набрав скорость, катер поднял нос и вдавил в воду корму. Позади судна по волнам легла широкая пенистая полоса, напоминавшая шлейф огромной балерины, исполнявшей партию лебедя из знаменитого балета. Бен полусидя держал штурвал и напряженно вглядывался в острые гребни кораллов, иногда выступавшие из волн.

— Да, тут все эти рифы надо знать как свои пять пальцев, — признал Бен. — Вон, посмотри на тот пик, вон там. Ужасно острая штуковина. Он может в два счета срезать все днище у нашего катера.

Проплывая мимо хижин на берегу, Пандора заметила людей, тащивших лебедками лодки и катера, — кто в море, кто из моря. Те лодки, что поднимались на берег, к стапелям, явно принадлежали рыбакам, что уже завершили свой утренний лов и теперь вернулись с полными трюмами желтокрылых тунцов и прочей рыбы.

— Видишь вон тех птиц? Это фрегаты. — Бен показал на небо и рассмеялся. — Ну и негодяи же эти пернатые. Слишком ленивы, чтобы ловить рыбу самим. Поэтому они выжидают.

Фрегаты вдруг пустились в пике, расправив огромные крылья и разинув прожорливые клювы. Выбравшиеся на скалы люди тщетно пытались отогнать их хлопками и взмахами рук — птицы все равно умудрялись выхватить одну-две рыбины из выгруженных на берег уловов.

В этот момент катер Бена нагнал Окто.

— А твой катер как называется? — спросила Бена Пандора.

— «Шалом», — ответил тот. — На иврите это значит «мир». Хорошее название, правда? Оно действительно навевает мир и покой. Мне достаточно провести день на этом катере, и я становлюсь счастливым, спокойным, и никто уже не в силах разозлить меня, даже наша подружка Джанин. Вон, видишь ту идиотскую штуковину с двумя движками и здоровой кабиной, что пристроилась следом за нами? Так вот, это катер Окто, дружка Джанин. Вообще-то он бандюга, и связываться с ним опасно, но если его не задевать, то и он тебя трогать не будет.

Пандора уставилась во все глаза на гиганта, стоявшего за штурвалом большого катера, нагнавшего их. Он был совершенно голым, если не считать плавок. Глядя на его огромные руки, казалось, что в свободное время он только тем и занимается, что с корнем выворачивает манговые деревья. Лицо Окто было как бы немного подправлено каким-то неестественным образом. Только чуть позже Пандора поняла, что у этого мужчины просто была вырвана половина ноздри. Открытие заставило ее содрогнуться.

Джанин вытянулась во всю длину своего изумительного тела на крыше кабины.

— Мне кажется, что на ней все же что-то одето. Ну

да! Это тоненький шелковый шнурочек, — ехидно отметила Пандора.

— Ты права, но нацепила она его, слава Богу, не на щиколотку. Как бы то ни было, она — подружка Окто, а это значит, что никто не посмеет косо на нее посмотреть.

Теперь уже не два их катера, а целая морская флотилия разнокалиберных судов двигалась по направлению к видневшемуся на горизонте разрыву в гряде рифов. Рассказывали, что рифы эти были как раз из тех, где когда-то капитан Кидд и Черная Борода прятали свои сокровища. Впрочем, говорили, что кое-что эти пираты спрятали и на Малом Яйце.

Бен умело обогнул на своем «Шаломе» несколько сигнальных буев.

— Здесь очень сильное течение, Пандора, так что сейчас мне придется пойти напрямик, чтобы это течение преодолеть. Свернуть в сторону я какое-то время буду не в силах, потому что потом мне еще надо обойти одну скалу, которую все тут зовут «Блуерз рок». Так что держись покрепче, а я уж постараюсь хорошенько следить за волнами. Но мы все же рискуем пару раз, так сказать, шлепнуться днищем, то есть попасть в «яму» между волнами. — Бен вгляделся в лицо Пандоры. — Ты не против?

Она энергично замотала головой.

— Все будет в порядке. Я согласна. Жми, парень, жми!

Бен улыбнулся и передвинул переключатель скоростей в положение «полный ход». Да, согласился он сам с собой, Пандора так не похожа на своих испорченных, избалованных соотечественниц. С ней было здорово. Бен почувствовал, как по сердцу начинает растекаться приятное радостное чувство. Это, однако, продолжалось недолго, потому что он сразу вспомнил, что не раз твердила ему его бабушка: «Послушай, деточка, старую песню. Еще моя мамочка пела ее нам,

140

своим дочкам, многие годы назад, когда наши братья вдруг отправились за моря искать себе невест. *«Девушки-островитянки женами становятся. А все чужестранки лишь ссорятся да разводятся».*

Обходя на скорости рифы, Бен попал-таки под ревущий шквал волн. При этом единственное, что позволило ему устоять на ногах, было слышное рядом яростное содрогание работающего на полную мощность двигателя, заставлявшего катер то вгрызаться в волны, то перепрыгивать через них.

Бен, конечно, был согласен со словами бабушкиной песни, которые пришли ему вдруг на память. Но вместе с тем он не мог не признать, что Пандора, хоть и натворила в своей жизни много ошибок, все же была больше похожа не на виновницу всех своих бед, а на маленькую и беззащитную жертву какого-нибудь кораблекрушения. Сейчас, правда, спустя какое-то время после приезда на остров, она заметно похорошела, особенно с тех пор, как они с Беном встретились, полюбили друг друга и поселились вместе. Бена порой просто потрясала ее открытая, почти животная, жажда секса, то, как ей нравилось отдаваться его телу, с каким отчаянным удовольствием переживала она мгновения собственного оргазма. Накатывавшие на Бена раз за разом морские волны напомнили ему простыни, мокрые от семени и медовых выделений ее влагалища, во время их с Пандорой постельных забав.

Вообще-то Бену не особенно нравилось это новое поколение американок, начавшее появляться с недавнего времени на Малом Яйце. Все, что у них было — это деньги и жадные, прожорливые глаза. Секс являлся для них делом легкодоступным за те «зелененькие» купюры, что они запросто выкладывали на столы бара «666». Несколько раз и он приводил таких американок к себе в хижину, но секс с ними всегда бывал каким-то слабеньким и даже неприятным. Ни с одной из них не получалось того экстаза, что заставлял оба тела выгибаться в жажде проникнуть как можно глубже друг в друга и взорваться там наслаждением. Как правило все ограничивалось весьма разумным, продуманным совокуплением, когда в стремлении довести партнершу до оргазма приходилось так долго трудиться, что начинала болеть спина. Поэтому-то Бен все еще оставался холостяком, ибо предпочитал одиночество союзу с одной из таких вот практичных, скучных особ. Пандора же понравилась ему с первой их встречи.

Сейчас она сидела и со всей силы сжимала поручни катера. Бен сбросил наконец скорость, судно выровнялось.

— Смотри внимательно, — показал он рукой, — видишь тех летучих рыб?

В нескольких футах от катера Пандора заметила серебряные стайки рыбок, то и дело взмывавших над водой, расправлявших маленькие крылья, планировавших какое-то время над поверхностью, чтобы опять, через мгновение, опуститься в море.

Многие катера и лодки с более мощным ходом ушли далеко вперед к Огненному острову, чьи очертания уже показались вдали. Он не имел таких гор, что делали уютным и мягким микроклимат Малого Яйца. Огненный остров, напротив, был плоским и сидел в воде совсем низко. Бен перевел катер на малый ход.

— Давай не будем торопиться. Пусть они поймают и нам рыбу, а мы подоспеем как раз к трапезе. После обеда опять поныряем с масками. Кстати, в заливах у Огненного острова совсем нет зеленых водорослей, так что тебе нечего там будет бояться. На дне только белый мягкий песок. Я покажу тебе, как ловить омаров, и одного из них мы приготовим себе на ужин.

Бен обнял Пандору за плечи. Катер медленно шел по заданному курсу. «Почему же жизнь не может всегда быть такой?» — спрашивала себя Пандора. Она знала, например, что Норману очень понравилось бы рыбачить, но и это у него не вышло бы, потому что находящиеся вокруг люди все равно злили и раздражали бы его. Маркусу все это показалось бы страшно скучным, потому что не содержало ничего извращенного, чем можно было бы заняться ради реального удовольствия. Ричард, тот, без своих вечных дружков-спортсменов, без волейбола или тенниса после вечернего чая, уже через десять минут начал бы слоняться без дела по берегу, тщетно пытаясь найти приложение своим силам. «Надеюсь, что хотя бы сейчас ему не скучно, ведь его развлекает Гретхен», — подумала Пандора.

Когда они подошли к острову и под катером появились смутные очертания морского дня, Пандора воскликнула:

— Смотри, Бен! Какой-то человек плывет!

Она заметила под водой большую спину и две могучие руки. Потом она, правда, разглядела еще здоровенные челюсти и длинный нос с широкими вздувающимися ноздрями.

— Это не человек, а большая старая морская черепаха. Ого! — Лицо Бена засияло. — Смотри, что вытворяет.

Черепаха вынырнула и громко рыгнула, казалось, было слышно, как заскрежетали ее древние внутренности. Запах падали и морской мертвечины окутал катер. Старый морской гигант взглянул на Пандору. Их глаза на секунду встретились: его — старые, пожелтевшие от времени и мудрости, и ее — зеленые, молодые и полные отчаяния. Черепаха тяжело повернулась и ушла вниз. Пандора перегнулась через борт и долго следила за ее плавным погружением. «Ты живешь уже так долго, старая черепаха. Как тебе удалось выжить, избежать всех опасностей? Пожалуй, и я попробую действовать осторожнее и не попадать впросак».

Когда они совсем приблизились к Огненному острову, море резко сменило цвет. Над участками белого песчаного дна вода стала прозрачно-зеленой. Темные, таящие угрозу, воды смыкались лишь над коралловыми скалами. А кое-где море было голубым и совсем спокойным. Бен осторожно вел катер между коралловых острых шипов и более покатых вершин каменных скал. Тень судна шла по дну то впереди, то позади них. Ничто, однако, не колебало уверенности Бена в себе. Он твердо стоял на ногах и крепко держал руль, управляя катером так, как того требовали обстоятельства, стихия моря и песка.

Наконец они сделали последний поворот. Семь или восемь лодок и катеров уже стояли у кромки пляжа. Их пассажиры, островитяне с Малого Яйца, несколькими группками расположились на мелководье и что-то обсуждали между собой. Еще несколько человек укрылись в тени стоявших неподалеку банановых пальм. Приехавшие со взрослыми мальчишки уже вовсю потрошили рыб, пойманных по дороге.

Пандора подождала, пока Бен бросит якорь, после чего спрыгнула в воду. Она огляделась и радостно улыбнулась. «Все это здорово, — подумала Пандора, — но будет еще лучше, если мы с Беном найдем время отделиться от остальных и сходить куда-нибудь погулять вдвоем».

Глава четырнадцатая

Пандора узнала лица многих из сидевших под пальмами. На пляже кто-то уже успел сложить из кирпичей большой прямоугольный каркас для барбекю. Более того, над огнем на вертеле уже медленно крутилась крупная серая рыбина, чья розовая плоть проглядывала сквозь трещины в обжаренной чешуе. Женщина, крутившая вертел, улыбнулась Пандоре. На коленях у нее лежала куча свежих лимонов, которые она ловко надрезала, а затем выдавливала на жарящуюся рыбину.

— Что это за рыба? — спросила Пандора, чувствуя себя немного неловко среди людей, так хорошо друг друга знавших.

— Это морской окунь. Жирная рыба. Ты та самая американка, что живет с Беном?

Пандора покраснела.

— Да, я живу в его доме. — Она беспокойно взглянула на собеседницу. Ей очень хотелось получить от нее какую-нибудь поддержку.

— Бен хороший парень. К тому же он мой родственник по линии Флетчеров.

Пандора рассмеялась.

— Знаешь, по-моему, вы все здесь, на острове, родственники!

— Это точно. Все — родственники. Меня зовут Люси Флетчер. А ты, значит, Пандора Таунсенд?

— Была Пандорой Таунсенд, мисс Люси, но теперь я бы не назвалась этой фамилией. Я, вроде как бы, разведена, во всяком случае, собираюсь развестись с моим третьим мужем. Его зовут как раз Ричард Таунсенд, так что, скорее всего, сейчас я просто Пандора.

— Да что ты говоришь? — Мисс Люси легко и удобно сидела на корточках. — Знаешь, мне кажется, женщины в Америке достаточно часто меняют мужей. Сюда много приезжает таких одиноких, как ты.

Пандора тоже присела на песок. Он был теплым, да и вообще ей понравилось разговаривать с мисс Люси. Мисс Рози и мисс Энни Пандора давно уже считала своими подругами. Несмотря на то что по большим праздникам они устраивали у себя на голове смешные прически из раскрашенных красных завитушек, плохо маникюрили пальцы и надевали невесть какие «тряпки» (так мисс Энни называла выходные платья), это были солидные, серьезные женщины, чего нельзя было сказать об очень многих из тех, что окружали Пандору в течение ряда последних лет. Когда же она была с Норманом, у нее вообще не было друзей.

В кругу знакомых Маркуса мысли о дружбе не могли даже прийти кому-либо в голову. Ибо главной целью было нанести ущерб или уничтожить другого. Для достижения этой цели использовались все средства, особенно сплетни обо всех и каждом. Будучи женой Маркуса, Пандора в основном предпочитала отмалчиваться.

У Ричарда большинство друзей сохранилось еще с детских лет, с того времени, когда он находился на попечении няньки, которая, кстати, и осталась его самым близким другом.

«У всех мужчин случаются романы на стороне. Для мужчины сделать это так же просто и быстро, как проехать на «пежо» или «астон-мартине» через город, — подумала Пандора и знакомая тупая боль пробралась в сердце. — Но почему же это должна была быть именно Гретхен? Что он в ней нашел?»

Пандора изучила свои стройные загоревшие бедра, столь же загорелые голени, наполовину присыпанные песком. У Гретхен ведь ляжки, как мраморные колонны! А зад уж точно позволил бы ей брать призы на Государственной ярмарке скота в Айдахо.

— Не женщины уходят от мужей, а мужья, когда им наскучивают их жены.

— На нашем острове такого не бывает.

Пандора увидела, что Бен подошел к одной из групп и заговорил о чем-то. Вид у него был спокойный и счастливый.

— А как местные женщины удерживают своих мужей? — с интересом спросила Пандора.

Мисс Люси подняла угрожающего вида, похожий на серп, нож.

— Если мы застанем мужа с другой, мы режем таких женщин.

Пандора отпрянула, когда нож качнулся в ее сторону.

— Мужчины ходят выпить в бар и там, ну, много и смело рассказывают всякое о своих похождениях. Набравшись храбрости, они приходят домой и могут ударить свою жену. Но наступает завтра, и тогда уж жены гоняются за своими мужьями по всему острову.

Мисс Люси была явно в настроении кое-что рассказать подвернувшейся собеседнице.

— Вот, послушай, какая была история. Тут однажды приехала к нам одна белая женщина. Она вышла замуж за нашего распорядителя общественных работ. И представилось ей, что она лучше темнокожих женщин острова. До чего додумалась! И вот как-то она взяла да и спуталась с муженьком Брайди. Парень-то он красивенький, многие на содержимое его штанов зарились. Да только Брайди крепко его держала.

Мисс Люси выжала очередной лимон на рыбину и пару раз крутанула вертел.

— И вот, в один прекрасный день, после танцев,

147

когда солнце еще даже не встало, Брайди обнаружила, что ее муж исчез. Она бросилась искать. И нашла, в кустах, вместе с этой белой гадиной. — Мисс Люси с отвращением сплюнула в песок. — Она там в кустах разлеглась, вся голая! Ухватила мисс Брайди палку и принялась дубасить эту дуру. Так и гнала ее весь путь до города. Видела бы ты, как та визжала да приплясывала под ударами! В деревне все фонари зажгли, чтобы лучше рассмотреть происходящее. А женщины, те выскакивали и даже добавляли этой гадине, чтоб поддержать мисс Брайди. Так вот, после этого случая в течение многих месяцев ни один муж не решался спустить штаны перед кем-либо, кроме своей жены. Наши женщины умеют держать мужей в узде.

— А мужа мисс Брайди не наказали?

Мисс Люси покачала головой.

— Нет, но ему и так было стыдно. А мисс Брайди потом еще сходила к мужу этой белой шлюхи и сказала ему, что остров слишком мал для него и его белой жены. Последнее, что увидела эта гадина на нашем острове, был платочек, которым мисс Брайди помахала ей на прощание в аэропорту. Вот так-то!

— Ого! Мне надо было бы с вами познакомиться пораньше, мисс Люси.

— Женщины на Малом Яйце обладают твердым характером. Хотя бы потому, что должны сами выращивать овощи и фрукты. А для этого нам надобно вскапывать твердую землю. Другой тут и нет, ведь вокруг скалы. — Она помолчала, провела ножом вдоль спины рыбины, потом кивнула. — Все, готова, — сказала она и принялась забрасывать костер песком. — Пусть, конечно, еще повисит на вертеле. Тогда она будет лучше отходить от костей. Да уж, раньше бывало, что все мужчины работали в море большую часть года, тогда мы, женщины, зарабатывали тем, что продавали кур, яйца и тому подобное. Если же продавать не получалось, тогда мы обходились без денег — бартером, натуральным обменом. Мисс Энни пекла лучшие пироги на острове. Когда мы с ней были девчонками и когда выпадали голодные времена, мы обычно ходили в восточную часть острова к нашим родственникам и убирали дворы их домов. За это они давали нам целую корзину кокосовых слив. Их мы потом носили в школу и съедали на завтрак. По дороге домой мы еще собирали миндаль и кокосовые орехи. Так что голодать особо не приходилось. Но вкалывали мы будь здоров. Например, когда мисс Энни ждала ребенка, она вынуждена была все равно все дни кряду сажать сладкий картофель батат. И, чтоб родить, она лишь едва прилегла на кровать, а потом опять побежала работать. — Мисс Люси хихикнула. — Ну, а теперь иди скажи остальным, что рыба готова.

— Обязательно, мисс Люси, и спасибо за то, что поговорили со мной.

Мисс Люси внимательно посмотрела вслед уходящей женщине. «Кто же это умудрился так ловко выдернуть из ее тела хребет?» — подумала женщина.

После удивительного обеда из свежепойманной рыбы, жареных пирожков, напоминавших клецки, и батата, Пандора растянулась в полусне на пляже. Бен спал рядом, прикрыв глаза ладонью.

Позади них вдруг разразился ожесточенный спор, после которого мимо проследовала огромная покачивающаяся фигура. Разлетавшийся из-под ее ног песок обсыпал Пандору. Она вынуждена была сесть и, обернувшись, увидела Джанин, с обиженным лицом прислонившуюся к пальмовому стволу. Вдаль по пляжу, к стоявшему чуть в стороне от остальных катеру, уходил медвежьей походкой Окто.

— Вы захватите меня с собой на остров, Пандора? У Окто плохое настроение, поэтому он решил ехать прямо сейчас и без меня.

— Он рассердился на тебя, Джанин?

— Да, он всегда сердится на кого-нибудь, этот Окто.

— Так почему же ты тогда не возьмешь да и не бросишь его?

— А почему все мы, женщины, не бросаем своих мужей, а?

Пандора пожала плечами.

— Пожалуй, ты права. Я так поступала сама, трижды в своей жизни. Мне, правда, хватило мозгов уйти в конце концов от первого мужа. Со вторым получилось иначе — я сбежала от него только потому, что боялась, что он когда-нибудь убьет меня, если я останусь. Что касается моего третьего, то... ну, в общем, он сам попросил отпустить его к другой женщине. Так что хвастаться у меня нет причин.

Джанин грациозно села рядом с Пандорой. Поверх маленького купальника на ней теперь была еще белая широкая майка. Сверкающие черные волосы свободно падали на плечи, большие глаза с длинными ресницами серьезно смотрели на Пандору.

— Я была со многими мужчинами. Ты, подружка, наверное, слышала то, что об этом болтают на острове?

Пандора кивнула.

— Я слышала. Но я мало чему в этих россказнях верю.

— Что ж, касающиеся меня россказни совершенно точны. Окто пришел и вытащил меня из трущоб, когда я была еще совсем маленькой. Он научил меня, как надо делать, чтобы не забеременеть, а потом стал продавать мужчинам, женщинам, вообще всем, кто хотел за это заплатить. Он никогда не бил меня, как бьют прочие своих девочек или мальчиков. Он всегда хорошо кормил и заботился обо мне. Так что я люблю его, люблю Окто.

Пандора разинула рот от удивления.

— Как ты можешь любить такого человека? Того, кто заставлял тебя... кто сделал из тебя проститутку?

Джанин посмотрела на Пандору.

— Дорогуша, там, где я выросла, в трущобах Гондураса, все дети обучаются этому с малых лет. Обучаются сексу. Потому что секс — это деньги. Деньги дают еду, а еда — это жизнь. Ты что, сама никогда не изображала оргазм, сидя на мужике?

— Да, бывало, с Маркусом. Он считал себя моим спасителем, избавив меня от первого мужа, подарив мне гораздо больше оплеух, чем поцелуев. Маркус работал психиатром в ближайшей больнице. Впервые увидев меня и посмотрев на мое лицо, покрытое синяками, он решил, что в меня только что въехал поезд. Я пыталась вешать ему на уши лапшу, рассказывая, что налетела на дверь, но он не поверил, конечно. Помню, он еще сказал тогда, как бы между прочим: «Если бы вы налетели на косяк двери, то, помимо двух синяков под глазами, у вас бы еще была здоровая ссадина поперек носа. Так что не выдумывайте. Вас сначала ударили в один глаз, потом — в другой». Вот так я и повстречала Маркуса. Каким же негодяем он потом оказался!

— Я в своей жизни, — сказала Джанин, — тоже встречала такой тип мужчин, так называемые «спасатели женских сердец». Они подбирают несчастных, отряхивают с них пыль, здорово о них заботятся. А потом, когда чувствуют, что уже достаточно их приручили, превратили в зависимых от себя людей, вот тогда им все это дело наскучивает и они становятся жестокими. Такими, как те мальчишки, что отрывают лапки у крабов. Но Окто не такой, — продолжала Джанин, — он совсем не жестокий. В душе у него живет большая грусть. Тут, на этом острове, ты еще не раз услышишь об островной болезни. Так это здесь называется. Еще ты услышишь про депрессии и сахарную болезнь. Вся эта дрянь завязана одна с другой, видишь ли, потому что родственники вынуждены тут жениться друг на друге. В результате рождаются странные дети. Многие умирают при рождении, многие рождаются уродами. Семьи тогда прячут их, так, чтобы никто никогда не увидел. Так вот, мать Окто тоже родилась уродкой. Многие годы ее мало кто видел. Говорят, что у нее лицо и плечи, как у коровы — огромный высокий лоб, гигантская копна волос. О ней много чего говорят. Так вот, когда она забеременела Окто, она испугалась, что ребенка могут забрать у нее. Поэтому она ушла в горы... и пряталась там многие годы. Окто тоже никто не видел, и все подумали, что они с матерью погибли. Но вот однажды — Окто считает, что к этому моменту ему было около восьми лет отроду, — он спустился с гор в одежде, сделанной кое-как из пальмовых листьев. Он пошел прямо к зданию школы, вошел туда и заявил, что хочет учиться. Миссионеры и учителя пытались заставить его сказать, где его мать, но он так и не признался. Некоторые даже пробовали проследить за ним, но неудачно, потому что горы наши — это лабиринты известняковых пещер, и только Окто знал, как по ним ходить. Его матери, наверное, сейчас уже очень много лет, но он любит ее больше жизни.

— Ты встречалась с ней?

Джанин помотала головой.

— Я же говорю, никто ее не видел. Она и сама этого не хочет. А Окто о ней заботится. Если же вдруг его поймают и посадят в тюрьму, то его мать знает, где меня найти. И я обещала Окто позаботиться о ней. Он бывает в плохом настроении, такое случается, но я все же по-настоящему люблю его.

— Это я заметила.

Джанин улыбнулась.

— Пойдем поплаваем. Заодно ты сможешь мне рассказать все о своем психиатре. Вообще-то тут на острове мы не верим во всякую там психиатрию. Мисс Энни говорит, например, что хорошая клизма поможет справится с любой хворью.

152

Бен так и не проснулся, поэтому женщины вдвоем пошли сначала к полоске пушистого сухого песка у кромки моря, а затем грациозно опустились в спокойную, как в ванне, воду. Лежа на воде, Пандора наблюдала за пальцами своих ног, показавшихся над поверхностью.

— У меня такое впечатление, что в этом море я просто не смогу утонуть, — сказала она и вопросительно взглянула на Джанин.

— Это из-за соли. В океане так много соли, что кажется, будто держаться на плаву можно вечно.

Пандора завидовала Джанин. Та действительно любила Окто. Слушая Джанин, женщина приходила к выводу, что сама она так никого в своей жизни еще не любила. В любом случае, она не любила Нормана. Он был лишь средством улизнуть от матери. Конечно, одно время она думала, что любила Маркуса, но теперь поняла, что большая часть того, что Джанин говорила о мужчинах, которые сначала стремятся исправить ту или иную женщину, а потом начинают издеваться над ней, на редкость точно соответствовало сути их отношений с Маркусом. Но тогда-то она не могла об этом знать. На лбу Маркуса ведь не было написано никаких официальных предупреждений о его опасности для здоровья жен или чего-нибудь в этом роде.

Пандора вспомнила, как попала на первый прием к Маркусу. Ее записала сотрудница социальной службы маленькой больницы, где она заканчивала очередной курс лечения после побоев Нормана. Даже многие годы спустя Пандора прекрасно помнила доброе лицо той сотрудницы.

— Не бойся, милая, рассказывай ему все-все, — посоветовала она Пандоре. — И помни, в твоих проблемах нет ничего исключительного: половина коек во всех больницах страны заполнена женщинами, чьи мужья регулярно их избивают. Я не знаю, почему так происходит. Возможно, во всем виновато пьянство.

— Мне кажется, что Норман бьет меня и тогда, когда трезв, — ответила ей Пандора.

После того ужасного эпизода сразу после свадьбы Норман действительно пустил свою молодую жену обратно в дом. Он и до свадьбы не был особенно разговорчивым, а после стал еще молчаливее. Пандора мыла дом, стирала, готовила, а вечером ждала возвращения Нормана из бара, где он любил пропустить стаканчик-другой. Вернувшись, Норман частенько бил молодую жену. Когда Пандора сказала ему, что собирается пойти к психиатру, ответом ей было: «Здорово. Во всяком случае, этот придурковатый доктор может обнаружить, какой винтик плохо закручен в твоей глупой башке. Готова моя рубашка на завтра?» Пандора испытала тогда облегчение, ведь Норман мог быть весьма привередливым в вопросах о том, с кем ей следовало встречаться, а с кем — нет.

Лежа на спине на волнах у Огненного острова, над белым чистым песчаным дном, где не росло темнозеленых черепашьих водорослей, Пандора ощутила себя в достаточной безопасности, чтобы вернуться в мыслях ко второй части своей напоминающей кошмар жизни.

Пандора шла по длинному белому коридору психиатрического отделения Главного госпиталя города Бойсе, штат Айдахо. К счастью, ее матушка не знала, куда она направляется, и не успела всем растрезвонить, какая идиотка ее дочь. Сопровождающая ее медсестра была маленькая, крепко сбитая женщина. На пальце ее левой руки красовалось толстое золотое кольцо. «Наверное, чья-то счастливая жена», — подумала Пандора. Счастливые жены вообще все светятся каким-то белым, чистым светом. И ходят почти вприпрыжку. Много смеются. Пандора тщетно пыталась вспомнить, когда они с Норманом последний раз смеялись. Если такое и было, то многие месяцы тому назад. А так, в основном, они двигались вокруг друг друга как два притопленных айсберга. При этом под водой ее айсберг скрывал массы страха, а его — огромные запасы ярости. Исключение составляли те моменты, когда он грубо овладевал ею, а затем засыпал, оставляя ее наедине со слезами.

Пандора знала, что выглядит ужасно. Ее черное платье буквально светилось от долгой постоянной носки. Тощую шею она попыталась спрятать в розовый шарф, который хоть как-то должен был скрасить ее внешний вид. При этом она понимала, что розовый цвет совсем не сочетался с ее рыжими волосами. В левой руке она сжимала сумочку с тремя носовыми платками. Пандора, правда, очень надеялась, что сможет сдержаться и не расплакаться.

Туфли тоже были в отвратительном состоянии. Она стерла с них пыль и почистила, но они все равно предательски топорщились на носках. У Пандоры просто не было денег, чтобы поменять подошвы.

Медсестра постучала в одну из дверей.

— Входите, — ответил голос из кабинета.

«Во всяком случае, хоть голос у него приятный», — отметила про себя Пандора.

Медсестра мягко подтолкнула Пандору, а когда та вошла, закрыла за ней дверь.

Доктор, стоя у окна, разглядывал лужайку перед зданием госпиталя. В зеркале, расположенном на стене позади большого стола, Пандора увидела отражение светло-зеленых деревьев. На самом столе красовалась медная табличка с надписью: «Маркус Сазерленд, доктор медицины».

Пандора не могла оторвать глаз от этого стройного худощавого человека. Он был очень высок, даже выше, чем ее отец. Его кожа была молочно-белой, совсем не тронутой солнечными лучами. Так как мужчина все еще продолжал стоять к ней спиной,

Пандора успела рассмотреть и его голову круглой формы, напоминающую мячик для игры в гольф. Подбородка почти совсем не было. Тонкие уши плотно прилегали к черепу.

В кабинете воцарилось молчание. Потом наконец доктор Сазерленд развернулся лицом к Пандоре.

— Так зачем вы ко мне обратились? — спросил он. При этом на лице его запечатлелись скука и явное неодобрение.

— Какой же дурой я была. — Пандора перевернулась в воде на живот. — Знаешь, Джанин, мне думается, что он все просчитал. Вспоминая сейчас то, что случилось, я думаю, что вела себя, как законченная идиотка, только и ждавшая момента, чтобы быть схваченной и обманутой таким человеком, как Маркус.

Джанин фыркнула и подняла лицо над водой.

— У меня было много мужчин. Так вот, большинство из них были, как это сказать, «мачо». Американки смеются над «мачо», потому что думают, что это когда мужчины пьют, ругаются да выпендриваются. Но «мачо» — это совсем другое. Для меня «мачо» означает то, что если он мужчина, конечно, то живет по правилам. И одним из этих правил является хорошее обращение со своей женщиной. Это не значит, что он ее не бьет. Мужчины бьют женщин во всех странах. Просто мужчина «мачо» никогда не бывает жестоким. И если он бьет женщину, то только потому, что зол на нее. А тот твой муж, наверное, был просто негодяй. Ты ничего еще не рассказала, а я вижу его лицо. Это словно видение. Мадонна! Какое ужасное у него лицо!

— А у тебя бывают видения?

Джанин рассмеялась.

— Да, а еще я умею предсказывать будущее. Ну-ка, дай мне твою руку, подружка.

Пандора протянула ей правую руку.

— Нет, дай сначала левую. Потому что именно этой рукой Господь сотворил тебя. Вот, теперь слушай. У тебя разбилось сердце, давным-давно, когда ты была еще маленькой девочкой.

— Да, это когда от нас ушел папа. Он помахал рукой и ушел.

Обе женщины теперь стояли вместе в прибое: Джанин, высокая, со стекающими по плечам струями воды, и маленькая Пандора, внимательно слушающая подругу, подняв кверху лицо.

Бен уже проснулся и лежал, приподнявшись на локте, наблюдая за беседующими женщинами. Он был рад тому, что Джанин взяла Пандору под свое «материнское», если, конечно, можно так сказать, крыло. Сейчас, как никогда, Пандора нуждалась в верной взрослой подруге. Бен очень за нее переживал, как переживал бы за какого-нибудь беззащитного ребенка. В некоторой степени, она им и являлась. Когда ее отец ушел из дома, часть души Пандоры просто закрылась, прекратила существовать. Она занималась домашним хозяйством, хорошо готовила, здорово освоила его мопед, но в очень и очень многом по-прежнему оставалась маленьким несчастным ребенком, прикованным, насколько он мог это понять, к своей похожей то ли на скорпиона, то ли на рыбу матери.

В то утро с телефонно-телеграфной станции острова сообщили, что к ним только что поступил факс. К счастью, принял это сообщение Бен, так как Пандора еще спала. В факсе говорилось: *«Приезжаю в следующую пятницу. Встречай. Моника».* Бен поблагодарил телефонистку мисс Скотт и быстро спрятал текст факса. Он не хотел портить начинавшийся день известием о приезде матери Пандоры.

— Так, а теперь, Пандора, посмотри на верхнюю линию своей правой руки. Это линия сердца. Тут сплошной сумбур. И сколько же у тебя было мальчиков в юности, а?

— Куча, — ответила Пандора, состроив рожицу.

— И за весь этот секс ты не получила ни гроша?

Пандора помотала головой.

— Ребята теперь не обязаны платить за секс в Америке. Там это бесплатно.

— Да, а дети, которые от этого получаются, тоже бесплатные?

— Нет, конечно. Я знаю. — Пандора принялась рассматривать свою ладонь. — Но, пожалуй, мне повезло. Норман один раз так треснул меня, беременную, ногой, что мне вынуждены были сделать операцию, и с тех пор у меня не может быть детей. К тому же я их и не хочу. А вдруг так случится, что я стану похожа на свою мать.

— Брось. Ты себя совсем не ценишь. Взгляни на себя. Ты маленькая и симпатичная. Твои волосы цвета восхода солнца. Ты просто красотка, девочка. Так что, если хочешь, вступай с нами с Окто в долю, рванем в Рио и сделаем себе там состояние, а?

— Эй-эй, погодите! Куда это вы собрались? — вмешался Бен.

— Я предлагаю Пандоре поехать вместе со мной и Окто на карнавал в Рио. Там мы с ней здорово заработаем. Мужчины в Рио любят женщин с рыжими волосами, зелеными глазами и белой кожей, словно очищенный банан. — Джанин пробежала пальцами по руке Пандоры. — В Америке ты, наверное, пила много этих ихних сливок, да?

— Джанин, не могла бы ты мне побольше рассказать о моем будущем? Я знаю, что с Маркусом рассталась навсегда, а вот с Ричардом? Он — мой третий муж, и он ушел к моей подруге. Во всяком случае, я думала, что она была моей подругой.

Джанин опять взяла руку Пандоры. При этом она заметила, с каким вниманием следит за ними Бен. Он ведь явно влюбился в Пандору. Легким движением Джанин показала другую линию, отходившую от линии сердца на ладони Пандоры.

— Твой Ричард еще многому должен научиться. Он мало что знает для своего возраста и еще не наигрался. Это пройдет, но ты должна подождать.

— Ты думаешь, мы опять с ним сойдемся?

Джанин удивила боль, прозвучавшая в голосе Пандоры.

— Кто знает? — ответила она. — Вот у меня сейчас Окто. А у тебя Бен. Зачем задавать такие вопросы, Пандора? Почему вы, американцы, все хотите знать наверняка? Есть только две абсолютные истины: человек в одиночку выбирается на свет Божий и в одиночку же покидает его. Приход в этот мир от тебя, конечно, не зависит. Но вот уход в мир иной — другое дело. Тут уж ты должна постараться. Твой долг перед предками — умереть достойно.

Бен обнял Пандору.

— Не позволяй Джанин запугать тебя своими мистическими домыслами.

— Моя мать была великой жрицей вуду на Гаити. Когда ее оттуда прогнали, мы перебрались в Гондурас. Вот там-то меня Окто и нашел. Кстати, Бен, я возвращаюсь отсюда вместе с вами и смогу показать Пандоре, как поют с дельфинами.

— Ты правда умеешь это делать?

— Конечно, Пандора, и ты тоже сможешь. Человек в силах говорить с кем и с чем захочет. Ведь Бог во все вокруг вложил душу. Даже скалы, и те обладают разумом.

— Ты можешь говорить со скалами?

— Да с кем захочу: с жуками, ящерицами, скорпионами. А теперь давайте вернемся к банановым деревьям, надо собираться в дорогу.

Стоя под бананом, Пандора ощутила вдруг, как далеко занесла ее судьба. Ветер прошел за остров, поэтому гладь моря ничем не нарушилась. Казалось, ленивые волны не желают даже выкатываться на песок. Синие и зеленые краски моря напоминали переливы огромных пластов итальянского шелка.

Прочие катера и лодки уже взяли курс домой, большинство из них даже прошли рифовые ворота и разрезали теперь открытое море. На Огненном острове в четырехчасовой дневной тени остались только Бен, Джанин и Пандора. Бен надел свою моряцкую кепку, Пандора натянула майку. Кожа ее немного зудела от явно чрезмерной солнечной ванны.

Джанин твердым шагом проследовала к катеру, устроилась на носу.

— Я буду за тобой следить, — сообщила она Бену. — Я сама выводила лодки из этих рифов уже тогда, когда ты еще у мамки грудь сосал.

Пандора рассмеялась. Сколько же хорошего прошло мимо нее в те годы, что провела она одинокой девочкой, без друзей, на сером пыльном дворе у дома матери.

Маленький катер двинулся в открытое море. Пандора устроилась рядом с Джанин, которая, когда они проходили над верхушками рифов, вытянула вперед руку и указала на двух барракуд, проплывавших под ними.

— Вот, смотри, — рассказывала Джанин, — эти две живут тут с незапамятных времен. Здесь едят барракуду только после того, как дадут ее мясо попробовать муравьям. Если муравьи подыхают, значит, мясо барракуд ядовитое. Отравление местными видами рыб очень опасно. Был у меня дядя. Так вот, он съел как-то морскую щуку и отравился. Тогда он чудом остался жив. Но и сейчас, двадцать лет спустя, яд периодически дает о себе знать. Ну ладно, видишь те два треугольника на берегу, откуда мы отошли? Смотри — сейчас Бен как бы поравняется с ними, и только тогда, сохраняя этот курс, мы сможем выйти за границы рифов без проблем.

Пандора внимательно проследила за тем, как Бен

сначала развернул катер, а затем выправил его. После этого маневра он дал полный газ, и катер стал набирать скорость. Пандоре очень нравилось лететь по волнам. По бокам катер опять сопровождали косяки летающих рыб.

В руке у Джанин Пандора заметила маленькую ракушку. Отойдя к корме, островитянка поднесла раковину к губам и дунула. Зазвучавший свист едва был слышен за ревом двигателя. Но Пандора его все же уловила. Свист этот был высоким, чистым и каким-то радостным. Под такой хороший свист все живые существа, подумала Пандора, должны захотеть собраться вместе и запеть.

Джанин перестала свистеть и повернулась к Пандоре.

— Сегодня не получится, — сказала она. — Еще слишком рано. Но они придут.

Пандора молчала.

Бен высадил Джанин у гостиницы.

— Джанин, ты не знаешь, с Ричардом все в порядке? — спросила Пандора, прощаясь.

Джанин покачала головой.

— Слушай, как ты можешь! Эта скотина променяла тебя на лучшую твою подружку, а ты еще беспокоишься о нем? Ну, ладно. Сегодня у Окто плохое настроение. Так что я приду к вам на ужин и заодно принесу с собой магическую чашу. Идет? В ней ты, может, и увидишь своего Ричарда.

— Где увижу? В чаше?

— Ну, там будет не просто вода, а еще кое-что.

— Что-нибудь волшебное, да? — не отставала Пандора.

Бен не дал Джанин ответить, шутливо выталкивая ее с катера.

— Не забывай, Пандора, она — дочь жрицы вуду.

Когда они отошли достаточно далеко от берега, Пандора вгляделась в лицо Бена.

— По-моему, ты немного боишься, Бен?

Бен мотнул головой.

— Нет, потому что Джанин — добрая колдунья. Не такая, как мисс Мейзи. Как бы то ни было, все острова вокруг полны волшебства, магии, демонов и духов. Скорее всего, так оно и есть. — Он пожал плечами. — Мистер Саливен когда-то рассказывал мне про Шекспира и про духов из его книжек. Помнишь, призрак Банко, а?

— Я не проходила Шекспира в школе, Бен. Да и вообще училась я неважно.

Они причалили, вылезли из катера и рука об руку пошли к хижине. Им казалось, что они побывали в каком-то далеком-далеком путешествии. Двор выглядел удивительно чистым, а сам дом буквально сверкал новыми чудными красками.

Пандора вздохнула.

— Как бы я хотела жить так всегда.

Бен поцеловал ее.

— Я тоже. — ответил он. — Но так не бывает, Пандора. Просто не бывает, и все.

Последние слова он произнес почти с отчаянием.

Глава пятнадцатая

Разговор о Маркусе расстроил Пандору. Обычно она старалась не выставлять напоказ эту часть своей жизни. Хотя и с Норманом она не была счастлива, Пандора, по меньшей мере, понимала, что именно послужило мотивом для первого брака. С одной стороны, она, конечно же, хотела сбежать от матери. Но была и другая сторона — Пандоре было немного жаль Нормана, этого большого, сильного, но очень одинокого человека. При этом она до сих пор была уверена, что, окажись она действительно хорошей женой, Норман мог бы стать счастливым.

Маркус, однако, всегда был для Пандоры полной загадкой. И теперь, ожидая возвращения Бена, отправившегося к катеру за привезенной с Огненного острова рыбой, женщина решила попробовать припомнить, что в точности произошло тогда, в кабинете доктора Сазерленда, в их первую встречу.

Она вспомнила тот вопрос Маркуса: «Зачем вы ко мне обратились?» Вспомнила и длинные белые пальцы доктора, когда взмахом руки он указал ей на кресло, стоявшее рядом с массивным столом. Совершенно пустым, если не считать таблички с именем и фамилией хозяина кабинета.

— Меня к вам прислал сотрудник социальной службы нашей больницы. — Пандора открыла сумочку и попыталась отыскать там скрученный трубочкой талон на прием. Из этого, однако, ничего не вышло. Казалось, сумочка по каким-то причинам просто не хотела отдавать талон своей хозяйке. Более того, в самый неподходящий момент все содержимое сумочки вдруг высыпалось на пол. По кафельному настилу громко стукнула и покатилась помада, рядом распласталась пара запасных черных чулок. Пандора покраснела, так что ее обычно бледное лицо запылало ярко-красными пятнами. «Из-за этой помады да черных чулок доктор может принять меня за какую-нибудь шлюшку», — испугалась Пандора.

— Будь хорошей девочкой, подбери все, что уронила. А я пока прочту твою историю болезни. — Голос и выговор доктора Сазерленда явно не принадлежали обитателю города Бойсе. «Скорее всего, он из Нью-Йорка», — думала Пандора, ползая по полу в поисках разлетевшегося содержимого сумочки. Поднявшись, она стала исподтишка наблюдать за доктором, склонившим свою ухоженную голову над неизвестно откуда взявшейся папкой с бумагами. Она заметила, что ногти на его длинных и гибких руках аккуратно подстрижены, наманикюрены, до блеска отполированы и, возможно, хотя в этом она сомневалась, еще и подкрашены.

Еще ползая по полу, Пандора углядела на ногах у доктора черные шнурованные ботинки. В помещении больницы медицинский персонал носил спортивного вида туфли, а молодежь — та вообще тапочки. Ботинки доктора явно были очень дорогими. Так же внушительно выглядел и его костюм.

В конце концов ей все же удалось восстановить порядок в своей сумочке, и она, выпрямившись, замерла в кресле. Руки сжимали сумочку, ноги почти не касались пола. Последнее обстоятельство заставляло Пандору ощущать себя маленькой девочкой.

— Так, понятно, миссис Бэнкс. Вы, значит, неоднократно обращались в больницу, причем трижды были приняты на стационарное лечение. В последний раз у вас были обнаружены переломы на лице. Гм. — Доктор откинулся чуть назад в своем кресле, а затем сделал неожиданный и стремительный бросок вперед. — Вот здесь, да? Вот в этом месте. — Его пальцы надавили на левую скулу Пандоры. — А ведь здесь расположена самая прочная кость в теле человека. Над ней он, наверное, очень здорово поработал. Чем он это сделал? Кулаком?

— Нет. — Пандора каждый раз содрогалась при воспоминании о том ударе. — У него был прут, железный прут.

Доктор Сазерленд опять откинулся на спинку кресла.

— Да, пожалуй, прутом это можно было сделать. Так, что еще. Сломанные пальцы. Шесть сломанных ребер. А ножи он когда-нибудь применял? Угрожал ли он вам огнестрельным оружием?

— Нет. — Пандора мотнула головой. Она ощущала себя совершенно незащищенной перед этим человеком. Ни с кем еще до этого момента она не обсуждала свою жизнь с Норманом. Конечно, мать знала, что Норман бьет ее. Но обе они предпочитали не говорить об этом.

«Ты всегда была неуклюжей», — так обычно Моника комментировала каждый новый синяк Пандоры, обходя тем самым эту неудобную для них обеих тему.

— У вашего мужа были неприятности с полицией?

— О, нет, никогда. Норман не такой.

Доктор Сазерленд улыбнулся.

— Большинство таких, как он, никогда не имеют неприятностей с полицией, дорогая моя, — сказал он. — Избиение жен — это тайное преступление. Совершается оно за закрытыми дверями и так, чтобы никто не мог вмешаться в происходящее. Вот скажите, разве в ваши семейные дела кто-нибудь когда-нибудь вмешивался?

— Нет, никто. — Пандора опустила глаза. Ее трясло. Она вспомнила те случаи, когда, чтобы не закричать в голос, запихивала себе в рот носовой платок. Бывало и так, что сам Норман зажимал ей рот и нос своей огромной ладонью, не давая кричать. От этого она несколько раз едва не задохнулась.

— Вы потеряли ребенка, да? — спросил Сазерленд с едва уловимым сочувствием в голосе.

— Да. Он ударил меня ногой, и я упала с лестницы. В тот момент я была уже на четвертом месяце.

— Простите меня, все это, вероятно, очень болезненно для вас, миссис Бэнкс, но если вы доверитесь мне, я попробую помочь вам выбраться из той гибельной ситуации, в которой сейчас находитесь.

— Почему «гибельной»? — Слово потрясло Пандору. — Я не думаю, что все так уж плохо.

— Может быть, миссис Бэнкс, может быть. Но вот, например, последняя моя клиентка все же погибла. — Доктор Сазерленд принялся выписывать рецепт. — Это лекарство немного успокоит вас, дорогая. Ко мне вы придете в следующий понедельник. Постарайтесь особенно не волноваться. А для меня составьте, пожалуйста, список тех вещей, которые приводят вашего мужа в ярость.

Доктор поднялся. Стоя, он как бы нависал над Пандорой. Рукопожатие у него было крепкое. До конца безупречно исполняя роль хозяина кабинета, он проводил Пандору до двери. Визит к врачу ее немного успокоил. «Вот, во всяком случае, человек, который знает, как можно поправить ситуацию», — думала Пандора. К тому же, она отметила в нем ту же уверенность в себе, что была и в ее отце. Поезда, которые водил Фрэнк, всегда приходили вовремя по расписанию. Поэтому Пандора надеялась, что и доктор Маркус Сазерленд тоже сможет кое-что наладить в ее жизни.

*   *   *

— Чуть было не забыл, — сказал Бен, возвратившись с пальмовой корзиной, — я получил факс от твоей матери. Она приезжает в следующую пятницу.

— О, черт! — Пандора замерла посреди кухни.

— Неужели ты так ее боишься? — Он опустил корзину и обнял Пандору.

— Сейчас не так, как раньше, Бен. Она уже слишком стара и не сможет сделать мне больно. Разве что только словами. Речь о другом — часто мать бывала очень жестока со мной. Причем не только в детстве, но и когда я была с Норманом, да и в другие времена тоже. Например, Моника очень старалась заставить меня остаться с Маркусом. И все потому, что ей нравилось быть тещей психиатра и являться в этом качестве в гости в наш большой особняк. Этого я ей не могу простить. Я пыталась, но мне по-прежнему горько вспоминать то, что она делала тогда.

— Знаешь, Пандора, все твои дела и поступки, хорошие или плохие, всегда будут следовать за тобой по жизни.

— Ну что же, возможно, это и так. Жаль только, что я пока не успела сделать ничего особенно хорошего, не правда ли?

Бен улыбнулся.

— А вот я как раз сделал кое-что очень хорошее, — сообщил он. — Я поймал желтохвостого тунца. Пошли. Я покажу тебе, какие приправы мы используем на нашем острове при готовке рыбы.

Бен поручил Пандоре сначала нарезать тонкими ломтиками лук, затем обжигающие маленькие плоды чили, от которых больно закололо в пальцах. Эта работа заняла много времени и позволила Пандоре постепенно забыть кошмары жизни с Маркусом.

Бен тоже не сидел сложа руки: он разделил тунца на толстые ровные части, а потом, воспользовавшись

167

своим большим острым ножом, надрезал каждый, как почтовый конверт, сбоку. Сдобренная смесью из зеленых перцев, чили и лука рыба была готова к жарке. Бен достал из холодильника горсть тертого кокоса и на сите выжал из него жидкость.

— Вот это, — сказал Бен, выбрасывая отжатые части кокоса, — мы зовем мусором. А та жидкость, что я выдавил, это чистое кокосовое молоко. В старые времена моя бабушка собирала с поверхности этого молока масло и использовала в осветительных лампах.

Бен облил рыбу «молоком», нарезал помидор и разложил его красные ломтики по всему блюду.

— Вот теперь мы можем все это поставить на медленный огонь и ждать Джанин.

Они сидели и смотрели, как солнце садится прямо за их маленьким катером. Пандоре очень хотелось спросить Бена, почему он так уверен в том, что они не смогут остаться навсегда вместе. Задать этот вопрос, однако, она так и не решилась. Может быть, потому, что на данный момент ощущала себя в мире с собой и окружающей действительностью. Она любила Бена. Он был для нее простым и понятным. Ей, наконец, нравилось заниматься с ним любовью. Печально, правда, то, что она никогда не сможет родить Бену ребенка. Вот и сейчас, когда Пандора рядом с ним на старых ржавых качелях, в душе у нее нарастало смешанное чувство грусти и желания.

Она нежно взяла его руку в свою, прижала к себе, увлекая вниз, туда, где его пальцы могли войти в пространство между ее кожей и тканью купального костюма. Глаза Бена вспыхнули. Пандоре всегда нравилось смотреть, каким светлым, радостным становилось его лицо, когда они начинали ласкать друг друга.

— Ты все еще пахнешь морем, от тебя идет тепло солнца, — проговорила она, садясь к Бену на колени.

Он снял шорты и прижался губами к ее груди. Пандора сбросила купальник, уселась на него верхом, сжала его талию бедрами.

Войдя в нее, Бен вдруг оттолкнулся ногами от земли. Пандора замерла, но лишь на мгновение. Потом она вдруг приподнялась и с силой опустилась вниз, и снова повторила это движение. Старые качели, на которых они сидели, пришли в движение.

— Быстрее, — попросила Пандора, поцеловав Бена в губы.

Прямо перед собой она видела красный шар солнца, едва державшийся над поверхностью моря. Она хотела быть похожей на это солнце, хотела, чтобы и ее оргазм сначала унес бы в глубины моря, а затем навсегда поднял в далекий космос. Резко вдохнув воздух, она поняла вдруг, что движется сейчас вверх, как на волне прилива, к желанному удовольствию. Пандоре казалось, что весь остров качается вместе с ними. Это ощущение родилось в глубинах ее души.

Солнце коснулось моря своим нижним краем, а дальше стало погружаться все быстрее и быстрее. Как раз в этот момент Бен, еще крепче сжав Пандору, застонал. Она откинулась назад в его руках и чувственно рассмеялась.

— Как в раю, — вымолвила она. — Это было великолепно. Мы должны почаще заниматься любовью на качелях.

Бен продолжал обнимать ее.

— На этих качелях были зачаты многие из тех, кто родился на нашем острове, — проговорил он. — Так, а теперь надо поскорее привести себя в порядок, а то придет Джанин и застанет нас тут бегающих голыми.

Джанин здорово опоздала, но это было вполне понятно. Ведь она с самого начала предупредила, что должна найти кое-какие травы в дальних горных частях острова.

Рыба уже поджарилась, угли костра тлели, а Пандора дремала, положив голову на плечо Бена. В этот момент и послышались шаги, приближающиеся по скрипучему песку.

— Извините. — Джанин остановилась напротив костра. — Я опоздала, но мне надо было отыскать один корень, что растет только на болотах.

Пандора знала эти болота — омуты темно-коричневой жижи, пахнущей ископаемыми существами и растениями. Лишь ризофора* умудрялась выживать в густой тине. В болотах полчищами водились свирепые крабы. Некоторые из них имели голубую окраску, но самыми опасными считались белые. И, хотя их мясо было удивительно вкусным, однако, поймав краба, следовало вести себя очень осторожно, не позволяя ему пускать в ход огромную клешню, которой он мог спокойно пробить ногу человека. Частенько Бен ловил таких белых крабов и в шутку гонялся с ними за Пандорой, пугая ее.

— Ничего страшного, Джанин, в том, что ты опоздала. — Бен поднялся.

— Я сейчас. Только смою грязь с ног. Ох, как же я ненавижу эти болота! — Глаза Джанин сверкали даже в тусклом свете догорающих углей.

— Джанин, у тебя что, светлячки в глазах?

Джанин рассмеялась и направилась к хижине.

— Ну а вы похожи на тех, кто только что кончил заниматься любовью.

Пандора покраснела.

— Откуда ты знаешь? — спросила она.

— Когда люди занимаются любовью, между ними образуется золотая нить. И сейчас я могу видеть эту нить между вами. А теперь возьми вот эту чашу, сядь у костра и смотри в воду. Главное — ни о чем не думай. Ты должна освободиться от всех мыслей.

---

* Тонкие корневидные наросты, образующиеся на побегах некоторых папоротникообразных.

Попробуй, а я пока ополоснусь и переоденусь. Когда мы закончим с этим делом, тогда и поедим. Вы, наверное, проголодались.

Пандора села, скрестив ноги, и поставила перед собой маленькую голубую чашу с водой.

— Я не голодна, я очень волнуюсь.

Глава шестнадцатая

Приняв душ, Джанин спустилась с крыльца во двор, внимательно оглядываясь.

— Может, из этого вот растения... — бормотала Джанин, срывая лист с банана, — но ведь банан — это не дерево. Это член растительного семейства...

Бен хлопотал над своим рыбным блюдом.

— Поторопись, Джанин. Я умираю с голоду.

Джанин взглянула в небо.

— Видишь? — спросила она. — Видишь вон ту яркую звезду у самой луны?

Пандора проследила за ее взглядом.

— Да, кажется, — ответила она, чувствуя какое-то беспокойство в душе. — Но я ничего не понимаю в звездах.

— А ничего и не надо понимать. Просто будешь смотреть на эту звезду каждый вечер. Сейчас я ее для тебя поймаю и положу в чашу с водой, которую только что дала тебе подержать. Теперь будь особенно внимательна. — Джанин, одетая в длинный балахон с развевающимися полами, высоко подняла в грациозных руках чашу. Казалось, чаша поймала, вобрала в себя исходивший от луны холодный белый свет.

Пандора встала рядом с Джанин. Она не могла оторвать глаз от подруги, от чаши в ее руках. Лицо Джанин вдруг изменилось, даже потеряло всю свою сексуальность, привлекательность: рот превратился в жесткую прямую линию, он больше не дышал смехом, и лишь в глазах по-прежнему плясали веселые светлячки. Пандора заметила, что все вокруг окутывает какая-то голубая дымка.

— Не волнуйся, Пандора, — предупредила Джанин. — Пусть эта аура поглотит тебя. Она обернет нас обеих, чтобы мы стали одним целым. Вот теперь взгляни в чашу.

Джанин опустила чашу в руки Пандоры, и та посмотрела в черную воду.

— Я вижу звезду. Правда, вижу.

Она чуть отпрянула, но не отвела глаз от звезды, которая теперь мерцала в ее собственных руках.

— Это чудо! Что я должна делать теперь?

— Задай своей звезде вопрос.

— Где Ричард? — Вопрос выскочил как бы помимо воли Пандоры.

Только сейчас она поняла, что ответ на него действительно очень волнует ее.

Звезда качнулась вверх, потом в сторону. Вода стала прозрачной, и Пандора удивительно ясно увидела в ней Ричарда, который сидел в одиночестве, обхватив голову руками, в каком-то помещении, напоминавшем ночной клуб. То ли он спал, то ли был сильно пьян. Вода тут же вновь потемнела.

— Это тот человек, которого ты любишь? — мягко спросила Джанин.

— Я не знаю, люблю я его или нет. Он мой третий муж, и он хорошо со мной обходился. Поэтому я чувствую себя ответственной за него.

Джанин скривила рот.

— Этот мужчина должен еще многому в жизни научиться. — Она взглянула на Пандору. — Кстати, это и к тебе относится.

— Давайте есть! — заорал Бен. — Стоит вам, женщинам, начать заниматься островной магией, и вы совершенно забываете про нас, мужчин. Эта магия меня пугает, я начинаю бояться ходить по болотам ночью.

— Почему же ты боишься болот? — спросила Пандора.

— Потому что там бродят духи пиратов. Многие из них ведь кончили на нок-реях, а иногда их ловили и сковывали цепями по двадцать—тридцать человек и бросали в болото на съедение крабам. Их гнилые, раздувшиеся, ставшие сладкими тела очень нравились крабам.

— Фу, Бен. Не обязательно было говорить на эту противную тему перед самым обедом. Однако рыбу ты приготовил великолепно. Может, и мне следует такую же изжарить к приезду матери?

— Так к тебе мать приезжает? — спросила Джанин.

— Да. И я не рада этому. Но она всю свою жизнь преследует меня, как одна из этих ваших птиц — фрегатов. Джанин, что мне делать с чашей, так и держать ее? Если я часто буду этим заниматься, смогу ли я в чаше увидеть и другие интересующие меня вещи?

— Конечно. — Джанин принялась ковырять палочкой в зубах. — Любой на это способен. Очень многие люди во всех частях света часто заглядывают в такие чаши, чтобы узнать либо прошлое, либо будущее. Но ты должна ответственно подходить к подобному занятию. Помни, что в этом занятии соединены добро и зло. Тут они сосуществуют. Сатана волен поступать, как ему вздумается, и у него есть свои почитатели. Так что, если почувствуешь, как тебя против твоей воли затягивает во что-то злое, ты должна просто запеть свое «слово силы» и петь его до тех пор, пока вновь не почувствуешь себя в безопасности.

— Второй мой муж, психиатр, был для меня как исчадье ада. Он нападал на беззащитных женщин, а потом пытался... я вряд ли сумею это объяснить... Он как бы хотел владеть и телом, и душой женщины. Когда я поняла, что представляю для него интерес не только как пациентка, меня это приятно поразило. Он

174

сказал, что будет моим Свенгали*, что превратит меня из крысоподобной дурнушки в женщину, во имя которой любой мужчина пойдет на смерть. Чтобы такое превращение произошло, я должна была всего лишь следовать его инструкциям. Какой же я была идиоткой! Я не знала, что роль Свенгали он разыгрывал еще перед целой чередой других женщин. При этом всех нас он пристрастил к таблеткам, кокаину, героину... И к боли. Мы все испытали много боли. Потому что он очень серьезно, обстоятельно подходил к удовлетворению своих желаний.

Джанин положила руку на голову Пандоры.

— Оставь болезненные воспоминания, не думай об этом сейчас. Ты должна заставить свои мысли перестать по-лягушачьи прыгать с одного на другое. Когда ты уснешь сегодня ночью, ты увидишь Ричарда. Он не похож на счастливого человека. — Джанин подняла палец, подставив его ветру. — Ветер меняется. Скоро вернется Окто на своем катере. Я должна его встретить. — Она улыбнулась. — Завтра мы узнаем, каково будет твое «слово силы». Завтра будет особенный день. Так что не наедайтесь перед сном.

— Опять ты за свое? — буркнул Бен с крыльца. Он давно уже с нетерпением ждал, когда кончатся все эти разговоры про магию, чтобы заняться любовью.

— Ну, ты-то, Бен, можешь есть сколько влезет. Все равно к магическому мужчины не допущены. Только женщины. — Джанин вскинула голову и рассмеялась Бену в лицо. — Женщины всегда знали, как заниматься магией. Именно поэтому мы были и остаемся сильным полом. Мужчины могут сколько угодно придумывать правил, а мы, женщины, все равно будем эти правила нарушать. К тому же, все мужчины боятся женщин.

— Даже Окто боится?

Джанин взглянула на Бена.

---

* Персонаж романа Д.Дюморье «Трильби и Свенгали» — *Прим. ред.*

— А ты как думаешь!

— Хорошо, хорошо. И Окто тоже. Ну, а теперь ты можешь наконец-то обучить Пандору всем своим магическим секретам, и пусть она положит в мою еду что-нибудь такое, от чего у меня не вставал бы член на других женщин.

Когда Джанин ушла, Пандора взяла Бена за руку.

— Зачем ты ей говоришь такие глупости. Я очень устала. Пошли спать. Посуду помою завтра.

— Иди спать. Я сам все вымою. Тебе же все равно должен сниться сегодня не я, а Ричард. — Бен заметил, с какой грустью смотрела Пандора в чашу. Он взял тарелки с остатками еды и пошел на кухню. Душа его буквально разрывалась. Как бы сильно он ее ни любил, она все равно не останется с ним. Она не сможет жить на таком маленьком острове. Сам же он никогда с этого острова не уедет. Когда же уедет Пандора, она останется для него лишь звездой на небе, его Звездой.

Глава семнадцатая

Увидев печальное, одинокое лицо Ричарда в чаше с водой, Пандора всю ночь только о нем и грезила. Ее страшно расстроил его вид — одинокий, кажущийся спящим человек, сидящий за столиком в каком-то баре. Сначала ей приснилась их первая с Ричардом встреча в бостонском театре.

Маркусу всегда нравилось показываться в театрах. К тому моменту Пандора была за ним замужем уже целых три года, и у нее совершенно не осталось иллюзий относительно того, кем Маркус был на самом деле и чего хотел в жизни. В тот вечер на ней было черное шелковое платье с высоким воротником, отороченным мехом чернобурки. Она просто вынуждена была надеть именно это платье, потому что накануне ночью муж сильно сдавил ей шею шелковым шнурком и оставил на бледной коже броские красные отметины. Пандора старалась не касаться пальцами шеи, поскольку знала, что Маркус пристально за ней наблюдает, и каждый замеченный им жест лишь добавит ему удовольствия. Он будет рад понять, что ей по прошествии стольких часов все еще больно от нанесенных им ран. Пандора даже говорила хрипло. К счастью, много говорить в тот вечер ей не пришлось. К тому же, их сопровождал Реджинальд.

Реджи был проституирующим трансвеститом и близким другом Маркуса. Иногда, особенно если Пандора принимала достаточное количество таблеток, она соглашалась ложиться в постель с обоими мужчинами. В тот вечер она тоже выпила таблетки, в том числе и несколько штук белладонны, от которой ее зеленые глаза приобретали особый блеск.

Пандора заметила Ричарда, сидевшего через несколько лож от нее... Он был с женщиной значительно старше него, одетой в очень дорогую шубу из черной норки. Пандора улыбнулась, поняв, что принялась вдруг оценивать увиденную впервые женщину по стоимости ее шубы. Что ж, если к богатству приходишь не естественным путем, не с рождения, то ты просто обречен всю оставшуюся жизнь замечать в человеке в первую очередь именно такие вещи. И при всем этом продолжать экономить алюминиевую фольгу, прочие предметы кухонного обихода, разбавлять шампунь водой и тому подобное.

Ричард был в смокинге. «Наверное, он — англичанин, — подумала Пандора. — Только англичане могут носить смокинги и при этом не походить на идиотов».

Она внимательно посмотрела на него. Он сделал то же самое. Какое-то время они просто не могли оторвать друг от друга глаз. Пандора даже испугалась, что Маркус может это заметить. Скосив глаза, она взглянула на мужа. Тот был занят тем, что поглаживал рукой колено Реджи. При этом он явно рассказывал соседу очередной скабрезный анекдот из гулявших в ту пору по улицам Бостона.

Почему-то Пандора сразу поняла, что с Ричардом они еще увидятся. Она бросила в его сторону еще один взгляд и улыбнулась. Он улыбнулся ей в ответ и поднял руку так, как если бы в ней был бокал. А, понятно, встреча в баре. Маркус в бар в театрах почти не выходил. Он совершенно пренебрегал едой и выпивкой. А вот Пандора любила вкусно поесть, отведать хорошего вина и шампанского.

Пьеса называлась «Трамвай „Желание“». Постановка очень растрогала Пандору, она поняла, насколько глубоко Теннесси Уильямс понимал жизнь со всеми многочисленными невзгодами. Настолько глубоко, думала Пандора, что это, наверное, и стало причиной собственных жизненных неудач автора. Потому что порой те, кто слишком много знает, оказываются жертвами больших и болезненных неприятностей. Лучше уж жить, не высовываясь, чем страдать от неразрешимых внутренних драм, как страдали, например, знакомые Пандоре женщины, посещавшие еженедельные групповые лечебные мероприятия в кабинете у Маркуса. Сама Пандора тоже, естественно, была в их числе.

Когда в зале зажегся свет, Пандора посмотрела на Маркуса и, слегка коснувшись пальцами своего горла, что, как она понимала, лишний раз порадует его, хрипло сказала:

— Я бы хотела сходить в бар выпить чего-нибудь холодного. Ты не против?

Она уже давно поняла, что Маркус от нее добивался именно рабского образа мыслей. С этой точки зрения вопрос она задала правильно, поэтому муж лишь взглянул на нее и согласно кивнул. Да и вообще он был слишком занят разговором со своим дружком, одним из череды его знакомцев-извращенцев. Голову Маркус откинул назад, брови кокетливо изогнул, а в голосе его звенело волнение. Взмахом пальцев он позволил Пандоре удалиться.

Она поднялась и не совсем уверенно (действовали принятые таблетки) двинулась к выходу. Из ложи она направилась в бар, обслуживавший сторону зрительного зала, где они сидели.

— Я просто должен был с вами встретиться, — так прямо и заявил ей Ричард. — Я всю жизнь мечтал о такой девушке, как вы. С рыжими волосами и миндалевидным разрезом глаз. Кстати, — он весь раскраснелся и взмок, — я вообще-то никогда не «снимаю» замужних женщин. — Взгляд его упал на ее обручальное кольцо.

Пандора покраснела.

— Да и я обычно не пью с женатыми мужчинами.

— Я не женат в настоящий момент.

Сказанное им рассмешило Пандору. В жизни она еще не слышала так по-британски произнесенного *«в настоящий момент»*.

— Могу я вам что-либо предложить?

— Да, с удовольствием. Я бы выпила очень холодного шампанского. Не крепкого, пожалуйста.

— Прекрасно. Подождите секундочку. — Он развернулся к бармену, которого явно хорошо знал. — Бутылку моего, обычного, — сказал Ричард.

Пандора опять улыбнулась. Как хорошо быть вместе с человеком, обладающим столь очевидным личным влиянием. Вот у Маркуса ничего такого не было, все его влияние проявлялось в те моменты, когда он начинал кричать и издеваться над женщинами.

Ричард протянул Пандоре высокий бокал с шампанским. Оно действительно было очень холодным и сразу успокоило боль в горле.

— Я тут в ложе вместе с тетушкой Нормой. Когда я был мальчишкой, она, черт бы ее побрал, всегда присылала мне в интернат коробки с конфетами и пирожными.

— Я никогда не понимала, как англичане могут отсылать своих маленьких детей учиться в каких-то интернатах.

— Это традиция. Но я и сам не знаю, почему так делается. Маленького семилетнего англичанина сначала посылают в какую-нибудь начальную школу, потом в среднюю. Так что большую часть времени мы действительно проводим без родителей. Но к этому привыкаешь. А к тетушке я обычно ездил на каникулы. Сейчас я редко вижу эту милую старушку, разве что когда она сама приезжает в Бостон на выходные. Вам нравится пьеса?

Пандора задумчиво тянула шампанское.

— Когда они приходят за Бланш и спрашивают ее, как она будет жить дальше, а она отвечает: «Я всегда полагалась на доброту незнакомых мне людей», вот тут я всегда реву. — Пандора усмехнулась, опустила голову, но и этим не смогла скрыть навернувшихся на глаза слез.

Ричард тоже опустил взгляд.

«Я смутила его», — подумала женщина.

— Знаете, если вам когда-нибудь потребуется незнакомец, на которого можно было бы положиться, то я всегда к вашим услугам. Вот моя карточка. — Он протянул ей белую визитку, на которой было написано «Ричард Таунсенд» и бостонский адрес.

— Завтра я уезжаю обратно в Айдахо. Однако все равно спасибо. Я сохраню вашу карточку. — Пандора положила визитку в сумочку, даже и не подозревая, что однажды этот клочок бумаги послужит ей билетом на поезд, который увезет ее от Маркуса.

Когда пьеса закончилась, Маркусу вздумалось пойти в бар гомосексуалистов и заняться там серьезным гей-флиртом. Пандора отказалась его сопровождать.

— Я слишком устала, — объяснила она. — К тому же мне сегодня обязательно надо все упаковать. Ведь у нас самолет завтра рано утром.

И на этот раз Маркус не стал ей возражать. Он ненавидел собирать вещи, поэтому эту работу Пандора, как верная рабыня, всегда делала за него. Ну и, наконец, без Пандоры у него с Реджи было куда больше шансов подыскать хорошую компанию...

Пандора проснулась в объятиях Бена вся в слезах.

— Мне снился Ричард, как это и предсказала Джанин.

Бен фыркнул.

— Ох уж эта мне Джанин и ее дурехи-сестрички со

всем этим их колдовством. Они обязательно доведут нас всех на этом острове до неприятностей. Альберт, шеф местной полиции, просто терпеть не может этих трех сестер.

— Я и не знала, что у Джанин есть сестры.

— Есть, и все они такие же чокнутые, как и она сама. Они готовят волшебные пилюли да всякие снадобья для местных девушек. Вуду, знаешь, очень отличается от обоих. Был тут случай: Альберт завел как-то роман с женой господина Лорена. Но в грейпфрутовые заросли решил с ней не забираться, а схитрил и назначил своей пассии свидание на кладбище. А Джанин и ее сестренки повесили на один из надгробных камней черное пальто-балахон, сверху прицепили черный цилиндр и спрятались неподалеку за деревьями. Бог ты мой, как же Альберт испугался этого «привидения». Над ним потом неделю весь остров хохотал и показывал на него пальцем. А вообще-то, Альберт никому не нравится. Он *возомнил* себя богом. И отбирает у людей землю и деньги.

— Почему же ему позволяют это делать? В Америке его давно бы посадили за воровство.

— На этом острове законов нет. — Бен протянул Пандоре чашку чая. — Здесь есть только безвольный губернатор да коррумпированные чиновники, готовые продать всю землю, какую только смогут. Встречаются, конечно, и хорошие люди, как, скажем, моя бабушка. Она делает все, что может, но сейчас она уже совсем старая.

Пандоре никак не удавалось собраться с мыслями. Одна ее половина еще витала в сновидениях вместе с Ричардом, другая уже была здесь, в тиши и покое хижины Бена.

— Бен, иногда мне кажется, что во всем мире не существует никаких правил. Ну, например, Маркус. Он как психиатр должен был, по идее, помогать таким женщинам, как я. Тем, которые вышли замуж за свихнувшихся на насилии мужчин и которые из чувства стыда не соглашались порвать с ними. Моя мать не захотела тогда помочь мне. Я тебе рассказывала об этом. Она считала, что всю эту кашу я заварила сама, следовательно, и расхлебывать ее должна в одиночку. Поначалу Маркус казался мне таким добрым, таким понимающим. Я с нетерпением ждала понедельников, бежала по длинным холодным коридорам больницы на встречу с ним, чтобы побеседовать о моих проблемах. Часто он даже продлевал наш разговор на несколько минут. А потом как-то он предложил мне присоединиться к сеансам групповой терапии, которые проводил у себя дома для женщин с похожими на мои проблемами. Он сказал, что знание того, через что прошли другие, может помочь мне понять саму себя. Сначала я отказалась, потому что Норман вряд ли разрешил бы ходить куда-то поздно вечером, но Маркус заверил, что сможет уговорить моего мужа. «В конце концов, — сказал он мне, — ваш с Норманом брак становится все спокойнее, лучше, ведь за последнее время муж ни разу не ударил тебя по лицу». Так думал и так говорил Маркус. Он просто не знал, что Норман, если и не бил меня по лицу, тем не менее продолжал пинать ногой в живот.

И все же я стала ходить на эти сеансы. Норман особо не возражал. На первый сеанс я надела новое платье, сделанное из скатерти, и новые, только что купленные туфли. Боже, я так чудно себя чувствовала в тот свой первый великосветский выход. Моя семья по вечерам никуда не ходила. Потому что вечером было опасно. Отец обычно смотрел по телевизору футбол. Мать же закрывала все двери и окна, так как считала, что снаружи был темный и опасный мир, особенно для девушек. Она была уверена и убедила меня в том, что где-то во тьме все еще бродили охотники за белыми рабами. Так что даже подростком я должна была возвращаться домой до наступления темноты, иначе меня ждала взбучка.

Итак, в тот вечер я подъехала на грузовике Нормана к симпатичной аллее, где располагался дом Маркуса. Вокруг уже стояло штук двадцать машин. Было много шикарных «кадиллаков», но была и пара таких же грузовичков, как мой. Так что начало меня совершенно не смутило. Я поднялась по мраморным ступенькам. Дверь мне открыл слуга в белых перчатках. «Лечебное помещение», где проходили сеансы, находилось в конце коридора. Слуга так и не сказал ни слова. Он просто шел рядом. У него были серебряные глаза, чем-то похожие на долларовые монеты, такие же круглые и выпученные. Он довел меня до нужной двери. Вокруг Маркуса было много женщин, которые держали в руках бокалы с вином. Он и мне предложил бокал вина. Я отказалась и попросила пива. При этом я объяснила, что Норман не любит вино, так как считает, что это напиток для сосунков. Маркус ответил: «Но сейчас-то вы не в доме Нормана, а в моем. И я вам предлагаю бокал вина». «Пожалуй, я хотела бы попробовать», — ответила я тогда.

— Уважаемые дамы, — начал Маркус, и все вокруг замолчали. — Познакомьтесь с нашей новой подругой. Я хочу вам представить миссис Пандору Бэнкс. Когда она здесь немного освоится, мы проведем наш очередной сеанс и покажем вновь прибывшей то, чем мы тут с вами занимаемся.

Я попробовала вино, оно очень мне понравилось. А потом мы все уселись в круг и к моему огромному удивлению каждая из женщин принялась рассказывать обо всем, что с ней случилось к тому времени. Вот так, прямо при всех. Когда пришел мой черед, я поняла, как это трудно — рассказывать о себе при всех. Это было очень тяжело. Я даже расплакалась. Мне казалось, что я поступаю страшно неправильно по отношению к Норману. Маркус, однако, успокоил меня. Он сказал, что то, о чем мы здесь говорим, не обсуждается за пределами этого дома. Это наша тайна. Я слушала своих подруг по несчастью с чувством жалости и удивления. Оказывается, некоторым женщинам в жизни досталось много больше, чем то, что я перенесла от Нормана. Потому что Норман всего лишь бил меня кулаками, да пинал ногами. Он, конечно, бывал еще грубым в постели, но всяких гадостей все же не допускал. А вот большинство остальных женщин были замужем за мужчинами, которые делали с ними всякие странные вещи — связывали их, хлестали плетьми или втыкали им во всякие места разные предметы. Короче, творили ужасные вещи. Меня чуть не стошнило от их рассказов. Я и не предполагала тогда, что в один прекрасный день окажусь на их месте.

— Но теперь-то все кончено, Пандора. Все позади. Ты можешь забыть об этом.

Пандора покачала головой.

— Такое не забывается, не проходит и никогда не пройдет. Так же, как я не могу забыть, что моя мать не желала моего появления на свет. Из-за этого мне иногда кажется, что меня и нет на этом свете. Не знаю, понимаешь ли ты меня, но просто существовали когда-то на земле три человека — Пандора Бэнкс, потом Пандора Сазерленд, а потом еще и Пандора Таунсенд. Я знаю всех этих трех женщин, они были, потому что каждая из них имела в свое время паспорт или, например, надписанные этикетки на чемоданах. Но вот лиц их я вспомнить, увидеть в зеркале не могу, да и внешний их вид я тоже не могу себе представить. Конечно, я могу вспомнить, во что они были одеты, но не могу сказать, на кого они были похожи. Между этими тремя Пандорами какое-то серое облако. Конечно, была еще женщина. Именно женщина, хотя и в этом я не уверена. Потому что она порой кажется мне какой-то дрейфующей эктоплазмой. Случается, я даже рассмотреть эту женщину не могу. В другие же дни ее облик для меня вполне реален... Бог мой, Бен! Ты смотришь на меня, как на сумасшедшую! Может быть, я и есть сумасшедшая. Но я всегда верила, даже когда была нежеланной и всеми брошенной маленькой девочкой, что если бы я могла плавать с дельфинами, то только этим и занималась бы. Может быть, дельфины могут подсказать мне, кто я есть в этом мире. И есть ли мне в нем место.

— Тебе повезло. — Бен подошел к одному из кухонных шкафов. — У меня тут есть «Учебник для занимающихся подводным плаванием в открытом море». По нему мы можем начать занятия хоть сегодня. У нас есть время, во всяком случае, до тех пор, пока сюда не нагрянут твои хихикающие подружки и не утащат тебя по вашим женским делам. Ох уж эти мне глупые задницы!

Глава восемнадцатая

На первый свой урок по подводному плаванию Пандора пришла в группу начинающих, практиковавшихся под руководством Бена в бассейне гостиницы. Ей доставляло удовольствие то, что сейчас ее тело было покрыто хорошим ровным загаром. Этим она выгодно отличалась от окружающих, чья кожа напоминала по цвету сырых креветок. Исключение составляла только одна крупная женщина, которую звали Ева.

— А вы почему решили заниматься с нами? — спросила она Пандору.

Пандора была как раз занята одним из упражнений: надев маску и подняв руки над головой, она медленно опускалась в бассейн. Поняв вопрос Евы по выразительным глазам соседки, она решила тут же ей ответить, но, естественно, только наглоталась воды.

— Ой, простите меня, — извинилась перед ней Ева, после того как вытянула за локоть на поверхность.

Пандора ухватилась за край бассейна и принялась судорожно хватать ртом воздух в попытке отдышаться.

— В нашей компании совершенно не оказалось интересных людей, — ворчливо сообщила Ева. — Разве что вот этот парень. Ну, инструктор. Вот уж у кого есть все, что надо, и в нужных местах.

Бен приблизился к ним, взял руку Пандоры.

— С тобой все в порядке, милая? — спросил он. Пандора улыбнулась в ответ.

— Конечно, все в порядке. Я просто опять открыла рот, когда не следовало.

Бен поплыл на свое обычное место — перед остальной группой. Ева улыбнулась.

— Так он твой, оказывается.

Глядя в спину удаляющемуся Бену, Пандора призналась:

— Вроде бы так. Хотя я все еще замужем.

— Так и я тоже. Но мой доходяга не хочет нырять. Говорит, что этим склонны заниматься только одиночки, ищущие компании. Но я этого совсем не ищу, знаете. На занятия я хожу просто для того, чтобы кое-что вспомнить. Я уже давно не ныряла. Но ныряние для меня — это просто страсть. Только находясь под водой, ощущаешь свободу в полной мере. Даже птицы, наверное, не так свободны. Хотите быть моей напарницей при ныряниях? Нырять на пару со своим дружком вы не сможете. Так как он инструктор. К тому же, знаете, я тоже прилично ныряю.

Пандора улыбнулась. Сердце ее быстро забилось. Одна лишь мысль о погружении в глубину моря приводила ее в волнение, но также и пугала. Чего Маркус лишил ее, так это уверенности в своих силах. Во всяком случае, он забрал у нее то немногое, что оставалось от этой уверенности после активной обработки сначала матерью, а потом Норманом. Теперь, правда, после бегства Ричарда с Гретхен, Пандора начала постепенно осознавать, что у нее был лишь один путь со дна наверх, одна возможность покинуть ту печальную темную дыру, которую она сама для себя вырыла, — рисковать и принимать самостоятельные решения.

Знакомство с Беном и его бабушкой были первыми и самыми простыми шагами на этом пути. Потом Джанин продемонстрировала ей, какой сильной может быть женщина. И вот теперь перед ней стояла Ева и, можно сказать, предлагала ей свою дружбу. До сих пор дружба Пандоры с другими женщинами всегда строилась на традиционном женском расчете. Например, Гретхен с самого начала их отношений решила заполучить Ричарда. Не столько из любви к нему, сколько от скуки, от желания быть в обществе такого веселого человека, как Ричард. К тому же, захомутать британского джентльмена считалось очень престижным для любой обитательницы Бостона. Женщины же, с которыми Пандора могла общаться в окружении Маркуса, либо входили в число контролируемой им группы и частично финансировали роскошный образ жизни Маркуса, покупая в большом количестве те наркотики, что он им навязывал, либо принадлежали к еще более закрытым категориям друзей и подруг, живших тесно и напряженно на перекрестке секса, наркотиков и прочих опасностей, — развлечений этой вечно скучающей публики.

Только сейчас, стоя по пояс в воде маленького потрепанного бассейна гостиницы, Пандора начала понемногу осознавать, какой может в действительности стать ее жизнь. Подняв руку над водой, она внимательно ее рассмотрела. Это уже была не та белая безвольная рука, которая, казалось, только и ждала, чтобы ее заковали в наручники и подвергли очередной пытке. Нет, напротив — рука энергичная, загорелая, способная готовить чай или кофе и подавать их в постель своему любовнику.

— Сколько тебе лет? — Голос Евы прервал ход ее мыслей.

— В этом году будет тридцать семь.

— Вот что я тебе скажу, милая. Это хороший остров. Очень хороший. — У Евы был глубокий, бархатистый голос. Звучал он так, как если бы его обладательница всю жизнь только и делала, что работала над его бархатистостью и глубиной. — Я сюда приехала впервые, когда мне исполнилось только двадцать четыре. Тогда я сбежала из Тампы, во Флориде. В те времена, кстати, избитых жен вообще не существовало. Потому что ты просто была обязана держать язык за зубами и терпеть. Как бы то ни было, однажды мой муженек решил просто-напросто вышибить мне мозги. И я сбежала — вскочила в самолет в Майами и была такова.

Раньше сюда летали маленькие самолетики. На одном из них я и прилетела сюда. Стала мойщицей посуды в одном баре, подрабатывала в разных местах. Мой гад так никогда меня и не нашел. Он умер, упокой Боже его душу, десять лет назад. А я встретилась как-то на бегах во Флориде с Патом. Я его не могу, конечно, затащить вместе с собой в воду, но он добр со мной. Так что, знаешь, все может и образоваться. Не надо слишком спешить и отчаиваться.

— Я и не спешу. — Пандора поправила маску. — Что я как раз собираюсь делать, так это никуда не торопиться.

Обе женщины погрузились с головой в воду бассейна.

Пандора и Ева расстались, условившись, что под воду будут ходить в паре.

— Завтра нам надо будет опробовать снаряжение. Тебе понравится. Осваиваться с ним мы будем постепенно и не торопясь.

Весь обратный путь Пандора шептала в ухо Бену, сидя сзади него на мопеде. Она понимала, что до его слуха из-за встречного ветра не все долетает, но не могла справиться с одолевавшим ее волнением. Наконец они добрались до хижины, Бен остановил мопед.

— Пойду приготовлю тебе омлет, Бен. А потом лягу спать, я устала.

Перед сном Пандора слизала соль с груди Бена. Он прижал ее к себе. Их соединенные тела, казалось,

190

слились в одно целое. Это напоминало Пандоре две идеально подогнанные друг к другу полукруглые раковины, двигающиеся в общем ритме и разделенные лишь тоненьким слоем белой молочной пены. Движение это как бы не требовало никаких усилий. Так же, без усилий, все еще слитые воедино, они уснули в объятиях друг друга, скрытые прохладной тенью от палящего солнца.

Глава девятнадцатая

Джанин пришла не одна, а притащила с собой своих сестер: среднюю — Джулию и младшую — Джейн. Бена это не обрадовало, но он все же согласился отправиться куда-то с Окто и его другом Зигги.

— Только не вздумайте послать нам какое-нибудь проклятье вдогонку, — поставил условие Бен.

Все три сестры дружно расхохотались.

Пандора уселась на крыльце хижины. Она чувствовала себя немного смущенной. Утро этого дня выдалось теплым и радостным, к тому же она встретила жизнерадостную, уверенную в себе Еву. А теперь она должна отправляться неизвестно куда с Джанин и ее сестрами для того, чтобы поиграть с ними в изготовление волшебных снадобий. Вообще-то, Пандора с удовольствием осталась бы дома с Беном, провела бы с ним еще один тихий, спокойный вечер.

— Во всяком случае, я надеюсь, мы не будем заниматься никакими сатанинскими обрядами, а?

Джулия, выглядевшая почти как близняшка Джанин, хихикнула.

— Не бойся, я просто собираюсь послать проклятье на голову женщины, которая положила глаз на моего мужа.

— Правда? Ну, это не так уж меня пугает.

— Пока суть да дело, — начала Джулия, — и Бен уже ушел на ловлю акул, мы устроим наш маленький девичник. Я захватила с собой миску куриных ножек, рис и горошек. Джейн приготовила клецки, ну а Джанин надула всех в магазине мороженого. Так что мороженым мы обеспечены с лихвой. Я работала весь день, не то что вы, домохозяйки. Только и делаете, что сплетничаете. Конечно, в работе моей нет ничего сложного, Джанин, ты это прекрасно знаешь, — продолжала Джулия. — Проблема лишь в том, что, когда муж приходит домой, я не всегда успеваю приготовить ему пожрать.

— Он что у тебя, не может перекусить на работе?

— Ну, знаешь! У тебя с Окто, к твоему счастью, этих проблем нет. — Лицо Джейн приняло суровое выражение. — Подождите еще, скоро все мы обзаведемся детьми, вот с кем будет забот не оворот. — Джейн взглянула на Пандору. — А у тебя как с этим?

Пандора покачала головой.

— Трех мужей имела, а вот детей так у меня и не было. Да я и не уверена, что смогла бы быть хорошей матерью.

— Ладно, пора идти. Уже темнеет, а нам еще лезть в горы. — Джанин двинулась первой.

Пандора быстро отметила, что все три женщины имели большой опыт в горных восхождениях. Сама же она вскоре выбилась из сил и еле-еле поспевала за островитянками. Джейн несла еду в корзинке из пальмовых ветвей. Ручку корзины она забросила себе на лоб — таким образом сама корзина прочно сидела на спине женщины.

На Пандоре были теннисные туфли. Она знала, что смешно в них выглядит, но знала также и то, что, сняв обувь, тут же в кровь разрежет ступни об острые камни. Шедшие впереди женщины этих камней словно бы и не чувствовали. Они просто шли вверх, изредка отмахиваясь от нависавших над тропой пурпурных гибискусов.

— Посмотри-ка наверх, Пандора.

Пандора подняла голову, но ничего особенного не

увидела, кроме голых мертвых стволов да какого-то чудно́го кактуса.

— Куда я должна смотреть? — Пот щипал глаза Пандоры.

— Вперед. Видишь угол дерева, похожий на женский локоть? — Джулия переступила через каменную вулканическую глыбу и потянула на себя длинное зеленое ползучее растение.

— Смотри, это здешние дикие орхидеи. Вот эти, с пурпурной чашечкой и желтыми язычками, называются банановыми орхидеями.

Пандора вытаращила глаза. За всю свою жизнь она ви́дела лишь одну орхидею, это был цветок, который Маркус прицепил на ее свадебное платье в день их бракосочетания. Сейчас же в ее руке был нежный маленький цветок. Интересно, подумала она, как это невинное создание можно трансформировать в ту жуткую чернильно-черную орхидею со злобным темно-красным языком, которой она когда-то вынуждена была украсить себя? Еще до брачной церемонии Пандора поняла, что черная орхидея никак не подходила к свадебному платью. Так как же это получается, размышляла Пандора, или это Бог в великой невинности своего замысла делает прекрасным все на этом благословенном острове, или же Люцифер, падший ангел, по своей черной воле меняет строение цветов, а вместе с ним души и мысли людей?

— Пандора уже спит стоя. Пошли же. Мы должны добраться к пещере до темноты. Только так мы успеем сделать все, что задумали.

Они продолжили свой путь в спокойном дружеском молчании и вскоре увидели высоко в небе тяжело летящего ястреба. В когтях у него была зажата большая рыба. Такая большая, что Пандора даже издалека сумела увидеть отблеск лучей заходящего солнца на чешуе ее дико бьющегося хвоста.

— Ох, бедняга, попалась, — посочувствовала Пандора.

— Вовсе она не бедняга, — возразила Джейн. — Ведь это Окто послал своего ястреба с рыбой к матери. — Все они, замерев, следили, как птица резко пошла вниз. — Знаешь, ведь его мать так никто и не видел, — продолжала она. — Ее навещает только Окто, он очень ее любит. Старики говорят, что ее долго прятала и кормила семья. Но потом она забеременела и сбежала.

— Я знаю, — ответила Пандора. — Джанин рассказала мне как-то эту историю. Не могу представить, как можно жить одной в горах. Я бы там с ума сошла.

Джулия рассмеялась.

— Все вы с Запада с вашими забитыми ерундой мозгами готовы свихнуться в первые же полчаса одиночества. Вы все слишком много размышляете. Ну, мы почти пришли.

Десять минут спустя они оказались перед огромной дырой в скале. Внутри пещеры пол был покрыт чистым песком.

— Это наша пещера. Вон там, в глубине, у нас даже стоят сундуки со всяким бельем. Когда приходит время ураганов, мы все белье выносим и стираем под дождем. Тут у нас еще есть питьевая вода и банки с провизией на всякий случай.

Пандора остановилась у входа в пещеру, повернулась и окинула взглядом деревья, плотно покрывавшие горный склон. Солнечный свет, совсем недавно еще бывший ярко-желтым, постепенно перешел в розовые тона предзакатной палитры, потом в бледно-розовые и, наконец, в мягкие фиолетовые. Когда же солнце спустилось к самому морю, все вокруг, вода и скалы, вспыхнуло красными красками.

Четыре женщины стояли не двигаясь, обняв друг друга за талии, и любовались закатом. Пандора много раз видела закат с пляжа, но сейчас зрелище было совсем иным — они забрались так высоко в горы, что смотрели на заходящее солнце как бы сверху, не как люди, а как взмывшие в небеса бестелесные души. Ей даже представилось, что она проплывает над самим солнечным шаром, медленно погружающимся в морские волны. Казалось, что она может протянуть руку, достать солнце через горный склон и подтолкнуть его вниз, в глубину.

— Пока что для этого тебе не хватает сил, — прошептала вдруг Джанин.

— Ты что, читаешь мои мысли? — Пандора вздрогнула.

— Большинство людей умеют это делать. Ведь мысли перемещаются в пространстве, подобно электрическим импульсам. Так что, как только ты откроешь и поймешь собственное электрическое поле, ты одновременно получишь возможность входить в поле любого другого человека.

Пандора широко раскрыла глаза от удивления.

Джулия и Джейн уже скрылись в пещере. Сумерки сгущались. Ветви деревьев шевелились то здесь, то там — это большие попугаи устраивались поудобнее на ночь.

— Поэтому от тех, кто знает свои собственные силы, ничто не может укрыться в душах других людей. Суть в том, — медленно выговорила Джанин, — что тайн вообще быть не должно. Единственное, что создает эти тайны, Пандора, это ты сама. Ладно, пошли поужинаем. Нам надо успеть до того, как Джейн начнет готовить свое вонючее варево.

— Итак, Пандора, значит, ты была замужем три раза? — В голосе Джулии не прозвучало осуждающих или назойливо-любопытных ноток. Свой вопрос она задала как-то по-дружески, с вежливым интересом.

— Да, это так, хотя я особенно не горжусь данным фактом. Мой первый муж бил меня. Поэтому я, ко-

196

нечно, очень благодарна моему второму мужу, который спас меня от побоев. К сожалению, позже я обнаружила, что мой второй муж — душевный садист.

— Что значит «душевный садист»? — спросила Джейн, облизывая жирные пальцы. Только что она разделалась с тарелкой куриного мяса в соусе чили.

— Ему нравилось причинять людям боль, мучая и унижая их сексуально.

Джейн пихнула Джанин локтем в бок.

— Ну, знаешь, как на тех видеокассетах, что Вирджил записывает со спутникового канала. Ну, помнишь, те гадкие фильмы, что он продает из-под полы в своем магазинчике электротоваров.

— А, поняла. — Джейн округлила глаза. — Так ты что же, Пандора, снялась в одном из таких фильмов?

— Да, может быть, и так. Видишь ли, когда я жила с Маркусом, он давал мне так много таблеток, что большую часть времени я просто не отдавала себе отчета в происходящем. Кроме меня, у него было много пациенток. Он все твердил нам, что занимается научными изысканиями, мол, пытается понять, почему мужья избивают своих жен. Спустя какое-то время все его пациенты превращались в наркоманов. Когда и меня постигла та же участь, он попросил меня уйти от Нормана и выйти замуж за него. К тому моменту Норману, собственно, было уже все равно. Он сам влюбился в одну хорошенькую официантку.

— Ее-то он точно уж не бил, да? — спросила Джулия.

— Пожалуй, не бил. Я тоже тогда решила, что ее он трогать не станет. Наверное, с ней он был просто гораздо счастливее, чем со мной и моей противной унылой физиономией.

— Слушай, твою физиономию сейчас никак не назовешь унылой и противной.

Пандора усмехнулась.

— Что бы ты сейчас ни говорила про мое лицо,

меня больше всего занимает мой рот. Он просто пылает! Перец попался страшно жгучий. Ну, вот, а потом Маркуса все-таки застукали, когда он снимал на видео одну из своих пациенток. Да не просто так, а во время группового секса еще с тремя женщинами. Слава Богу, меня в той компании не оказалось. Бедняжки, этих женщин и их утехи он записывал на пленку в тот момент, когда они совершенно потеряли голову от таблеток и выпивки. И еще у Маркуса был очень страшный голос. Он мог шипеть, как змея, готовая к броску, и ужасно меня этим пугал. А мог и заговорить кого угодно до гипнотического транса. Самое страшное, однако, заключалось в том, что все его пациентки доверяли ему, думая, что раз он дает нам таблетки и организует все эти лечебные сеансы, то ради нашей же пользы. Ну а потом, после этих сеансов, когда действие таблеток и алкоголя проходило, мы были уже не в состоянии вспомнить, что все, чем мы занимались, записывалось на пленку целой съемочной бригадой, стоявшей буквально в паре шагов от нас. Правда, когда я вышла за Маркуса замуж, он меня больше в клинику не пускал. И я никогда уже не встречалась с теми женщинами.

— А он и дальше продолжал мучить тебя? — Джанин сунула в руку Пандоре дольку какого-то фрукта.

— Да, особенно в выходные дни. Я оставалась практически без сознания все время, начиная с вечера пятницы и до конца воскресенья. Иногда только пробуждалась от забытья на некоторое время, да и то лишь для того, чтобы опять выпить чего-нибудь или проглотить таблетки. И все же помню, что я испытывала боль. Сильную боль. Следов этой боли я, однако, потом не находила. Они были где-то внутри меня. И то, если Маркус использовал дубинку или же хлестал меня плетью.

И вот однажды он попался. Один смышленый полицейский заподозрил что-то неладное в работе клиники и стал разнюхивать, что да как. И в конце концов Маркус и его дружки допустили-таки оплошность — в результате несколько видеокассет обнаружили в доме одной из так называемых «медсестер». Мужа спасло то, что он имел связи кое с кем в судейских кругах. Попросту говоря, двое из судей регулярно колошматили своих благоверных. Поэтому в газеты из всего этого скандала с видеопленками мало что попало. Тем не менее Маркуса и всю его компанию хорошенько припугнули, так что они вынуждены были надолго покинуть город. — В голосе Пандоры слышалось явное удовлетворение.

— Ты молодец, Пандора, злиться надо уметь. — Лицо Джанин при этих словах странно вытянулось в отблеске маленького костра, горевшего посередине пещеры. — Иногда злость бывает хорошим лекарством. И ее не надо бояться.

— Ох, Джанин, злость давно уже живет во мне, очень давно. Я уж и не знаю, как от нее избавиться.

Джанин подняла вверх руку.

— Она уйдет, твоя злость, Пандора. Я научу тебя, как надо от нее избавляться. Злоба может войти в привычку. Вот это — плохо. Потому что тогда она приносит зло, разжигает пламя, которое и без того хорошо горит. А вот гнев, идущий от чистого сердца, не может стать привычкой. Он, как ветка розмарина, чистит песок от углей умершего костра. Одного взмаха такой ветки достаточно, чтобы смести все старые грязные угли. Вжик! Вот так. Посмотри на пол в нашей пещере. Что ты видишь? Белый чистый песок. Ну ладно, хватит мне болтать. Джулия, так против кого ты сегодня будешь говорить заклинание?

— Против Леоны. Она уже многие месяцы гоняется за моим Вильямом. Только музыка на танцах заиграет, она уже тут как тут. Он хоть и здоровый, но совсем без мозгов в голове. Однако при этом муж он хороший.

Джанин и Джейн согласно и с готовностью закивали.

— Так, ну и что же мы сделаем? Думаю, на первый раз, в качестве предупреждения, используем три пера белого петушка.

— Вот здорово! — воскликнула Пандора. — Знаете, про Ричарда я вам расскажу как-нибудь в другой раз. А сейчас тоже хочу посмотреть, как Джулия будет произносить свои заклинания.

— Леону дурой не назовешь, — резонно промолвила Джейн. — Как только она увидит три пера, она сразу поймет, кто это сделал: либо мы, либо мисс Мейзи. А коли с мисс Мейзи у нее вражды нет, потому что они родственницы, значит, она нас вычислит безошибочно. Поэтому, может быть, лучше начать с того, чтобы навести на нее двухнедельную слепоту летучей мыши, а?

— Для Вильяма у меня на этот случай есть амулет. — Джулия достала тонкую квадратную гладко отполированную пластину из черного коралла. — Он принадлежал еще мамочке. Она мне его передала много лет назад. Так вот, я повешу его на шею Вильяму на толстой золотой цепочке. Муж будет от этого только горд. — Джулия усмехнулась. — И, если Леона хоть пальцем коснется этого амулета, черный коралл тут же все мне об этом расскажет. Наши заклятия она все равно не распознает, потому что перья сегодня ночью я возьму с белого петушка где-нибудь вдали от дома, минутах в десяти ходьбы отсюда. Пошли со мной, Джейн. Там, куда мы направляемся, по ночам слишком много дуриков.

— Каких «дуриков»?

— Ну, так у нас на острове называют духов, привидения. Это люди, которые умерли, но не могут почему-то оставить на земле какую-нибудь из своих любимых вещей. Бывает, что они цепляются за дом. Богачи после смерти так и не соглашаются уйти в мир иной без своих богатств. Вот и являются сюда к живым и бродят по ночам. У дуриков горький запах, а вокруг них веет холодом. В следующий раз, когда будешь открывать дверь в какой-нибудь дом, обрати внимание, подует ли тебе в лицо холодный порыв ветра. Если почувствуешь его, то, значит, в этом доме бывает дурик. И надо сразу закрыть дверь и уходить из этого дома, потому что там не может быть счастья.

— Да? Не знаю, мне кажется, что хижина Бена счастливая. И еще: я совсем не хочу, чтобы ко мне сюда приезжала моя мать. Она только и будет болтать о Ричарде и о том, какая я дура, что отпустила его.

— А почему ты его отпустила, Пандора?

Пандора совсем не ожидала такого вопроса. Раньше она отвечала просто: *«Потому что он сбежал с моей подружкой»*. Сейчас она вдруг поняла: причина ее тогдашнего решения состояла вовсе не в этом.

— Наверное, потому, Джанин, что я выросла, повзрослела, а Ричард — нет. В этом, видимо, истинная причина моего поступка. И Гретхен тоже была ни при чем. Просто мне надоело быть замужем за хмурым, угрюмым мальчуганом. Так что, когда он захотел уйти, я, пережив первый шок, поняла, что и мне самой будет лучше пожить одной. Я все еще люблю его и порой скучаю, но всю жизнь ведь в куличики не проиграешь. Мне уже тридцать семь, и пора начать как-то серьезно устраивать свою жизнь. Мне надоело быть еще одной пустой привычкой для кого-то, тем более для человека, который видит в тебе лишь бесплатную экономку. Вот я и решила сделать в жизни что-нибудь для себя... — Пандора замолчала, услышав куриное кудахтанье. — Ой, Джанин. Что они собираются делать?

— Ничего особенного. Сейчас они отрежут цыпленку голову, его кровью начертят круг, а потом Джулия... Если хочешь, можешь посмотреть всю эту церемонию.

— Нет-нет. Я не хочу смотреть, как они будут отрезать этой бедняжке голову. Я постою снаружи пещеры. А ты позови меня, когда они все это закончат. Только тогда я войду и посмотрю, что они будут делать дальше.

Пандора остановилась у входа в пещеру, крепко закрыла уши ладонями, подняла глаза вверх, к своей звезде. Где-то в другом, далеком, мире, под этой же звездой находился и Ричард, как всегда, окруженный толпой друзей. Где-то еще, но уже не так далеко, в компании Окто охотился на акул Бен. Завтра у них с Беном будет очередной урок подводного плавания.

— Все, теперь ты можешь войти, Пандора. — Джанин взяла ее за руку, ввела в пещеру. Тушка обезглавленного белого петушка лежала грудой перьев в середине красного круга, который Джулия заканчивала выводить кровью, капавшей из отрезанной петушиной головы. Из мертвого клюва вывалился длинный язык. Кроме головы, Джулия держала в руках еще два маленьких бархатистых клочка кожи.

— Я взываю к тебе, Великая Матерь Тьмы. Я — Джулия, из племени горусов с Гаити, — прошу тебя ответить на мою молитву.

Вне границ красного круга стояла Джейн с двумя барабанами, перетянутыми белой козьей шкурой. Когда голос Джулии зазвучал достаточно громко, шкура на барабанах завибрировала.

— Смотри, — сказала Джанин, — Великая Матерь услышала нас.

— Великая Матерь, мы приветствуем тебя, мы, три сестры, просим тебя о помощи. — Барабаны перешли на тихий ровный рокот. Пандору сначала бросило в жар, потом в холод, волосы на затылке поднялись дыбом.

Джулия расправила в руках кусочки кожи и положила их на мертвые глаза петушиной головы.

— Пусть эти кусочки кожи летучей мыши ослепят глаза Леоны на два дня и пусть ей будет это предуп-

202

рождением. Пусть она знает, что сестры не могут причинять вред своим сестрам.

Барабаны продолжали свой рокот.

— Положи руку на один из них, Пандора, — тихо приказала Джанин.

Пандора, поколебавшись, согласилась, подошла к Джейн, которая протянула ей левый барабан. Пандора положила ладонь на его кожаную поверхность, не зная, чего ожидать дальше. Под пальцами она ощутила теплое, мягкое, ритмичное биение. И вдруг из этого биения родился, проник в ее исковерканное судьбой тело, заполнил часть ее опустошенной души пульсирующий ритм любви, ритм, задаваемый этим мерным и понятным, доступным всему сущему биением.

Пандора скользнула без сил на песок. Не выпуская барабана, прижимая его к сердцу, она расплакалась. Три сестры окружили ее и так просидели с ней до восхода солнца.

Бен ждал Пандору на крыльце хижины.

Спуск с гор занял много времени, но женщины шли спокойной сплоченной группой, поддерживая и подбадривая друг друга. Поэтому Пандора не устала и чувствовала себя в полном согласии с собой. По пути вниз Джанин сунула ей в руку какие-то маленькие ягоды.

— Что это?

— Это плоды одного местного дерева.

Они остановились. Джулия дотянулась длинной палкой до верхушки одного из деревьев, где висели такие же, но более крупные плоды, и сбила сразу несколько из них. Весело толкаясь, женщины бросились подбирать добычу. «Вот, оказывается, как все это бывает, — размышляла Пандора. — Мир в твою душу может войти внезапно, например, в такие моменты, когда ты просто так сидишь и жуешь сладкую мякоть удивительных коричневых фруктов».

Джейн несла оба барабана в корзине на голове.

— Это барабаны нашей мамы. Они для нас священны с самого детства. Мама говорила, что, когда этого мира еще не существовало, на свете уже была Великая Матерь. Она-то и дала жизнь всем живым существам. А потом один из ее сыновей решил захватить трон и наложил на мать свою заклятие, которое отняло у нее бессмертие. Умирая, прежде чем навсегда покинуть свое бренное тело, Великая Матерь попросила старшую из своих дочерей вырезать ее сердце, разделить на части и раздать эти части всем дочерям, чтобы каждая из них носила их вот в таких барабанах. Когда мы играем на них, они указывают нам дорогу в жизни. В них мы слышим силу любви Великой Матери, прародительницы всего живого на земле. Ты тоже услышала и почувствовала эту любовь, Пандора?

Пандора кивнула.

— Я почувствовала вдруг странный покой. До этого момента в моей душе, внутри меня, все было как будто перевернуто, перемешано. Раны, нанесенные уходом отца, глубокие шрамы — плоды усилий Нормана, отвратительные сгустки страданий, замешанные Маркусом, ну и, конечно, ядовитые моря, разлитые в моей душе собственной матерью. И все это, естественно, было заключено в оболочку некой серой, взбалмошной, нерешительной, ни на что не способной личности, звавшейся Пандорой. А вот прошлой ночью, да и сейчас тоже, все это как-то прояснилось, стало проще и понятнее. Мы с вами вчетвером спускаемся сейчас с гор, и все вокруг видится мне очень чистым и правильным.

— То же самое вряд ли можно сказать про глаза Леоны, — добавила Джейн, и все они расхохотались.

У подножия гор они поцеловались на прощание, и Пандора, в мечтах и задумчивости, побрела по обочине дороги, ведущей к дому. На пути к хижине Бена она прошла мимо красиво выстроенных искусственных лагун с морской водой, огороженных металлическими загородками. В лагунах резвились разноцветные крошечные мальки, сновавшие между уступов столь же крошечных молодых кораллов. «Наверное, — думала Пандора, — я похожа на такого вот малька. Но скоро я обрету достаточно уверенности в своих силах, чтобы выйти в открытое море и плавать там со взрослыми рыбами. Если повезет, может быть, я поплаваю и с дельфинами».

Проезжавшие мимо автомобилисты, уже спешившие куда-то в этот ранний час, предлагали подвезти ее, но Пандора предпочла продолжить путь пешком, слушая хлопание на ветру чистого белья, принимавшего первые поцелуи восходящего солнца, торопливое шуршание маленьких крабов, боком разбегавшихся при ее приближении, вопли курочек-несушек, скликавших мальчишек и девчонок, собирающихся в школу, забрать из-под них только что снесенные яйца.

И вдруг Пандора увидела перед собой ядовитое дерево, дерево аки. Ах вот оно какое! То самое дерево, что украшает себя гирляндами грушевидных ярко-красных плодов. Об этом дереве Бен рассказывал ей чуть ли не в первый день их знакомства.

— Если ты снимешь плод с этого дерева, — говорил Бен, — и съешь его до того, как он будет для этого готов, ты умрешь. Потому что в этих плодах содержится сильнейший яд. Поступать же надо по-другому. Надо уметь обмануть коварное дерево. Для этого встать перед ним в одну из ночей, когда его плоды сладки, пышны и ядовиты, и начать над ним смеяться во весь голос, приговаривая: «Ты, старое глупое дерево аки! Ха-ха!». Потом надо замолчать и пойти домой. На следующий же день, когда ты придешь к дереву, то увидишь, что теперь оно уже будет пытаться хохотать над тобой, — все его плоды как бы раскроются в улыбке, треснут пополам. Тогда-то их и можно есть.

— Так это все правда? — спросила Пандора Бена, поднимаясь по ступенькам крыльца хижины. — Ну, эта твоя история про дерево аки.

— Так рассказывает ее моя бабушка. Но она гораздо красивее рассказывает ее на местном наречии. — Бен нежно обнял Пандору. — Ну что, как тебе понравилось в горах? Я волновался за тебя.

Пандора прижалась к нему.

— Я тоже о тебе волновалась, Бен. Мы видели, как ястреб понес рыбу матери Окто, и к тому же я знала, что ты где-то охотишься на опасных акул.

Бен кивнул.

— Да, мы поймали четырех огромных хищниц. Все они оказались с черными плавниками. Мы отвезем их на рынок в Тампу, во Флориду. И что же ты там в горах делала вместе с этими дурехами?

— Ничего особенного. Во всяком случае, я не думаю, что все это будет иметь какие-то большие последствия. Надо будет проверить только, стоит ли автомобиль Леоны у больницы или нет. Дело в том, что она может кое-чего испугаться сегодня утром. А еще мне удалось почувствовать бой этих барабанов. Он был похож на стук большого любящего человеческого сердца. Надеюсь, ты представляешь, о чем я говорю. Наверное, такое же сердце слышит ребенок, когда сосет материнскую грудь. И это сердце каждым своим ударом посылает малышу сигналы жизни, любви и радости. Ты понимаешь меня, Бен?

— Да, — ответил Бен, — понимаю. Мужчина может ощущать такое сердце, слышать его, дважды в своей жизни. Впервые — ребенком, на руках у матери. А во второй раз тогда, когда найдет женщину, которую любит, и на чью грудь он сможет положить голову. Эти звуки очень похожи. Только женское сердце может дать мужчине силы пройти до конца весь его жизненный путь.

Так они и стояли, щурясь от восходящих солнечных лучей, держась за руки и улыбаясь друг другу. Пандора понимала, что не о ее груди говорил сейчас Бен, и эта мысль печалила ее. Бен, в свою очередь, думал о том, что время их совместной жизни подходило к концу. Но сейчас они еще были рядом и радовались этому обстоятельству.

— Пойду приготовлю тебе завтрак, Бен. А потом мы с тобой отправимся на второе занятие по подводному плаванию.

Глава двадцатая

Ева ждала ее у бассейна. Занимающиеся в группе начинающих к этому моменту почти все уже перезнакомились, узнали и запомнили имена друг друга. На сегодняшнем уроке Пандоре и Еве предстояло изучить основные правила парного погружения.

— *«Вы можете погружаться под воду только в сопровождении напарника, который должен постоянно находиться рядом с вами»*, — вслух прочитала Пандора строки из «Учебника для занимающихся подводным плаванием в открытом море». — Ну что ж, — сказала она, повернувшись к Еве, — коли так, я официально объявляю тебя моим напарником. — Несмотря на трудную ночь, проведенную в горной пещере, женщина была в приподнятом настроении. Во многом благодаря тому, что сейчас им предстояло совершить первое свое прибрежное погружение. Она немного волновалась, маленькие электрические разряды словно плясали по ее спине.

Надевая подводный костюм, тщательно проверяя снаряжение, Пандора вдруг осознала, что впервые действительно принадлежит к определенной группе людей, к коллективу. Будучи вынужденной жить сначала с матерью, а потом изолированная от внешнего мира по воле Нормана или загипнотизированная Маркусом, всегда и везде до приезда сюда Пандора, по сути дела, оставалась в одиночестве. Здесь же, на этом открытом палящему солнцу острове, многое изменилось.

Ева заговорила с высоким мужчиной с хищными голубыми глазами. Стало очевидно, что новая подруга Пандоры и этот человек уже бывали партнерами по подводному плаванию где-то в других частях света. Пандора посмотрела внимательнее на высокого мужчину и улыбнулась своим мыслям.

— Чему ты радуешься, а? — шепнула ей Ева так, чтобы мужчина не услышал.

— Я просто сказала себе, что мне больше не надо заводить романы с шестифутовыми психопатами. А этот твой дружок как раз похож на того, от кого можно ожидать неприятностей.

Ева вздохнула.

— Да, женщинам он может доставить неприятности, но дело в том, что он прекрасный напарник. Он ничего не боится. Абсолютно ничего. А погружение порой может быть и опасным, и тогда твоя жизнь целиком зависит от действий напарника.

— Неужели ты так мне доверяешь, Ева?

Ева принялась внимательно изучать свой фонарь.

— Да. Я наблюдала за тобой. Ты кажешься такой слабой, беззащитной и немного «не от мира сего». Однако в душе твоей я вижу некий стальной стержень.

— Но со мной случаются иногда приступы паники. Я обязана тебя об этом предупредить.

— Не беспокойся. Это бывает у большинства начинающих ныряльщиков. Бен научит тебя, к тому же, как правильно дышать. И, в конце концов, рядом с тобой буду я — твой напарник.

Все наконец облачились в подводные доспехи и начали спуск к линии прибоя. Группа вступила в волны. Пандора почувствовала, как вода добралась ей до пояса. Ей было не очень удобно в подводном костюме. Казалось, он весил тонну.

Ева стиснула ее локоть, подняла вверх палец.

— О'кей, — сказала в ответ Пандора и кивнула, слишком поздно вспомнив, что ее слов уже не слышат. Потом она увидела Бена, который повел человек пятнадцать ныряльщиков к рифам, обозначавшим более глубокие участки прибрежных вод. На одном из этих участков уже две сотни лет лежал древний корабль с трюмами полными сокровищ.

Осторожно оттолкнувшись ластами, Пандора нырнула под воду вслед за Евой. Раньше, когда они с Беном ныряли с масками, Пандора всегда находилась гораздо выше рыб, которые наверняка считали ее чужестранкой в их мире. Рыбы, конечно, замечали ее тень, плыли вверх, но затем обязательно возвращались к своим обыденным делам. Сейчас же Пандора спустилась глубже и оказалась среди рыб. В ее маску уставились две голубые пятнистые рыбки — два морских попугая. Один, словно желая привлечь ее внимание, перевернулся головой вниз. Второй подплыл совсем близко, но был прогнан здоровым красным лютианусом. Вот и обед, решила было Пандора, но, пораженная серебряным блеском рыбьей чешуи, броскостью красных полос, сбегавших по бокам, поняла, что не сможет убить это прекрасное создание.

Ева схватила ее за плечо и показала на песчаное дно. Пандора сперва не смогла различить там что-либо особенное. Только чуть позже увидела она еле заметное движение, и, шевельнув хвостом, большой орлиный скат поднялся на несколько футов, развернулся и поплыл прочь от приближающихся людей. В восторге Пандора пустила вверх целую серию пузырей.

Ева устремилась еще глубже. За ней двинулась и Пандора. Вскоре она заметила очертания затонувшего корабля. Бен подплыл к ней и постучал по аквалангу, чтобы привлечь внимание. Пандора посмотрела в ту сторону, в которую он указывал. Увиденное просто поразило ее. Из дыры в затонувшем судне высовывалась покрытая скользкой чешуей голова мурены. Бен когда-то говорил ей, что, хотя мурены ядовиты и их укусы опасны, с этим существом он сумел подружиться еще многие годы назад. Мурена, однако, очень уж была похожа на Маркуса.

Пандоре было весело под водой. Но даже здесь она никак не могла выбросить из головы мысль о том, что ее мать вот-вот приедет на этот райский остров. От этой мысли настроение сразу портилось. Если бы только она могла отсрочить на несколько дней приезд матери или хотя бы упереться плечом в дверь и просто не пустить Монику в свой дом, в свою жизнь. Может быть, тогда она сумеет сохранить еще на какое-то время вокруг себя нынешнюю обстановку удовлетворения и покоя.

То там, то тут Пандора видела пурпурные и оранжевые вершины кораллов. Мимо проплывали рыбы. Компания маленьких барракуд долго патрулировала окрестности, но потом вдруг резко свернула направо и исчезла, оставив Пандору лицом к лицу с акулой.

Пандору охватила паника. Грудь сжал спазм. Ее руки и ноги беспорядочно задвигались. При этом она закрыла глаза и совершенно не хотела их открывать... Затем вдруг на ее плечо легла крепкая, тяжелая рука. Пандора узнала руку Евы. К этому моменту она уже успела выпустить изо рта раструб кислородного шланга. Ева не растерялась и поднесла к губам Пандоры раструб собственного шланга, так, чтобы напарница смогла сделать несколько глубоких вдохов. Потом Пандора наконец открыла глаза и почувствовала, что панический страх оставляет ее. Ева подала Пандоре вывалившийся из ее рта раструб, сама сделала глубокий вдох из своего. Обе женщины некоторое время смотрели друг на друга. Ева все еще выглядела обеспокоенной. Пандора же чувствовала очевидное облегчение. Да, конечно, она опять запаниковала, но потом смогла справиться с возникшей проблемой. «Так что, может быть, — думала Пандора, — после всех этих долгих и отвратительных лет моей запутанной жизни я как-нибудь научусь со временем держать себя в руках».

Да, ничего не попишешь — ее мать скоро появится на острове. Пандора была более чем уверена, что и сейчас в коричневом, плохо выкрашенном доме Моники мало что изменилось.

Так же, как и раньше, в тусклом шкафу у гладильной доски аккуратными стопками лежали ее неисчислимые полупрозрачные нейлоновые блузки. Все клиентки ее парикмахерской, как обычно, наверняка уже были в курсе предстоящего вояжа «беспокоящейся любящей матери» на Карибское побережье с целью разыскать непослушную загулявшую дочь. «Сначала она выходит замуж за совершенно никчемного человека. Потом за гарвардского психиатра. А теперь вот еще умудрилась сбежать от репортера из «Бостон телеграф». Пандора живо представила, как мать произносит эту тираду своим прокуренным голосом, сопровождающимся присвистами из-за болезни легких.

Ева стукнула пальцем по аквалангу Пандоры. Акула вновь приблизилась и заходила вокруг них кругами. Пандора ощутила, как все ее тело вновь напряглось. Ева, взяв свою напарницу за руку, условным жестом показала, мол, все в порядке, подружка. Пандора, однако, на этот раз так и не смогла оторвать глаз от шестифутовой могучей рыбины, то заплывавшей в останки затонувшего корабля, то вновь показывавшейся на свободной воде. Остов погибшего корабля тоже напоминал Пандоре ее собственную жизнь. В дырявом корпусе, помимо множества красивых, мирных, неопасных рыб, водились также и рыба-скорпион, способная отравить человека своим ядом, и электрические скаты, которые могли пустить сильный электрический разряд прямо в ноги зазевавшегося, ни о чем не подозревавшего ныряльщика. Маркус был похож на мурену, Норман, скорее, на акулу, а вот Ричард... Ну, Ричард напоминал какую-то рыбу-клоуна.

Где он сейчас? Впрочем, это она скоро узнает, потому что мамаша будет располагать на сей счет всей необходимой информацией. Она давно уже считала своей обязанностью находиться в курсе дел бывших мужей Пандоры. Но с особой тщательностью выведывала она новости, касавшиеся Маркуса.

Бен дал сигнал, что пора возвращаться. Группа вновь разбилась по парам и медленно двинулась к берегу. Когда они вынырнули, уже стоял вечер. Пандору всегда удивляло, насколько рано на остров опускаются вечерние сумерки. Она взглянула на подводные часы — еще один подарок, который она себе сделала перед отъездом из Бостона. Было 16.36. Вокруг еще преобладали охровые, желтые тона, но розовые лучи уже начинали пронизывать горизонт.

Пандора остановилась в воде на некотором расстоянии от прибоя. Обретенное вновь чувство притяжения буквально потрясло ее.

Ева сняла свой акваланг, помогла разоблачиться Пандоре.

— Здорово поплавали, да? Ты прекрасно держалась.

Пандора покраснела.

— Во всяком случае, я не сорвалась в самый трудный момент.

— Все прошло, как надо. Теперь, когда ты увидела свою первую акулу, больше при их появлении ты уже не запаникуешь.

— Я вела себя по-идиотски. Я думала о другом, Ева.

— Брось ты! Увидишь, чем чаще ты станешь нырять, чем глубже погружаться, тем проще тебе забыть, оставить позади себя этот так называемый реальный мир. Я обещаю, тебе понравится нырять. Подводное плавание здорово успокаивает. А сейчас пойдем выпьем пивка. К тому же, я хочу рассказать Чаку, тому самому, кого ты назвала психопатом, о нашей акуле. По-видимому, мы с тобой натолкнулись на одну из чернокрылых акул. Это надо будет проверить на фотографиях, которые должен был сделать Чак.

— А мне он не даст экземплярчик такой фотографии?

— Конечно, даст.

Женщины двинулись вверх по пляжу, таща на себе подводное снаряжение. У Пандоры немного ныли мускулы под тяжестью теперь уже почти пустого акваланга. Она тщательно вымыла снаряжение, сложила его, а затем твердой, необычно уверенной для себя походкой направилась в бар.

Джанин была уже там вместе с Окто.

— Я видела акулу! — Глаза Пандоры сверкали. Она знала, что по лицу ее гуляет глупая улыбка. Раньше она такого себе не позволяла, всегда стремилась сдерживать возбуждение, давать ему выход только тогда и там, где не рисковала натолкнуться на неодобрительный взгляд или неприятное слово, которые могли бы поставить ее в глупое положение.

— Дай мне два пива, Джанин, — попросила Пандора и примостилась у стойки бара, зажатая с обеих сторон плотной шумной толпой.

В этом тоже было нечто совершенно новое для Пандоры. Обычно, когда другие люди случайно касались или толкали ее, она нервничала или начинала злиться. Здесь же, в этой круглой, сложенной из пальмовых веток переполненной хижине, она чувствовала себя совершенно спокойно, ведь вокруг нее были всего лишь ее партнеры по подводному увлечению, те, кто некоторое время назад пережил вместе с ней удивительное приключение и теперь просто хотел о нем всем поведать: «А ты видел, как тот морской окунь вдруг взял да шуганул барракуду?», «А ты заметил, как...».

Пандора увидела наконец Еву, продвигавшуюся к ней между лампочек, отмечавших путь к стойке. По всему бару, казалось, были разбросаны острова-столики, окруженные рифами-стульями. Между ними быстро-быстро сновала Джанин. В центре зала, на стуле с высокой спинкой, восседал Окто, рассказывая об одном из своих недавних морских приключений. Его мощное бедро буквально ходило ходуном, демонстрируя эпизоды схватки с голубым марлином на последнем соревновании по лову крупной рыбы.

Бо́льшая часть разговоров вокруг была посвящена предстоящему на следующей неделе очередному такому соревнованию. Джанин обещала взять Еву и Пандору в свой катер на этих соревнованиях. Пандора твердо вознамерилась воспользоваться приглашением, решив, что сделает это, даже если ей придется бросить на произвол судьбы свою занудную мамашу.

Солнце в тот вечер опустилось в море совсем рано. Чак со смертоносно голубыми глазами и предупреждением «Опасен для женщин», написанном на лбу, как и ожидалось, принес с собой только что отснятую под водой пленку. На одном из фото действительно оказалась акула.

— Да, — произнесла Ева, — в ней по меньшей мере шесть футов.

Чак кивнул.

— Подождите недельку. Будет охота на голубых марлинов. Тогда сюда придут и акулы.

— А можете вы и мне сделать такое фото с акулой, пожалуйста?

Пандора разозлилась на себя за свою глупую стеснительность, но очень уж ей хотелось отправить такую фотографию Ричарду. Тем самым она показала бы ему, что теперь она вовсе не была уже той, похожей на мышку, домохозяйкой, которая только и делала, что ждала домой своего мужа — гениального журналиста, а превратилась в свободную женщину, которая к тому же жаркой карибской ночью занята тем, что сидит в большой шумной компании, пьет пиво и радуется жизни. Она окинула взглядом пляж. В некоторых гамаках, натянутых на кокосовых пальмах, обнимались и громко смеялись парочки. За большей частью столов посетители либо хвалились друг перед другом красочными слайдами, либо составляли планы на завтрашнее подводное плавание. У Пандоры оставался до приезда матери всего один день.

Ева вдруг предложила:

— А давайте отправимся в ночное подводное плавание. Или же мы можем поплавать утром, потом передохнуть днем и повторить погружение вечером.

Приблизившийся к их группе Бен спросил у Пандоры:

— Бабушка приглашает нас вечером на обед. Пойдешь?

Пандора улыбнулась.

— Чтобы отведать яств твоей бабушки, Бен, я готова отправиться хоть на край света.

Прощаясь, Пандора чмокнула Еву.

Чак, посмотрев Пандоре вслед, многозначительно и недоуменно произнес:

— Симпатичная женщина. Почему, интересно, она так боится мужчин?

Ева пожала плечами.

— Она считает себя кучей дерьма и этим как раз и навлекает на себя всевозможные неприятности. Сейчас, правда, она начинает трезвее смотреть на вещи.

— Может, я могу ей как-нибудь помочь? — Чак вытянулся в кресле, понес бутылку пива ко рту и с шумом, сквозь зубы, втянул в себя пенистый напиток.

— Нет, ты как раз не сможешь ей помочь, Чак. Ты хороший друг, напарник, но с женщинами ты ведешь себя гадко.

— Знаю, знаю, — отмахнулся Чак, — ничего не могу с собой поделать. Я ведь так люблю вас, женщин.

216

все вы такие жеманницы. Мне повезло — я родился в нужные времена. Вот возьми моего отца, он тридцать лет только и делал, что стриг газоны. Еще он женился на моей мамаше, любительнице печь яблочные пироги, ходил в колледж, носил дурацкие рубашки с застегнутыми до самого верха пуговицами. Ну и чего он добился в результате своих усилий?

— Ну, чего же он добился? — с интересом спросила Ева. Ей забавно было послушать Чака, который обычно предпочитал заниматься амурными делами, а не разговорами.

— Так вот, добился он того, что трижды ложился на урологические операции, да заработал себе еще какое-то заболевание простаты. Вот и результат его усилий. А вот мне скоро сороковушник, и я могу себе позволить все, что захочу. Могу тебе сказать: ныряние — самое сексуальное занятие из тех, что я знаю. Ведь вокруг тебя плавают сплошь одни бедные, одинокие, разведенные, жаждущие любви бабенки. Все, что от тебя требуется, это подкатиться к ним, раздавить на двоих бутылку ямайского рома, и — бац, все готово для маленького праздника удовольствий.

— Ну, Чак, это как на все посмотреть. Хотя, конечно, я все же рада, что нахожусь замужем за человеком, которого люблю. Да и вообще я тут много встречала пар, искренне любящих друг друга. Как бы то ни было, мне кажется, что и тебя беспокоят свойственные всем сорокалетним комплексы, и ты просто отказываешься признать это. Интересно, что случится с тобой в сорок пять? Или в пятьдесят, а? Будешь ли ты и тогда изображать из себя энергичного ловеласа, гоняющегося за все более молоденькими девочками.

— Так, ну ладно, Ева, хватит философствовать. Дай-ка я лучше куплю тебе еще пива.

— Ладно, покупай, но только не пытайся больше вешать мне лапшу на уши.

Позже Ева имела возможность понаблюдать за тем, как действует Чак. Он встал из-за их столика, прошелся по бару. Методика его действий была безупречной. Своими большими широкими руками он то похлопывал какую-то из своих знакомых по щеке, то легко дотрагивался до ее бедра. Иногда он проводил ладонью по голове женщины, в других случаях — целовал ее в лоб. Особым отработанным жестом он сжал повыше локтя руку той, что на днях оплатила все его счета на Антигуа. «Ох уж эти Чаки, — подумала Ева, — как же их много на этом свете, и как хорошо, что Пандора уже ушла и находится где-то в безопасности вместе с Беном».

Глава двадцать первая

Пандора провела беспокойную ночь. Бен, как мог, пытался успокоить ее, понимая, однако, что все его нежные слова и поцелуи бессильны перед тем морем боли, что еще жило в душе Пандоры. Ему оставалось лишь одно — служить добрым веслом в маленькой дырявой лодочке, которая была для Пандоры последним безопасным местом в той жизни, что она для себя избрала.

— «Ты всего лишь кучка дерьма». Именно это и скажет мне моя мамаша, Бен. Вот увидишь. Не пройдет и двадцати четырех часов, как она мне это скажет.

— Ты вовсе не «кучка дерьма», Пандора. Ты прекрасна. Ты просто позволяешь людям плохо с тобой обращаться. — Бен еще крепче обнял ее, прижал к груди ее голову. Пандора наконец уснула в его объятиях.

Моника тяжело выбралась из восьмиместного аэроплана, загруженного толстыми чемоданами и дорожными сумками. Она изнывала от жары и вся взмокла. Настроение у нее, конечно же, было отвратительным.

— Почему ты не сказала мне, что этот чертов самолет будет садиться в Тампе, Пандора? — Она подставила дочери для поцелуя серую щеку.

— Обычно он там не садится, ма. Может быть, просто компания должна была проверить какую-нибудь техническую неполадку. Но ты не волнуйся, я взяла напрокат машину. Так что сейчас быстренько отвезу тебя в гостиницу, в твой кондиционированный номер.

Моника тяжело вздохнула.

— На чьи же, интересно, деньги ты все это делаешь?

— На свои, мама. На свои. Мы с Ричардом поделили то, что у нас было. Раньше-то все деньги тратил один Ричард. Он, несомненно, себе еще много заработает на романе, который задумал писать. Ну а я буду счастлива продолжать бить баклуши на этом чудесном острове.

Пандора вела машину по плохонькому шоссе мимо тех нескольких магазинчиков, где островитяне могли найти все, что им требовалось в повседневной жизни. Из дверей каждого магазинчика показывались люди, которые приветствовали Пандору взмахами рук.

У большого неуклюжего здания Пандора остановила машину и сказала:

— Я забегу сюда, куплю кока-колы. Поставим ее тебе в холодильник. Зайдешь со мной?

Они шли вдоль полок с продуктами и напитками, и Пандора чувствовала, как в матери нарастает чувство неодобрения, отчетливо проступавшее на ее лице. Шея Моники побагровела, что всегда было угрожающим признаком.

— Так ты не будешь жить со мной в номере? — спросила она, проходя вдоль полок с хлопьями.

— Нет, я живу с Беном.

Моника фыркнула.

— Еще один никчемный человечишка, который опять обращается с тобой, как с кучей дерьма. Я права?

Пандора с удивлением ощутила вдруг почти физическое присутствие в своей душе Бена. Ей показалось, что он стоит вдалеке, размахивает веслом и говорит неслышно одними губами: *«Она не продер-*

жалась *и двадцати четырех часов!* Она обозвала-таки тебя дерьмом».

— Нет, ма. Бен — не никчемный. С ним очень хорошо. Вместе мы счастливы.

— Ладно, Пандора. Купи-ка мне эту коробочку «метамьюзила». А то ведь, наверное, от местной пищи у меня будут запоры. Надеюсь, у них здесь есть и препарат «Н». Я, естественно, привезла его с собой, но надолго этих запасов не хватит. А мне все это нужно, так как последнее время мой геморрой меня просто замучил.

Послушно Пандора взяла «метамьюзил», взглянула на лекарство и на какое-то мгновение к ней вернулось старое чувство жалости и сострадания к матери. Надпись на упаковке гарантировала потребителю чудотворного средства радости ежеутреннего полного и легкого испражнения, после чего, правда, говорилось в медицинской инструкции, неизменно происходило куда менее приятное возобновление болезненных геморроидальных проявлений, столь плохо переносимых Моникой. Смягчить же эти проявления могло только ежедневное применение препарата «Н». Раскаты во время испражнений, ежеутренне производимых Моникой, составляли естественную часть традиционного набора звуков, когда-то сопровождавших будни Пандоры. Сама же мать запомнилась с обязательной сигаретой в руках или в зубах.

Набрав полную корзину покупок и порядком взмокнув, они подошли наконец к кассе. Ждать очереди пришлось достаточно долго, поэтому Пандора решила просмотреть свежий номер местной газеты.

«На следующей неделе состоится коктейль в доме губернатора, — прочитала она. — Всю предстоящую неделю будут идти соревнования по лову голубого марлина, а по их завершении губернатор даст коктейль».

— Туда все пойдут. Хочешь сходить? — Пандора была уверена, что мать с удовольствием согласится поприсутствовать на таком мероприятии. Если удастся запихнуть ее на единственный такого уровня светский раут, организуемый на острове, то они с Беном, Окто и Джанин смогут провести весь этот день на катерах где-нибудь в море.

— Выглядит неплохо, дорогая.

Пандора поняла, что матери понравилось ее предложение.

— Эта милая леди — твоя мама, да? — Громкий низкий возглас разорвал молчание, вновь воцарившееся между Пандорой и Моникой. — У вас похожие глаза.

Губы Моники неодобрительно скривились, стали напоминать размазанную каплю уксуса. Капитан Билли тем временем расхохотался. За многие годы он перевидел несметное количество таких вот мамаш, неотступно следовавших за своими дочерьми с одного острова на другой. Пандора же ему нравилась. По его мнению, она была спокойной хорошей девочкой.

— Что там новенького происходит сейчас на Большом Яйце, капитан Билли?

Капитан пожал плечами.

— Да ничего особенного. Правда, машин прибавилось, цены подросли. Взяток берут больше. Так что все по-старому.

Пандора сложила покупки в пластиковые пакеты.

— Пошли, ма. Я еще только забегу поприветствовать мисс Кристину.

Мисс Кристина, владелица следующего магазинчика, сидела, склонившись над швейной машинкой. Она подняла голову, лишь когда тень Пандоры показалась на полу перед ней.

— Это моя мама, мисс Кристина. Я зашла поздороваться и спросить, как у вас тут идут дела.

— Да все в порядке. Дела идут хорошо. Нолан поехал на Большое Яйцо, решил искать справедливости. Знаешь, иногда мне кажется, что он прав. Ведь он всегда говорит, что мы должны перестать зависеть от большого острова, от ужасных людей, которые там живут.

Пандора заметила скуку на лице Моники.

— Я к вам зайду через несколько дней, мисс Кристина. А сейчас мне еще надо разместить маму в гостинице.

Они сели в машину, Пандора включила кондиционер.

— Не понимаю, как можно всем все вот так рассказывать о своих делах, — воскликнула Моника и нахмурилась. — Все тут какие-то уж очень откровенные. Там, где я живу, никто свои дела напоказ не выставляет.

— Я знаю, ма. Я это очень хорошо знаю. — Тут Пандора вспомнила, как частенько ей приходилось сидеть на кровати и ждать, когда наконец вернется Маркус. Возвращался же он не один, а притаскивал обычно с собой кого-нибудь из своих пьяных сексуально извращенных дружков. Тогда ей не к кому было даже обратиться. Вот здесь дело обстояло иначе — даже то, что к чьему-нибудь дому подъехала машина, сразу передавалось по «кокосовой почте» по всему острову. Для Пандоры, измученной годами одиночества, столь живое вторжение всех и вся в чужую личную жизнь было чем-то вроде эликсира. По утрам, например, Пандора могла явиться к той же мисс Рози и подробно обсудить с ней все события предыдущего дня.

Ну, а на следующей неделе, когда на остров придут роскошные яхты миллионеров, Малое Яйцо вообще превратится в улей самых разнообразных слухов и всевозможных сплетен.

До этого пока дело еще не дошло, а потому, решила Пандора, надо как можно комфортабельнее устроить мать и попытаться выдержать с ней целый вечер бесед на ее любимые темы. Сначала долгую сагу об отце, бросившем Монику, а затем сказ об отважных, даже героических, усилиях одинокой матери, направленных на то, чтобы вырастить, воспитать дочь, которая потом столь бездарно позволила целым трем мужчинам буквально выскользнуть из ее рук.

— У меня для тебя есть письмо от Ричарда. Напомни, чтобы я тебе его отдала, — сообщила Моника, с трудом выбираясь из маленького автомобиля.

Пандора почувствовала укол в самое сердце. А что, если Ричард перестал наконец играть в бирюльки? Вдруг в своем письме он говорит, что его детские игры в Питера Пэна закочились?

Чуть позже Пандора отвела Монику вниз в бар гостиницы. Она знала, что Джанин без проблем сможет совладать с ее мамашей. Напротив, мысль о том, что с Моникой предстоит встретиться Бену, заставляла Пандору беспокойно поеживаться.

Случилось, однако, так, что все ее опасения оказались напрасными. Бен зашел в бар выпить пива где-то около восьми часов вечера, а к этому времени Моника вся уже разомлела от рома.

— Я заглядывал в ваш номер, — сказал Бен, улыбаясь в сторону Моники, — но вас там уже не было. И я решил поискать вас обеих тут, в баре. — Он отхлебнул пива из бутылки.

Моника подняла на него беспокойный взгляд, но единственное, что она смогла рассмотреть, были широкая улыбка, большие карие глаза и прядь выгоревших на солнце волос.

— Ты уж будь подобрее с моей дочкой, — проворчала Моника. Правой рукой с ярко накрашенными красными ногтями она держала сигарету.

— Не беспокойтесь, — ответил Бен, смеясь. — Я буду хорошо заботиться о Пандоре и не допущу, чтобы с ней случились какие-то неприятности. Так что будьте спокойны.

Моника действительно успокоилась. А Пандора бросила задумчивый взгляд на Бена. Иногда он мог вести себя исключительно заискивающе, и женщинам это очень нравилось. Во всяком случае, это понравилось Монике. «Теперь она, безусловно, будет просто обожать Бена», — подумала Пандора.

Бен встретил взгляд Пандоры и подмигнул ей. Она хихикнула, поняв, что благодаря ему могла вновь ощутить себя ребенком. Он как бы позволил ей восполнить целые годы, когда-то потерянные ею. Как раз это требовалось, чтобы понять наконец, кто она есть на самом деле.

Глава двадцать вторая

Пандора была рада тому, что при двух прошлых погружениях находилась рядом с такими опытными подводниками, как Чак и Ева. Кое-чему от них она научилась, а потому и нынешнее, ночное, погружение, поначалу ее страшно пугавшее, быстро превратилось в увлекательное, чудесное приключение. Тем более что в ночной воде, из толщи которой ее фонарь то и дело выхватывал проплывавших мимо рыб, она больше не ощущала себя пришельцем, чужаком. Здесь, в глубине, передвигаясь в темных, покрытых тенью водах, дыша ровно и спокойно, она начала вдруг замечать в себе проявления какой-то новой силы. Рядом была Ева, но в протекции и гарантиях надежности с ее стороны Пандора не нуждалась. Поблизости находился также Чак, но, как она вдруг поняла, ей не нужно было ни его одобрение, ни само его присутствие, чтобы освободиться от каких-то своих страхов. Она хотела сама, свободная от посторонних влияний, исследовать тот огромный и неизвестный ей мир, что долгие годы жил в ее воображении.

Многое изменилось в Пандоре. Вот и недавно, когда Моника начала было жаловаться по поводу туфель на высоких каблуках да жары, Пандора спокойно, даже с улыбкой, ответила ей:

— Брось ты, ма. Тебе полегчает, как только мы доберемся до гостиницы. И к тому же я сразу закажу тебе еще ромового пунша.

— Может, к рому ты мне предложишь еще и како-го-нибудь красавчика, — фыркнула ее мать.

— Постараюсь выполнить и эту твою просьбу. — Пандора пошла впереди по пыльной дорожке, веду-щей как раз к тому гостиничному коттеджу, где когда-то жила сама и где впервые приняла Бена. Снимать этот коттедж для матери ей не хотелось. В конце концов она это сделала, но на душе было все еще неспокойно, потому что, во-первых, она очень доро-жила теми первыми часами любви с Беном, а во-вторых, некоторые прошлые переживания, которые, казалось, должны были уже оставить ее, стали вдруг удивительно легко возвращаться.

До приезда на этот остров жизнь представлялась Пандоре чередой последовательных событий, боль-шинство из которых были крайне неприятными, но некоторые, случалось, давали неожиданный повод чув-ствовать себя действительно счастливой. Занятая буд-ничными проблемами, она так и не смогла ни разу остановиться и мысленно окинуть взглядом свою жизнь. Подобно тому, как смотрит ребенок в игрушечную трубу с калейдоскопической картинкой. Жизнь Пан-доры до Малого Яйца напоминала длинную прямую линейку. На этой линейке дюйм за дюймом отмеча-лись все этапы, начиная с самого рождения, и когда-нибудь, на дальнем конце, появилась бы и отметка о смерти. Но обстоятельства изменились, и, сойдя вдруг с прямого пути, женщина обнаружила не только новое понятие времени — она ощутила громады, бездны горячих влажных часов, ничем не заполненных, кроме морей, океанов воспоминаний, а также таких личнос-тей, как мисс Рози, Джанин и ее сестры, при каждой возможности самозабвенно предающихся «бабьим раз-говорам». «Уходи отсюда, — часто бросала Окто Джа-нин, — мы хотим поговорить между нами, бабами». И Окто уходил, подхватив Бена под локоток: «Пойдем. Бабьи разговоры вредны мужчинам. Они плохо действуют на наши мозги. Бабы — другие люди, не как мы». И они шли в бар поиграть в бильярд или в домино.

Моника буквально рухнула в кресло из пальмовых ветвей, стоявшее посередине гостиничного номера, громко вздохнула. Сигарета выпала из ее рта, макияж тек по щекам.

— Держись, ма. Я сейчас закажу пару стаканчиков чего-нибудь освежающего, а потом принесу тебе полотенце. Тебе надо вытереть лицо.

— К чертям полотенца. Я приму душ. — Моника поднялась и начала стягивать с себя узкое полиэстровое платье в горошек.

Глядя на мать, Пандора вспомнила, с какой гордостью та всегда в любой подходящий и неподходящий момент любила выставить напоказ свое голое тело. А вот запах его Пандоре никогда не нравился, даже в детстве. Другие мамы, накручивавшие длинными субботними утрами свои волосы на огромные, пугающего вида бигуди, а потом долго и ожесточенно сушившие их, источали запах чего-то вкусного и душистого, что очень нравилось сидящим рядом их маленьким дочкам. Пандора тоже считала, что мамы должны пахнуть коктейлем из шоколада с мятой и чуточкой ванильного мороженого. Моника, однако, никогда так не пахла. Ее запахом была смесь табака, розовой мучнистой пудры для лица, а также некоего мускусного аромата, всегда перебивавшего любые духи, в каком бы количестве ни опрокидывала их на себя Моника. А сейчас, когда мать сняла платье, в чуткий нос Пандоры ударил еще и застоявшийся потный смрад, прихваченный в местном аэропорту.

— Ванная вот здесь, ма. Пойду включу тебе душ. — Пандора торопливо проскользнула к ванной комнате. За собой она услышала шаркающую походку Моники. Пандора развернулась и выставила в сторону матери развернутое банное полотенце, прикрываясь им, как

228

тореадор от атаки разъяренного быка. Заметив, к своему удивлению, что обвислый живот матери почти что скрыл треугольник ее седеющих лобковых волос, Пандора вновь испытала острый приступ жалости. Перед ней была уже не та женщина с красивым крепким телом. Живот матери, весь в складках и морщинах, напоминал, скорее, большой выцветший лимон, давно валяющийся под лимонным деревом. Все бедра Моники были исполосованы синими венами, похожими, как показалось Пандоре, на тугие шишковатые переплетения болотных ризофор.

Бледно-голубые глаза матери с удивительно черными точками зрачков в упор уставились на Пандору.

— Я немного пополнела с нашей последней встречи, милая. Но я еще способна привлекать мужчин.

— Иди в душ, ма. Это здорово освежит тебя.

Мать повернулась к душу, подняла голову, подставила лицо струям воды. Душ ударил по слабой спине Моники, сбежал на оттопыренные ягодицы. Пандора, все еще стоявшая рядом и терпеливо державшая полотенце, вдруг поняла, что одним врагом у нее стало меньше. Мать она себе, конечно, от этого не приобрела, но вот врага в лице Моники точно уж лишилась. Во всяком случае, между ней и Моникой мог установиться наконец мир.

Полотенце лежало теплой белой массой в ее руках. Пандора даже вдруг почувствовала знакомый ритм, слабое медленное биение того большого любящего сердца, что впервые услышала в горах. Да, как в том барабане! Конечно. Как в барабане! Всеобщая любовь, дар женщин, который только они могут вручить другим женщинам или мужчинам. Пандора вдруг увидела лицо Джанин.

— Какая вода холодная! — взвизгнула Моника. Ее крик прервал думы Пандоры.

— Не беспокойся, сейчас согреешься, ма. Возьми. — Пандора накинула полотенце на плечи Моники. — Видишь, ты сразу посвежела. Как ты себя чувствуешь?

— Об этом я смогу сказать чуть позже, после обещанного пунша. Бог мой, Пандора! Мои подружки в нашем городе были просто потрясены, когда я сказала им, что поеду повидаться с дочерью на остров в Карибском море.

Слезы навернулись на глаза Пандоры. Много лет прошло с тех пор, как мать в последний раз, будь то с осуждением или с гордостью, назвала ее дочерью.

— Пойду позвоню в бар, — пробормотала она.

Глава двадцать третья

Джанин принесла к ним в номер два ромовых пунша в запотевших бокалах. По их стенкам стекали струйки влаги, над краями возвышались кубики льда.

— Это моя подруга Джанин, — представила Пандора.

Зажигая сигарету, Моника критически осмотрела вошедшую женщину.

— Как тут моя Пандора вела себя на вашем острове, с теми ли людьми встречалась?

О, черт! Фразу, которая обычно следовала за этой, Пандора тоже знала наизусть.

Моника отпила большой глоток рома, затем еще один.

— Все, что у нас с ней есть в этом мире, — вымолвила она, — так это доброе имя нашей семьи.

Глаза Моники тренированно наполнились слезами.

Пандора взглянула на Джанин.

— Ваша Пандора — прекрасная девушка, миссис Мейсон. Тут ее все очень любят.

У Пандоры отлегло от души. Она почувствовала, что Джанин умело перешла на обычную для себя манеру общения с привередливыми туристами.

Моника, однако, вовсе не желала упускать случая до конца сыграть свою роль.

— Это, конечно, здорово, что она сбежала на этот карибский островок, но дело-то в том, что дома у нее остался совершенно замечательный муж, который ждет ее возвращения.

— Это неправда, ма. — Пандора почувствовала приближение знакомого приступа ярости. — Это абсолютная неправда. Ричард бросил меня ради Гретхен, и он не хочет, чтобы я возвращалась.

Джанин сочувственно посмотрела на подругу и выскользнула за дверь.

— Увидимся вечером на работе, Пандора.

Моника вскинула голову.

— А я что же, останусь одна в первый же вечер здесь?

— Нет, ма. Мы с тобой пообедаем, а потом я сбегаю переоденусь перед работой. Моя смена начинается только в десять вечера, а ты к тому времени уже благополучно заснешь.

Моника какое-то время еще обиженно втягивала через соломинку остатки рома, затерявшегося в бокале меж ледяных кубиков. Пандора ненавидела этот звук еще с детства. Однако она ничего не сказала матери по этому поводу.

Сейчас она могла справиться с любыми эмоциональными провокациями со стороны матери. Единственное, чего она не смогла бы выдержать, было столкновение их воспоминаний, их разных версий о том, как в действительности сложилась жизнь Пандоры и почему. Боязнь именно такого столкновения заставила Пандору опасаться и самого приезда матери.

Общей в обеих их версиях была констатация того факта, что отец бросил их. Общность на этом, однако, и кончалась: мать и дочь расходились в оценках причин ухода отца. С материнской стороны неизменно слышались намеки на якобы имевшие место сексуальные покушения отца на дочь, остановленные лишь благодаря ее своевременному вмешательству.

Пандору же в спорах с матерью о прошлом значительно больше волновал иной сюжет. Маркус был главным источником ее с матерью споров. Моника, например, считала, что Маркуса просто подставила группа недовольных бабенок, домогавшихся его, но так ничего и не получивших. Пандоре же, как жене, вообще не должно было быть дозволено давать свидетельские показания в суде. Мать шла дальше, она утверждала даже, что заснятые на видео сексуальные оргии были всего лишь умелыми подделками, а то, что Маркуса признали виновным, являлось только очередным свидетельством коррупции высокопоставленных чиновников. Тема бывшего мужа Пандоры всегда была взрывоопасной в отношениях между матерью и дочерью, и ничто не могло изменить эту ситуацию.

Моника и сейчас готова была использовать эту тему, чтобы лишний раз уязвить дочь, но основной ее целью было, конечно, заставить Пандору вернуться к Ричарду. К его большой и весьма влиятельной семье. Это позволило бы Монике вновь приходить на торжества в поместье Таунсендов, ощущать себя причастной к этим семейным сборищам, где так силен был аромат богатства, любоваться на серебряные приборы и подсвечники. И вообще Моника не понимала, как это ее простушка-дочь, совершенно лишенная предприимчивости, смогла шутя разделаться с тремя мужьями, тогда как сама Моника имела всего одного, да и того потеряла.

Моника покопалась в сумочке.

— Вот, — сказала она, доставая оттуда толстый конверт. — Это от Ричарда. Я говорила с ним по телефону перед отъездом. Он утверждает, что очень по тебе скучает.

— Ох, ма! Тебе что, обязательно надо было всех обзванивать? Уверена, что ты и Норману позвонила.

— Да, конечно, позвонила. Он мой первый зять. У него все хорошо, двое детей и симпатичная женушка. Я часто ее встречаю в городе. «Знаете, миссис Мейсон, — сказала она мне, когда впервые пришла в мою парикмахерскую, — я не понимаю, откуда берутся все эти ужасные истории о том, как мой Норман избивал вашу Пандору. Он ведь очень тихий, спокойный человек. И мухи не обидит». Вот что она мне сказала, Пандора. — Моника взяла свой бокал и допила последние остатки рома, совсем уж разбавленного растаявшим льдом. — Так что не знаю, не знаю, девочка моя. Вот Маркус, например, опять собирается жениться. Я увидела фото в колонке светских новостей. Его новая невеста так молодо выглядит! И очень похожа на тебя, на эдакую мышку-замарашку.

Пандора вздрогнула. «Ну, скоро эта девочка станет не только мышкой-замарашкой, — подумала она, продолжая исподволь рассматривать мать. — Скоро у нее вдруг откроется энурез, скоро он ее по горло напичкает наркотиками. Очень скоро». Воспоминания об этом периоде жизни были для Пандоры самыми убийственными. Они до сих пор ее преследовали. То были ужасные дни и ночи, когда она теряла контроль над собой, когда ее воля гнулась, как рифленые железные пластины на ветру, когда вокруг звучали гадко смеющиеся голоса, а ее тела касались влажные языки, проникавшие во все интимные места. Все это завершалось шаркающими шагами — окружавшие ее люди уходили в свои спальни. И наступала тишина. Иногда при этом она чувствовала рядом на постели Маркуса, уснувшего и удовлетворенного. При более благополучных обстоятельствах его близко не оказывалось, он уходил, оставляя за собой только влажные, липкие простыни...

— Не хочешь искупаться, ма? Море сейчас идеальное. — Пандора отчаянно стремилась выбраться из этой комнаты, а заодно и оторваться от нахлынувших воспоминаний. Она хотела, чтобы море и белый, чистый песок смыли с ее тела все неприятные ощущения.

Моника, однако, проделала весь этот долгий путь

234

вовсе не для того, чтобы так просто дать Пандоре уйти от ответов. От ответов на целый чемодан жалоб и претензий, которые она приволокла с собой.

— Сначала принеси мне еще такого же ромового коктейля. А потом посмотрим. Нет, лучше я сама схожу за коктейлем, а ты прочитай письмо. Я хочу узнать, что Ричард решил тебе написать.

— Но это письмо мне, и касается оно только меня. — Пандора даже удивилась, как резко и уверенно прозвучали эти слова. — А прочитаю я его тогда, когда захочу.

Лицо Моники исказила какая-то волчья ухмылка.

Пандора вздохнула. Конечно, мать давно уже знала, что было в этом письме. Она, безусловно, уже имела возможность отпарить конверт. Ибо с самого рождения Пандоры чувствовала себя в полном праве вмешиваться в ее личные дела. *«Я ведь носила тебя в своем теле долгие месяцы. Поэтому ты кое-что должна мне теперь,* — так любила говаривать мать. — *Да, это уж точно. Ты кое-что мне должна».*

— Я надену свое новое летнее платье и отправлюсь в бар. Согласно моему справочнику отелей и баров, в этой гостинице я могу пить столько, сколько в меня влезет. Ты выпьешь со мной чего-нибудь?

— Нет, спасибо. — Пандора все еще держала в руке письмо Ричарда. Ее чувства к мужу были сейчас какими-то неопределенными. Вдалеке от него, на этом острове, ей казалось, что отношения с ним вообще мало ее касаются. Конечно, порой она с сожалением вспоминала те славные моменты, что они провели когда-то вместе, но постепенно простое размеренное существование в добровольных границах отношений с Беном и новыми друзьями совсем отодвинули на задний план всю прошлую жизнь, не оставив места ничему, кроме радостей, исходивших от обилия вокруг солнца и моря. Сейчас ее занимали следующие проблемы: сделали ли миссис Джонсон операцию, ездила ли мисс Лаверн в Майами на свадьбу сестры и когда придет корабль со свежими помидорами и хрустящими холодными листьями салата? «Никогда не думала, что так буду жаждать свежих помидоров», — удивлялась Пандора... Она заставляла себя держаться только счастливого настоящего и не касаться куда менее счастливого прошлого.

Несколько фотографий выпало из конверта на ее загорелые колени. На одной была Гретхен, стоящая у красного «феррари» Ричарда. Ее белые волосы туго схвачены сзади повязкой. Молочной кожи словно бы ни разу не касалось солнце. На Гретхен были темные очки, скрывавшие ее альбиносовые, в розовых ободках, глаза. После своего предательства Гретхен неизменно напоминала Пандоре отвратительных волокнистых гусениц, что встречались иногда на капустных посадках.

Гретхен неоднократно говорила Пандоре о том, что ей следовало бы ухаживать за Ричардом, так сказать, «по-европейски». Иначе, мол, можно и мужа потерять. В ответ Пандора только смеялась. «Европейская» забота о мужьях казалась ей устаревшей, даже какой-то диккенсовской, сплетенной из глупого воркования, ласкания, дурацких похвал по тому случаю, что, мол, «папочка пришел вечером домой». Поэтому именно Гретхен первой вскакивала, когда Ричард приходил с работы, бросалась ему навстречу, подавала бокал с каким-нибудь напитком. Пандора в этот момент обычно работала на кухне, увязнув по локоть в полной посуды мойке. Впрочем, Фридриху, мужу Гретхен, тоже уделялось повышенное внимание, когда он приходил вместе с женой отобедать к Пандоре и Ричарду. Еду на стол для мужчин старалась подавать Гретхен.

По выходным Фридрих играл в гольф. Гретхен

236

сопровождала его, но в основном сидела пухлым задом на раскладном стульчике. Ричард по вечерам в субботу играл в регби. В это время Пандора имела возможность удобно расположиться дома в гостиной и посмотреть телевизор. Когда же по воскресеньям Ричард с друзьями, захватив огромный запас пива, срывался на рыбалку, Пандора с удовольствием отправлялась в бостонский Музей изящных искусств или просто на прогулку вдоль берега Чарльз-ривер. Часто по воскресеньям она встречалась с Гретхен за обедом в ресторане «Пьер Фор». Та всегда приходила, увешанная сумками с новыми покупками. И весь застольный разговор поэтому сводился, в основном, к обсуждению цен на шмотки. Правда, после половины бутылки вина беседа неизбежно сворачивала на рассказы о сексуальной ненасытности Фридриха. Это приводило Пандору в смущение. Сама она отговаривалась лишь общими фразами о том, что у них с Ричардом все обстоит благополучно. Так оно, собственно, и было.

После Маркуса здоровая, незамысловатая, надежная любовь Ричарда в постели была для Пандоры очень полезной. Конечно, в той любви не хватало деликатности, нежного вступления, которые потом Пандора испытала с Беном, но ведь иначе и не могло быть, понимала сейчас Пандора, ведь Ричард являлся британцем. Отношение Ричарда к женщинам, как понимала сейчас Пандора, было основано на том, что женщин надо превозносить, ставить на пьедестал. Пандоре всегда казалось, что муж обращается с ней так же осторожно, как с чайным сервизом своей матери, словно бы боялся разбить ненароком. От нее же самой при этом требовалось лишь слушать мужнины школьные рассказы, смеяться над застольными шуточками его приятелей и вообще быть «здоровским парнем». «Здоровский» — было у Ричарда высшей похвалой. Так он хвалил Пандору за то, что она умудрялась не свалиться с лошади. Так же иногда он оценивал ее действия в постели.

«Честно говоря, Пандора, — писал Ричард в письме, — сейчас у нас с Гретхен не все так уж хорошо складывается». Пандора фыркнула. Скорее всего, просто Гретхен слишком активно опустошает его банковские счета. Фридрих-то был богатым промышленником и позволял Гретхен покупать все, что ей вздумается. За это она должна была лишь правильно исполнить роль хозяйки в доме да обеспечивать мужу обязательный ежедневный оргазм. Гретхен беспрекословно принимала этот тезис мужской философии, считала святым, навеки вписанным в проповеди, что принес с гор еще Моисей. Она часто говорила Пандоре:

— Надо давать им удовольствие, ибо это поддерживает их мужское достоинство.

— Ты хочешь сказать, Гретхен, что и сама получаешь свое удовольствие каждую ночь?

Круглые щеки Гретхен вспыхнули.

— Ну, не каждую ночь, конечно, глупышка ты моя. Эти маленькие хитрости знакомы всем женщинам: достаточно только изобразить, что кончаешь, потом радостно чмокнуть эту его штуковину и дело сделано — он почувствует себя абсолютно удовлетворенным.

Пандора хихикнула. Она с трудом могла представить себе, чтобы Ричард был способен заниматься любовью каждую ночь, особенно если накануне вечером у него бывал ожесточенный матч по регби, закончившийся победой его команды. Что же касается поцелуев «штуковины» Ричарда, то ее вообще всегда трудновато было достать из старых голубеньких еще школьных пижамных штанов мужа.

«...Я сижу сейчас на веранде перед печатной машинкой, — писал дальше Ричард в письме, — и смотрю на пласты горячего воздуха, поднимающиеся над холмами. Мне видны еще четыре овцы и два козла на

238

горном склоне. Рядом расположился пастух. Ленивая свинья, он уже давно спит».

Бедняга Ричард, некогда неустрашимый репортер, вместо того чтобы, как Хемингуэй в этом возрасте, сражаться против немцев бок о бок с обитателями тосканских деревень, оказался низведенным до написания романов об овцах. «Ну что ж, — подумала Пандора, — я очень надеюсь, что он все-таки и вправду пишет там хоть какой-нибудь роман».

В конце письма Ричард приводил целый список своих старых друзей, которые призжали к нему с визитом. В основном это были товарищи по школе, с которыми Ричард опять имел возможность спеть школьные песни вокруг ночного костра, или прогуляться вверх и вниз по горным склонам. Пандора тоже когда-то участвовала в таких походах. Ей вообще казалось, что англичане так любят забираться на горы и потом спускаться с них потому, что в самой Англии этих гор слишком мало.

«...Как бы то ни было, пора завершать это письмо. Сейчас вернется Гретхен с огромным тортом. Придет и примется пересчитывать, сколько страниц я сегодня написал. Приходится слишком много писать — это ужасно. Надеюсь, что у тебя все хорошо и ты счастлива. Напиши мне, пожалуйста, и пришли фотографию. Твоя мать звонила мне. Видимо, у нее все в порядке. Люблю, целую».

Письмо заканчивалось детской размашистой подписью Ричарда. Пандора услышала приближающиеся по тропинке шаги Моники, увидела, как та левым плечом распахнула дверь в коттедж.

— Мне досталось два пунша. Один я купила сама, а другой мне взял какой-то парень, которого зовут Чак. Слушай! Каких же здоровых ребят они фабрикуют в этой Флориде.

— Ма, тебе не кажется, что ты уже не в том возрасте, чтобы интресоваться всем этим?

— Для того чтобы влюбляться, человек всегда бывает в правильном возрасте, — ответила Моника, не выпуская сигареты изо рта.

Затем она принялась описывать неуверенные круги по комнате.

Глава двадцать четвертая

Пандора прекрасно понимала, что с приездом на остров Моники образ ее жизни не мог не измениться. Чтобы угодить матери, она стала, например, надевать платье и ходить в маленькую белую церквушку у залива Пиз Пот. Пастор этой церкви был очень добрый человек, он всегда говорил со своей паствой о тех вещах, что были ей близки и понятны. Однажды он рассказал своим прихожанам о пожаре, в результате которого семья, проживающая в доме, осталась без крова, призывая собрать деньги для погорельцев. Несчастные стояли в центре церкви, их опаленные волосы все еще пахли дымом вчерашнего пламени. Пандора была удивлена и тронута тем, что и ее мать после проповеди положила на поднос пожертвований двадцатидолларовый билет.

В следующий раз вся паства молила Господа о дожде. Сначала миссис Джули Джонс спела «Вековой камень», потом под аккомпанемент маленького пианино все подхватили песню-гимн Артура Блисса* «В этих водах похоронена моя душа», сложенную автором над тем местом, где утонули его жена с тремя дочерьми. Под звуки гимна перед глазами Пандоры вставали картины того, как это маленькое церковное пианино везли на остров через опасные рифы в лодке, полной скитальцев, преследуемых за какие-то грехи, совершенные ими в прошлой жизни.

---

* Блисс Артур (1891—1975), английский композитор и дирижер.

Все прихожане один за другим благодарно жали руку Монике, приглашали на все подряд церковные мероприятия. Возвращаясь после службы в гостиницу рядом с Пандорой, она недоумевала.

— Подумать только, Пандора, какие симпатичные люди, — говорила она, звучно затягиваясь очередной сигаретой. — Я, конечно, никогда не могла бы так, как они, пристраститься к церковным службам. Но посмотри на эту миссис Джонс! Какой у нее голосище! Знаешь, она могла бы спокойно петь в передачах «Христианского телевидения».

— Мне кажется, ма, что она вполне счастлива и без этого.

Прошла неделя. Пандора всюду следовала за Моникой, ходила вместе с ней по магазинам, помогала выкапывать из куч предлагавшихся там безделушек подходящие сувенирчики для знакомых матери, клиенток ее парикмахерской.

— Кстати, я еще обещала Маркусу и его маленькой женушке привезти ей в подарок кусочек черного коралла.

— Тогда тебе лучше подобрать что-нибудь в форме креста. Это ей подойдет, в ее-то положении.

— Да брось ты, милая. Не будь такой ревнивой. Маркус был тебе хорошим мужем. И со мной он всегда был очень мил. — Моника вздохнула, стирая выступившие на лбу капли пота. — А какие у него прекрасные манеры! — Потом она бросила взгляд на Пандору и решила дальше не развивать эту тему. За прошедшую неделю она стала-таки наконец понимать, что ее Пандора понемногу начинает совершенно по-своему воспринимать окружающую действительность. «Должно быть, так на нее влияют эти отвратительные девки, с которыми она здесь общается», — решила про себя Моника.

— Слушай, эта твоя подружка Джанин, — заметила

она, — ведь она всего-навсего бездарная дешевая проститутка.

Это лишь рассмешило Пандору.

— Ты ошибаешься, ма, она очень даже хорошая проститутка. И прекрасный мой друг. В субботу мы с ее любовником Окто поедем на рыбалку, охотиться на марлина. Пока нас не будет, чтобы ты не скучала, я записала тебя на стрижку. Ну, а вечером ты приглашена на коктейль в дом губернатора, после чего там же состоятся танцы на пляже. — «На том же самом, — с приятным удовольствием вспомнила Пандора, — где я впервые встретилась с Беном».

Лицо Моники радостно вспыхнуло.

— Как здорово, дорогая!

«Боже мой, — обрадовалась и Пандора, — и мне тоже наконец выпадет денек отдыха». У Пандоры, обязанной каждую ночь укладывать мать в постель, не оставалось в эту неделю никаких сил для Бена. Каждый вечер он ждал ее возвращения, сидя в кресле-качалке на веранде, окутанный серым облаком отпугивающего комаров дыма, с упаковкой пива в переносном холодильнике у ног.

В один из таких вечеров, заметив с ведущей к хижине дорожки Бена, замершего в привычной позе, Пандора поразилась тому, как он может сидеть вот так, без движения, целыми часами, устремив взгляд куда-то вверх, в небеса.

— О чем ты думал сегодня? — спросила она, когда он принял ее в свои объятия.

— О морском окуне. Сейчас его время. Смотри. Видишь круг воды вокруг луны? Значит, пойдет дождь. Но в субботу все равно будет хорошая погода для охоты на большую рыбу. Катер Окто, конечно, старый, однако в его двигателе достаточно мощности, чтобы давать хорошую скорость. К тому же этот катер привык к здешним морям и рифам. Окто и я будем охотиться. Если же ты будешь делать то, что скажет тебе Джанин, то ты увидишь, что у нас будет хороший шанс поймать действительно большую рыбу.

Пандора недвижно лежала в объятиях Бена. Где-то в горах ей слышался бой барабанов. «Вероятно, Джанин там, наверху, вместе с Окто, молится о голубом марлине», — подумала женщина.

— Скажи честно, каково твое мнение о моей матери? — спросила она Бена. — Я знаю, что ты только мельком ее видел, но все-таки, что ты о ней думаешь?

Бен покачал головой.

— Трудно сказать, Пандора. Я часто вижу здесь женщин, они приезжают, чтобы позаниматься сексом и подводным плаванием. Сначала все они говорят, что им очень хотелось бы жить на этом красивом острове и вести, подобно местным жителям, такое же чудесное существование. Но потом им это наскучивает, они возвращаются в свои городки и города, а дни, проведенные здесь, вспоминают лишь изредка, и тогда им приходит в голову мысль: а не зря ли они уехали отсюда, может быть, стоило остаться на острове навсегда. У твоей мамы на лице написана грусть. Она, как катер, проигравший гонку. Не знаю, чего она хотела добиться в жизни, но это у нее точно не получилось.

— То, чего она хотела, не смогла ей дать и я. Думаю, собственно, я была ее единственным и последним шансом. И я этот шанс провалила в полном смысле слова. Странно, но именно на этом острове, где все друг другу родственники, словно большая семья, но именно здесь я стала понимать, что, как бы ни складывались отношения в семье, родственники все равно должны принимать друг друга такими, какие они есть. Поэтому сейчас я уже совсем не злюсь на мать. Я начала замечать, что она стареет и чем-то здорово испугана. Она, правда, пытается вести себя хорошо. Например, до сих пор она даже не попыталась ухлестнуть за Чаком, даже не согласилась пропустить с ним стаканчик-другой. Хотя очевидно, что она ему страшно нравится. Что касается меня, то, знаешь, раньше я вообще не обращала внимания на эту сторону ее личности. Ведь, наверное, все эти ее смешки да шуточки были просто показухой для ее парикмахерской аудитории. Потом-то, из парикмахерской, она все равно должна была возвращаться в одну из тех ужасающих квартирок, где жила вместе с отцом, вечно где-то пропадающим, занятым на той или иной железнодорожной работе. Жизнь, вероятно, и для нее была не очень уж веселой.

Бен открыл еще одну банку пива.

— Да, вероятно.

Вокруг них повисла плотная, полная запахов тишина. В ней сочетался запах свежего моря, поднимавшийся с мягкой кожи Бена, и острый аромат лосьона «Амбр Солер», втертого в плечи Пандоры. Единственным звуком, доходившим до их ушей, был скрип качелей, двигавшихся в такт движению голой ноги Бена. Это мерное движение укачивало их, прижавшихся друг к другу телами и губами. Бен мягко коснулся глубокого, нежного изгиба ее открывшегося влажного влагалища. Она же стала ощущать под своими осторожными пальцами приливы и отливы крови в его плоти. Их ласки продолжались до того мгновения, пока он вдруг не понял наступления момента ее страсти, когда она, как большая рыба, устремилась вдруг из глубины вверх к яркому лунному свету, покрывающему поверхность всего моря, что лежало вокруг них. Она поднялась, он последовал за ней, они легли, задыхаясь от счастья, в объятиях друг друга.

— Почему это не может продолжаться вечно, Бен?

Бен поднялся, поднял Пандору, и они пошли через пляж к морю. Накатившие волны едва достали до их коленей.

— В фильмах, Пандора, да в книгах это может продолжаться вечно.

— А в жизни?

— А ты как думаешь?

Пандора бросилась в волны, вода сомкнулась над ее головой. Она поняла, что плачет, повернулась лицом к ночному небу. Слезы все текли и текли по щекам.

— Но я сейчас так счастлива, Бен. Я ведь никогда не буду так счастлива!

— Слушай. — Бен лег рядом с ней на волны. — Слушай бой барабанов.

Барабаны прекратили свой жалобный, словно о чем-то моливший, звук. Теперь они пели. Вслушавшись, Пандора различала их песню.

— Это материнская песнь, — пояснил Бен. — Ее пела, подыгрывая себе на панцире ушной раковины, мать Окто. Редко кто-либо слышал эту песню.

— А о чем она?

— О, это старая песня, она об этом острове, у которого есть свои сети, в них попадают многие, и остров учит их, как быть счастливыми сердцем. — Он положил руку на грудь Пандоре. — Жить, это значит двигаться вперед. Живя, ты все время с чем-нибудь расстаешься. Но расставаться надо не без радости.

Пандора лежала, качаясь на волнах. Она знала, что однажды бой барабанов уже дарил мир и покой ее душе. Поэтому и сейчас она намеревалась оставаться недвижимой до тех пор, пока эти же мир и покой не проникнут, как яркий коралл, в ее сердце и не защитят его от боли и злых человеческих рук. Тех рук, что хотели вырвать из ее души целые куски и обречь ее на одинокое, обездоленное существование. На это Пандора согласиться теперь не могла. Она не собиралась совершать больше ошибок.

Женщина обхватила ногами талию Бена, и они сплелись в воде в нежной любви, как две прозрачные медузы, переливающиеся голубыми и пурпурными цветами в лучах восходящего солнца.

Глава двадцать пятая

Суббота выдалась прекрасным, жарким днем.

— О, срочно дай мне кофе, Пандора. У меня голова просто раскалывается!

Пандора поставила кофейник на огонь и, усевшись рядом, стала ждать знакомого запаха жареных зерен ямайского кофе «Блу Маунтин». Появившись, он заполнил всю кухню и смешался с другими ароматами, идущими от соленых морских волн. Тысячи разных запахов витали вокруг: кофе, моря, гнилых мертвых водорослей, растаскивающихся по всему пляжу маленькими крабами и мухами.

Они напомнили Пандоре о тех больших катерах и лодках, что прошлым вечером она видела входящими в главную бухту острова. Главный портовый причал бухты был небольшим и представлял собой, скорее, огромную цементную глыбу, высовывающуюся из воды.

Бен объяснил, что когда-то в старые времена островитяне просто свалили в одно место все старые здоровенные автомобили американских марок да залили эту гору цементом.

— Туда же бросили еще одного-двух человек, которых на острове не жаловали.

Кофе закипел.

— Некоторые из катеров, пришедших из Флориды, выглядят весьма внушительно, Бен, — беспокоилась Пандора.

Он улыбался в ответ.

— Ага, но они не знают местные воды так, как их знаем мы. И это знание будет работать на нас. Собери в дорогу что-нибудь перекусить.

Пандора быстро собрала сумку с заправленными карри ямайскими мясными лепешками. Бен мог поглощать их дюжинами. Прибавила к этому две коробки пива. На этом сборы успешно завершились.

Моника с утра была занята в салоне красоты Триш, поэтому Пандора могла свободно распоряжаться собой весь предстоящий день. На подходе к главной бухте было уже припарковано множество машин, из которых выгружались приехавшие на праздник семьи. Женщины с прическами, пестрящими ярко-красными лентами, визгливо отдавали всяческие команды своим мужьям. То там, то здесь мальчишки просили, чтобы и их взяли на лов. Окто терпеливо объяснял своим маленьким друзьям, что это невозможно, потому что в море надо будет работать очень-очень быстро, так как смертельным мог стать любой захлест лески удилища, не позволяла ни на секунду отвлекаться и вероятность яростного, убийственного укола или удара со стороны тех огромных рыб, на которых пойдет охота.

На Джанин были джинсы и красная майка. Вопреки обычаю, сегодня она явно сосредоточилась на том деле, которым предстояло заниматься.

— Надеюсь, мы поймаем большую рыбу, — сказала она, обняв Пандору.

Окто молча наблюдал за подготовкой к соревнованию. Три катера, стоявшие у причала, выглядели серьезными конкурентами. Напротив, расположившийся рядом катамаран явно уже ни на что не претендовал: он разорвал себе брюхо рифом при входе в бухту.

На причалах все пропиталось смрадом, несшимся из ведер с приманкой. У каждого рыбака приманка была из собственной смеси. Мать Окто, Блоссом, как и обещала, приготовила особое варево, включавшее различные эссенции из коры горных деревьев и гор-

...ых цветов. По слухам, один из участников соревнования — Конрад — за большие деньги купил у мисс
Мейзи несколько пинт рыбьих голов, содержавших в
себе гаитянские заклятия вуду и, по преданию, при-
носящих удачу в лове. Мисс Рози, правда, рассмеялась, когда Бен сообщил ей об этом. Она обняла внука
и сказала, что самая большая рыба все равно достанет-
ся лучшему. Бабушка тоже пришла к причалам в про-
хладное голубое утро нового дня.

Три больших катера из Флориды стартовали первыми. Конрад со своей командой снялся раньше Окто,
который, казалось, дожидался того момента, чтобы
большинство соперников скрылись за горизонтом. Пандора уже привыкла к Окто, поэтому ее удивляли любопытные взгляды, которые бросали на него туристы,
плотными рядами окружившие место отбытия катеров. Любопытство это было вызвано не столько гигантскими габаритами мужчины, сколько ранами, изуро-
довавшими его лицо, а также длинными, свисавшими
почти до пола ручищами, делавшими его так похожим
на гориллу. Сегодня он был без майки, и густые волосы на его груди и плечах сверкали на солнце.

— Я приготовила ему красную майку. Он наденет
ее, как только усядется в кресло с удилищем сражаться
с большой рыбой, — доверительно сообщила Пандоре
Джанин. — Пока же майка ему ни к чему — Окто
слишком потеет.

Пандора видела, что Бен нервничает. Он стоял
рядом, беспокойно потирая руки.

— К концу дня, если будет на то Божья воля, —
сказал он, — руки будут ныть от напряжения.

Фрегаты дрались друг с другом в небе, то и дело
один из них срывался вниз и, хлопая четырехфутовы-
ми крыльями, пытался выхватить что-нибудь из остав-
шихся на причалах ведер с приманкой. Ведра дожида-
лись еще не подоспевших участников соревнований,
чьи небольшие катера Пандора только что заметила
приближавшимися вдоль главного рифа.

Из островитян в море ушел пока только Конрад. Остальные готовились. Пандора провела на острове уже достаточно времени и теперь знала большинство катеров и их владельцев.

Наконец Окто, сидевший до сих пор на высоком стуле у огромных рыбьих весов, встал. Окружавшая его людская толпа инстинктивно отпрянула. Мужчина огляделся, потом громко крикнул:

— Поехали, Джанин! Пора поймать эту рыбину! Бен, возьми ведра. Пандора, не забудь пиво.

Старый катер Окто сидел низко в воде. На его боку красовалось имя «Блоссом», в честь матери. С некоторым чувством вины Пандора вдруг поняла, что не так, как Окто, уверена в их победе, в том, что они выиграют главный приз соревнований. Слишком уж целеустремленными, такими сверхоснащенными по последнему слову техники показались ей те три катера из Флориды. Прошлым вечером их владельцы даже позволили желающим взглянуть на оборудование своих катеров. Из чувства солидарности Пандора отказалась участвовать в этих экскурсиях. Моника, в сопровождении Чака, напротив, съездила с удовольствием и вернулась потрясенная.

— У них там есть все, что надо, — сообщила она, устраиваясь за столиком в баре. — Даже туалет с ванной и цветной телевизор в гостиной. Подумать только!

— Но, Моника, им все же предстоит ловить рыбу, а не смотреть телевизор, — поддразнивал ее Чак.

Моника в ответ лишь улыбнулась, и Пандора отметила, что ее мать очень помолодела за те несколько дней, что провела вдали от прежней своей жизни в штате Айдахо.

Сейчас, забравшись на борт катера, Пандора с удовольствием осознала, что сделала это ловко, не упав и даже не поскользнувшись. И Бен теперь уже не должен был больше с беспокойством следить за ее

250

продвижениями по катеру. Она пробралась на камбуз и запихнула бутылки пива в холодильник, располагавшийся под мойкой. Еще на камбузе были большая плита для приготовления пищи и две широкие длинные лавки, на которых можно было как сидеть, так и спать. Штурманский столик находился чуть выше, за отодвигавшейся загородкой. На корме катера располагались два широких сиденья с мощными пристяжными ремнями. Кое-где сквозь прохудившуюся материю торчал конский волос.

Высоко, по центру катера, так высоко, что порой Пандора начинала сомневаться в их устойчивости, крепились штурвал и рычаги управления. Когда только велся поиск рыбы, катер мог управляться и с такой большой высоты. Однако, если схватка с большой рыбиной завязывалась действительно нешуточная, сподручнее было уже вести катер из главной кабины управления, расположенной позади двух кормовых кресел.

Двигаясь с поразительной скоростью, Окто отдал швартовы. Джанин умело приняла и сложила кольцами канаты. Бен еще раз проверил длинные удилища, стоявшие в специальных креплениях. В катушках каждого из двух удилищ было по несколько сотен футов толстой лески. Катер качнулся под ногами Пандоры и медленно отошел от причала. Раздались приветственные возгласы собравшейся толпы, вопли обожающих Окто мальчишек.

— Скоро на старт подойдут еще несколько лодок с Большого Яйца, — заметил Окто. — Ну, а мы пока что немного оглядимся, проверим, чем у нас тут сегодня можно будет поживиться.

Первый час их катер шел вперед медленно и лениво. Окто и Бен, потягивая пиво, развалились в кормовых креслах.

— Никто не желает мясных лепешек? — предложила им Пандора. Ее голос, прозвучавший как-то удивительно по-городскому, нарушил установившуюся было тишину. Она волновалась, что на голодный желудок мужчины могли быстро опьянеть. Груда пустых пивных банок становилась все выше, к тому же под мойкой она заметила еще пару бутылок с текилой. Джанин поймала ее взгляд, улыбнулась и кивнула. Пандора отправилась за лепешками, хотя понимала, что, вероятно, все ее беспокойство было лишь следствием непонимания ситуации. Пусть так. Она была всего лишь одной из того бесчисленного женского рода, что всегда, во все времена, беспокоятся за своих мужчин.

Окто впился зубами в сдобренную специями мякоть мясной лепешки.

— Сама приготовила? — спросил он недоверчиво Пандору.

Та кивнула.

— Мисс Рози научила меня этому.

— Пандора теперь хорошо готовит островные блюда, — подтвердил Бен.

Они продолжали плыть и, как поняла Пандора, чего-то ждали. Но чего? Спросить она не решалась, считая, что это может спугнуть удачу, так же, как если наступить на трещину в асфальте.

Окто вздохнул.

— Пусть другие разбрасывают свои приманки. А мы подождем и увидим, в каком месте всплывет голубой марлин. Эти рыбы очень умные. Марлин знает, что человек, много людей ищут его, но он сам решит, когда появиться и начать схватку, которую он так любит. А может, он решит, что не будет драться. — С этими словами Окто взобрался на возвышение, к штурвалу. Вдруг он показал рукой на запад. — Вон он, вон там выпрыгнул марлин!

Пандора взбежала на возвышение и встала рядом с Окто.

— Видишь? — Окто зажал ладонями голову Пандо-

ы и повернул ее в нужную сторону. — Смотри. Не
дыши, а то пропустишь его прыжок.

И она увидела. Изо рта у марлина торчал крючок с
одного из флоридских катеров. На какое-то мгновение
рыба встала на хвосте над волнами. На леске ее про-
тащило за катером, двигатель которого яростно наби-
рал обороты. Большой марлин изогнулся дугой и нырнул. Когда он уходил вниз, солнце блеснуло на его
чешуе иссиня-серебряной вспышкой.

— Да, это большая рыба, я полагаю так, — пробормотал себе под нос Окто. — Сейчас он пойдет на
глубину. Давайте посмотрим, сумеет ли он сорваться с
их крючка.

Окто и Бен по очереди следили за схваткой в
бинокль.

— Это не рыбак, а турист, — заключил Окто. — Он
слишком торопится. Они там на катере устанут быстрее, чем рыба.

Мимо проскочил Конрад. На ходу он бодро бросил:

— Заклятье Мейзи точно мне здорово помогло! Я
уже вытянул двадцатипятифунтового тунца. А у вас
какие результаты?

Окто перегнулся через поручни.

— Пока никаких. Мы ждем марлина.

Пандора переводила взгляд с Окто на Бена. Она
вновь уловила в них поразительную способность к
терпеливому ожиданию. Даже Джанин, всегда такая
подвижная, словно заряженная на действие, сейчас
спокойно прогуливалась по палубе, стуча каблуками и
запивая пивом мясную лепешку. Маленькие катера
сновали вокруг, то и дело вытягивая мелкую рыбешку.
Чайки ссорились с олушами. Фрегаты пикировали на
катера, но получали на них достойный отпор со стороны мальчишек, вовсю орудовавших метлами.

— До чего же наглые вороватые птицы, — вздохнул
Бен.

— Но зато они красивые, — возразила Пандора, наблюдавшая за тем, как над их головами пронесся огромный фрегат-самец, издавший глубокий призывный клич. Раскрасневшееся от страсти подбрюшье птицы свидетельствовало о том, что его мысли были заняты совсем не рыбой.

Окто громко расхохотался.

— Бен, ты становишься уж слишком откровенен. Мы ведь все воры на нашем острове. Мой дед был пиратом. Он зарабатывал на жизнь пиратским промыслом на водах отсюда и до Ямайки. Сейчас, правда, полиция особо нас не трогает. Сегодня мы чисты. И это хорошо — чувствовать себя чистым. Одному Богу известно, может быть, скоро я вообще оставлю свой бизнес, сменю образ жизни, женюсь на моей Джанин, обзаведусь домом, семьей.

Джанин, чей взгляд вдруг вспыхнул, склонилась над креслом Окто и поцеловала его в большие изуродованные губы.

— Ты правда думаешь это сделать, Окто?

— Слушай, — ответил он, взял ее гибкую, с длинными красивыми пальцами руку и приложил к своей груди. — Слышишь мое сердце?

Джанин кивнула.

— Оно бьется для тебя, — сказал Окто, — только для тебя.

Пандора почувствовала, что сейчас расплачется. Придет ли когда-нибудь день, когда то же скажет и ей какой-нибудь мужчина? Когда-то она поверила, что такого счастья достигла с Ричардом, но на деле их счастье оказалось лишь облаком, иллюзией. Сам Ричард, конечно, иллюзией не был, но представление у Пандоры о нем сложилось именно иллюзорное, и это с самого начала мешало ей трезво смотреть на вещи.

Бен, почувствовав перепад в настроении Пандоры, обнял ее за плечи.

— Когда-нибудь, Пандора, ты приедешь на этот

остров вместе с мужчиной, которого будешь любить.

— Ну а ты, — усмехнулась Пандора, — ты женишься на какой-нибудь островитянке, родишь с ней шестерых детей. Причем выберешь себе такую, которая не будет ругать тебя, когда ты время от времени станешь готовить свое любимое блюдо из моллюсков.

Вокруг ничего особенного не происходило, если не считать того, что катер к востоку от них упустил-таки того марлина. На другой лодке, позади них, напротив, поймали акулу и сразу за ней еще несколько больших морских окуней.

— О'кей! — вдруг скомандовал Окто. — Все, пора прекращать жрать и баловаться текилой. Пришло время браться за дело. Я чувствую удачу, моя кровь бурлит от приближения той самой рыбы.

— Знаешь, а он прав, — прокомментировала команды Окто Джанин, вытаскивая куски льда из холодильника. — Чем больше он выпивает текилы, тем лучше он чует рыбу. Иногда мне начинает казаться, что Блоссом умудрилась забеременеть от одного из этих человекорыб, что, по преданию, водятся в наших местах.

— Я понимаю, о чем ты говоришь, — признала Пандора. — Меня тоже поражают его глаза. Они могут смотреть в любую сторону, причем один независимо от другого.

— Такой вот он — мой Окто. — Джанин покраснела. — Я знаю, это прозвучит глупо, но, если он и правда так решил, мы с ним можем быть очень счастливы.

Женщины заполнили ящик льдом и банками пива, положили туда же бутылку текилы и потащили все наверх, на открытую палубу.

Солнце уже висело низко над горизонтом, а они поймали лишь трех барракуд, четырех небольших тунцов и одного морского окуня. Пандора тоже участвовала в лове и даже вытащила нескольких рыб-попугаев, о чем, правда, тут же сильно пожалела. Уж очень красивы были эти создания. Жалость заметно спала, однако, когда одна из рыбок вдруг больно вцепилась ей в ногу. Бен рассмеялся.

— У нас их еще называют «старыми женушками». Уж очень плохо себя ведут, когда попадаются. Зато удивительно вкусные.

Пандоре было жарко и душно. Большинство лодок и катеров уже возвращались, солнце шло к закату. Пока что Пандоре все нравилось, если бы только не такая жара и не необходимость постоянно напряженно работать. Окто и Бен влили в себя огромное количество текилы, запивая ее пивом. Окто громким голосом рассказывал какие-то истории, время от времени прижимая к себе Джанин, которая спешила ответить на его ласки необычайно страстными поцелуями. Пандора уселась на колени Бена. Он выпил много, хотя, конечно, гораздо меньше Окто. Сама же она только время от времени пригубляла пиво.

— Мне еще надо будет идти с мамой на коктейль к губернатору, Бен, — оправдывалась она. — Поэтому я не могу пить текилу.

Бен ухмыльнулся.

— Слава Богу, мне не надо идти туда. Нас, негритосов, как они нас кличут на Большом Яйце, туда не приглашают. Хотя почему это какой-то там англичанин может мне указывать, что я должен делать, а что — нет. — Бен любил порассуждать на эту тему. На этот раз, правда, его прервал громовой вопль Окто.

Пандора еще с детских своих снов представляла рыб невинными жертвами злой людской воли. Ей не могло даже прийти в голову, что в какой-то момент рыба сможет привести ее в ужас, в самый примитивный, первобытный ужас. Именно такой оказалась реакция Пандоры, когда вдруг гигантское тело вырвалось из волн. Ей показалось, что в длину рыба точно уж была больше их катера. Особый же ужас внушал не столько размер рыбины, сколько застывшая в ее холодных круглых глазах ненависть, жажда сразиться с тем существом, что стоит на пути и мешает добраться до пищи, которая раньше была легкодоступна этому рыбьему владыке в его территориальных водах и которой теперь его почему-то лишали. Рыбина хотела получить вкусную приманку и вполне готова была биться насмерть за лакомый кусочек. Ведь она была, как-никак, голубым марлином — королем Карибского моря, и никакая паршивая лодчонка с упившимся текилой экипажем, состоящим из странно выглядящих двуногих существ, просто не могла помешать ей в достижении поставленной цели.

Бен вскочил со своего кресла и бросился к штурвалу. Рыбина выпрыгнула опять, чтобы с ходу уйти на глубину, но Окто так сильно рванул леску, что сорвал весь маневр марлина. Тот опустился в воду как-то неуверенно, ушел под днище катера. Окто рванул удилище еще раз.

— Держитесь, девчонки! — прохрипел он. — Сейчас он попытается уйти. Это, правда, лучше, чем если бы он попытался протаранить дно нашего катера. Я ему отпущу немного лески.

Рыбина как будто прочла мысли Окто и всплыла бок о бок с катером. Громадный хвост рассекал волны. Пандору охватила паника. Она была уверена, что марлин сейчас утащит их с собой на дно.

Окто разразился страшными ругательствами по адресу неожиданной выходки рыбины. Какое-то время человек и рыба не отрываясь смотрели друг другу в глаза. Потом, громко пропустив воздух сквозь жабры, рыбина ушла вниз.

— Все, он попался, Бен! Крючок сидит прочно. Он не соскочит. Теперь все дело в том, на сколько у него хватит сил.

По мнению Пандоры, сил у рыбины хватило очень надолго. Марлин снова и снова взмывал в воздух, Окто вновь и вновь выбирал леску. Временами он отдавал удилище Бену, а сам отходил к бортику помочиться. Окто был в своей стихии. Для него все потеряло значение — женщины, Бен, катер, остров, все. Важным оставался только он сам и эта рыбина. Пандора вдруг поняла, что ему было даже наплевать, принесет ли победа над этой рыбиной первый приз в соревновании или нет. Речь шла о большем, о схватке между голубым марлином и человеком, рыбаком. Ставкой в борьбе как для рыбы, так и для человека были не только честь всех их предков, но и достоинство, а то и существование потомства. Происходила одна из битв в череде тех, что начались еще до того, как европейцы начали записывать историю этих карибских островов.

Солнце почти совсем скрылось в море, когда рыбина наконец сдалась. Никто не говорил по этому поводу ничего торжественного. Просто Окто допил последнюю бутылку текилы и произнес:

— Ну, а теперь, мой друг, я приглашаю тебя к себе.

Мускулы его огромных рук страшно напряглись. В плечах что-то хрустнуло, но выдержало. В последний раз острый плавник резанул по волне. Окто подтянул рыбину, привязал к борту катера, и они двинулись в бухту.

Мужчины так устали, что оказались уже неспособны сами отвязать марлина, и предоставили это право толпе желающих, собравшихся на причале. Марлина тут же потащили взвешивать.

— Четыреста двадцать пять фунтов! — заорал Конрад. — Этот самый здоровый!

Пандоре пришлось поспешить, чтобы успеть в гостиницу за матерью.

— Я скоро вернусь, — шепнула она Бену, который в полном бессилии полулежал в пришвартованном катере.

— Беру их на себя до твоего прихода, — успокоила Джанин, — сейчас им надо поспать. Меня и прочих официанток не зовут обслуживать прием в губернаторском доме. По этому случаю они привозят белых девушек с Большого Яйца.

В душе гостиничного номера Пандора смыла с себя запахи рыбы и газолина, надела вечернее платье, поправила прическу.

Моника пребывала в говорливом настроении и вообще была довольна собой. Триш немного облегчила копну ее волос, выстригла все следы прошлого «перманента», что придало лицу матери куда более молодое и доброе выражение.

Вместе они подошли к поместью губернатора, встали в очередь приглашенных, ожидавших возможности приветствовать хозяев коктейля. Губернатор только моргнул глазами с сторону Пандоры, однако подчеркнуто любезно пожал руку Монике, которую этот факт буквально привел в экстаз.

— До сего момента я ни разу не здоровалась за руку с важными персонами, — призналась она.

Пандору же весь вечер разбирала злость. Ей было противно смотреть на этих самоуверенных британских экспатриантов, на то, с каким напыщенным видом они входили в губернаторские покои, жали вялую руку губернатора, кланялись его замухрышке-жене. Она напоминала Пандоре заводную куклу, то и дело повторявшую: «Как прелестно! Да что вы говорите! Как я рада видеть вас, дорогая!»

«Что за фарс! — думала Пандора. — Бездарная уродливая пьеска на колониальные мотивы, разыгрываемая на этом далеком островке». Она слышала все более громкие возгласы широко представленных на коктейле учителей. Их голоса, сначала звучавшие преимущественно в главном зале, быстро расползлись по другим помещениям губернаторского дома. Угощения гостям разносили голубоглазые блондинки, специально привезенные по такому случаю с Большого Яйца.

Как же далеки друг от друга две части населения этого маленького острова, размышляла Пандора. С одной стороны, местные жители, которые привели своих расфуфыренных жен и сами облачились в лучшие платья, тщетно пытались улучить минутку и поговорить наконец со своим губернатором о вполне реальных, насущных проблемах жизни на острове. С другой же стороны, по мнению Пандоры, находились все эти экспатрианты, конечно же, принимавшие лишь на словах участие в осуществлении программ, направленных на повышение грамотности местных жителей, но на практике только дожидающихся завершения своих двухгодичных контрактов, чтобы поскорее убраться восвояси. При этом они обосновывали провал своих преподавательских усилий чем угодно, но только не отсутствием у себя желания преподавать. Обо всем этом Пандора знала от двух учителей, которые действительно ответственно относились к работе. Как раз эти двое на коктейле стояли обособленно, в стороне: прочие представители учительского корпуса откровенно чурались их.

На острове жило несколько чрезвычайно богатых семей, понастроивших себе большие дома. Они всегда пользовались соревнованиями по ловле марлинов, еще называвшимися «миллионнодолларовой рыбалкой», чтобы на время открыть двери своих поместий и закатить пару-тройку шикарных коктейлей. Ни одна из этих семей, однако, не питала к самому острову ни малейшего интереса и не вкладывала ни пенса в его развитие. Вопреки этому обстоятельству, губернатор был с ними предельно внимателен, жал руки, не обращая и взгляда в сторону маленьких депутаций, нижайше просивших о финансовой поддержке тех или иных нужных острову проектов, например, об улучшении авиасообщения Малого Яйца с внешним миром.

— Пошли, Моника. — Пандора почувствовала, как и ее кто-то обнял за плечи. Это оказался Чак. — Давайте-ка отобедаем на халяву за счет этих беспардонных бюрократишек с Большого Яйца. Как вы на это смотрите, а? — Пандора и так понимала, что вынуждена будет, по крайней мере, отсидеть здесь с матерью весь сегодняшний обед. Участие же Чака, по ее мнению, должно было немного скрасить эту скучную перспективу.

Пока они поглощали одно за другим подававшиеся блюда, в том числе курицу с соусом карри и жареные бататы, Пандора с удивлением заметила, что Чак, как он ни пытался скрыть это постоянными выкриками и шуточками, видимо, действительно испытывал удовольствие от общения с ее матерью. Да и Моника в присутствии Чака чувствовала себя удивительно раскованно. При нем она не испытывала нужды задираться или, напротив, подыскивать какие-то защитные аргументы. Особенно забавляло Монику грубоватое, слишком прямолинейное восприятие Чаком жизненных проблем. В то же время, сам Чак, казалось, был готов отказаться в угоду ее мелочным капризам от многих своих дурных привычек. Так, заметила Пандора, при Монике он совершенно перестал пить пиво из горлышка бутылки.

После кофе, но еще до произнесения завершающих речей, Пандора предпочла исчезнуть. Она была уверена, что Бен к этому моменту, конечно же, уже ушел. И все же ей страшно хотелось застать их на причале всех троих — Бена, Окто и Джанин. Она сняла туфли на каблуках, помянула недобрым словом натертые ими мозоли и побежала прямиком к бухте.

Выбежав из-за поворота, она увидела, что зрители уже давно разошлись. Луна стояла высоко в небе, бросая холодный свет на огромную рыбину, все еще свисавшую с крюка весов. Подойдя ближе, Пандора разглядела Окто, сидевшего на высоком стуле рядом с весами. Могучими руками он обхватил голову мертвой рыбины.

— Это была чертовски хорошая схватка, друг, — приговаривал Окто. — Чертовски хорошая схватка.

Тут только Пандора поняла, что Окто плачет.

Она прошла на цыпочках к катеру, где нашла Джанин и Бена, сидевших в лунном свете.

— Что с Окто? — спросила пораженная Пандора.

— Он победил, — медленно выговорил Бен. — Окто победил. Теперь он должен жить дальше. И это причиняет ему боль.

Джанин притянула Пандору к себе.

— Слушай, отведи-ка Бена домой. А я здесь подожду Окто. Чуть позже он придет в себя, и я смогу накормить его.

Пандора помогла Бену подняться. Вместе они прошли мимо рыбины, отливающей серебром в лунном свете. Оба глаза рыбины словно все еще смотрели на Пандору. Этот марлин уже больше не выйдет на бой. Но в мире еще предостаточно существ с такими же глазами, готовыми к бою. Норман, Маркус. Вот только ко у Ричарда были совсем другие глаза.

Глава двадцать шестая

Сны Пандоры в эту ночь сменялись один другим. Сначала привиделась большая рыба, потом Маркус, воспоминания о котором заставляли беспокойно ворочаться и стонать во сне. Еще ей вспоминались те рыбы, что они с Ричардом видели в реке около Девона, где отдыхали от суматохи бостонского существования, от напряжения журналистской работы мужа. Эти воспоминания были гораздо счастливее.

Ночь тянулась бесконечно. Бен, однако, ни разу не проснулся. Он так устал, что лежал совершенно неподвижно на спине. Пандора же несколько раз вставала, в основном потому, что сны казались ей очень уж реальными и она думала, стоит ей не подняться на ноги и не пройтись, один из снов может просто поглотить ее, утопить навеки в своем ужасе.

После столь прекрасно проведенного дня вид великолепной рыбы, свисавшей с крюка на причале, разбудил множество не до конца осознанных страхов в ее душе. Сама Пандора порой удивлялась, почему она всегда так непросто воспринимала окружающее, что во многом осложняло ее жизнь. Ведь и у других ее сверстниц бывали вздорные мамаши, но другие девочки просто передергивали плечами и продолжали жить своей нормальной жизнью. Других женщин тоже, случалось, били. Некоторые, как и Пандора, впадали в фатализм, принимая судьбу такой, какая она есть. Например, женщины, которых Пандоры встретила в лечебной группе Маркуса, тоже соглашались терпеть большую часть того, что он им навязывал. Некоторым это даже нравилось. Но ведь никто из этих женщин не вышел за Маркуса замуж. Только Пандора. Почему же, черт возьми, она вышла замуж за Маркуса? С этой мыслью Пандора проследовала на веранду, держа в руке чашку благоухающего кофе.

До восхода оставалось еще часа два, ночь была прохладной, на темном небе сверкали звезды. Звезда Пандоры блистала ярче остальных. «Маркус раскусил меня с первого взгляда», — думала Пандора. Он сразу понял причины ее страдания, слабостей, отметил раны ее души. Не ускользнули от него и ее достоинства. В основном эти достоинства были там, где она воздвигала в своей душе линию обороны против атак матери. Что же касается страданий Пандоры, ее переживаний, то Маркус сразу отметил, что вызваны они, конечно, уходом отца и последовавшей потом катастрофой с ее первым браком. Но в целом Маркус увидел в Пандоре женщину весьма доступную той психологической лепке, которую он задумал.

Сам Маркус тоже, конечно, был не совсем нормальным. Маленьким мальчиком он мучил животных. Эта информация всплыла лишь на суде, но, вероятно, еще ухаживая за Пандорой, он с радостью понял, что его невеста исключительно подходящий объект для издевательств. Желание физически покалечить жену у Маркуса, вероятно, всегда было и, видимо, он частенько задумывался над тем, не сломать ли Пандоре ногу, тем более что она достаточно терпеливо переносила боль. Она была словно муха, которых он ловил когда-то, выдергивая затем одну за другой их лапки.

Пандора сносила его сексуальные атаки без звука. Гораздо труднее было ей отворачиваться и прятать от мужа глаза, полные слез. Это случалось, когда он, отходя от очередного приступа пещерной ярости, начинал вдруг страшно ругать ее. При этом Пандоре часто казалось, что Маркус прав, ведь он, как-никак, был психиатром.

Такого рода развлечениями ее муж занимался за семейными обедами в их собственном особняке. Пандора терпеть не могла этих обедов. Прислуга подавала им блюда, а затем уходила из дома. И тогда медленно, сквозь зубы Маркус начинал говорить Пандоре все, что он о ней думал. Обороняясь, она пила все больше и больше вина. Со временем монолог Маркуса иссякал, поскольку тема ему наскучивала. В начале таких обедов перед ним сидела симпатичная, хотя и немного нервная женщина, с пышными волосами, обрамлявшими лицо, и неспокойными зелеными глазами. А несколько часов спустя, когда она превращалась в какое-то дряхлое существо, словно бы вытряхнутое из своего панциря и мало понимающее, что с ним происходит, Маркус приказывал убираться в постель.

— Я поеду прогуляюсь, — говорил он в таких случаях. — Ты мне надоела.

С большим облегчением слышала она стук дверцы его автомобиля и шуршание шин по гальке у подъезда и медленно, держась за стены, пробиралась к своей спальне. Часто Пандору тошнило от выпитого вина, а потом накатывала нервная дрожь, сотрясающая все ее тело. К счастью, всего этого Маркус уже видеть не мог. Вот в таком состоянии Пандору впервые и встретил Ричард. Это была даже не женщина, не человек, а просто пустая коробка со страшно поцарапанными боками...

Пандора вздохнула и допила кофе. Последнее время она все чаще думала о Ричарде. Жизнь на острове, конечно, очень помогла успокоиться ее душе. Теперь даже отношения с матерью стали вполне сносными. Однако понять свое отношение к Ричарду она так до конца и не могла. Наверное, надо спросить совета у

Джанин. На этом удобном решении Пандора поставила чашку из-под кофе в мойку и опять легла в постель рядом с Беном.

Пандора была весьма удивлена, когда утром увидела мать, завтракающую в компании Чака у бассейна. Они так увлеченно беседовали, что Пандора сначала не решилась их прерывать. Потом, правда, аппетитный запах бекона и яичницы взял свое, она подвинула третий стул к их столику и села.

Моника подняла на дочь невинный взгляд.

— О нет. Это все совсем не то, о чем ты думаешь, — сказала она. — Чак и я замыслили стать партнерами в бизнесе здесь, на острове. Правда, дорогой? — Моника по-хозяйски положила руку на локоть Чака.

— Конечно. Твоя мама и я подумываем о том, чтобы открыть тут салон красоты, используя при этом профессиональный опыт Моники, накопленный у вас там, в Айдахо. Что же касается меня, то я буду продавать мои подводные фото и снаряжение для плавания. Что ты об этом думаешь?

Пандора взглянула на них обоих и рассмеялась. Мать, как обычно, роняла пепел с сигареты на скатерть, а Чак был облачен в свои традиционные полупрозрачные плавки из желтой «ламе». Золотые цепочки, которыми он был увешан, сверкали на солнце, волосы цвета пакли стояли дыбом.

— Так значит, вы тут всю ночь так и проторчали за обсуждением проблем бизнеса?

— Ну, не всю ночь, — признала Моника. — Со времени коктейля мы успели еще переодеться, если ты заметила.

— Это я заметила. Да, пожалуй, этому острову еще один салон красоты вовсе не повредил бы. — Пандора мигом проглотила свой завтрак, чмокнула мать и бегом отправилась на поиски Евы.

К причалам она прибежала тяжело дыша.

— Привет, Ева. Вчера у меня выдался просто замечательный день, а только что я позавтракала с мамой и Чаком. Они так здорово ладят! Я просто не могу в это поверить.

— А вот я могу. Твоя мать как раз та женщина с сильным характером, что может справиться с Чаком. И, в некотором смысле, Чак тоже будет способен позаботиться о ней.

— Я даже поцеловала мать на прощание сегодня утром. Знаю, это звучит по-детски, но я как-то совершенно естественно наклонилась к ней и чмокнула, как будто бы я всю жизнь только так и поступала.

Ева улыбнулась.

— На карибском острове может случиться все, что угодно. Особенно на Малом Яйце. А теперь давай вытащим снаряжение и двинемся в путь. Мне так хочется опять оказаться под водой.

Теперь уже и Пандора во многом освоилась под водой. При этом она не спешила, погружалась медленно, постепенно, с оглядкой. А вдруг покажется какой-нибудь призрак большого голубого марлина, которого, кстати, уже сняли с крюка весов в бухте? Пандора знала, что марлина продали одному флоридскому ресторану, и, как она считала, это был недостойный конец для столь великолепного воина. И все же, а вдруг марлин где-то здесь и наблюдает за ней из неподвижной глубины.

Они двигались к Пиратской стене, месту, где скалы обрывались вниз на глубину в многие тысячи футов. Когда они дошли до этого места, Ева подняла вверх большой палец, и Пандора, оторвавшись от камней, начала свой полет. Она была невесома и свободна, единственным звуком вокруг был шум выходящих из аквалангов пузырьков воздуха. Пандора то устремлялась резко вниз, то затормаживала движение. У отвесной стены в одном месте она заметила подозрительно застывшую мурену. Половина ее туловища была скрыта в норе, зубы сверкали в неодобрительном оскале. На этой глубине рыб было гораздо меньше, но царили тишина и свобода. Пандоре показалось, что именно здесь к ней пришло то ощущение, которое всегда раньше от нее ускользало, — ощущение себя. Это чувство давно не посещало ее. «Давно или никогда?» — задала себе вопрос Пандора, тщетно пытаясь вспомнить. Воспоминания, нахлынувшие на нее, дали ответ на вопрос: это чувство посещало ее, когда ей было двенадцать лет от роду, а потом оно ушло, вместе с уходом отца, держа, так сказать, отца за руку. И потом это чувство больше уже никогда не возвращалось. И вот только теперь, когда рядом была лишь Ева, в сердце Пандоры вернулось удовлетворение и этот высокий покой, покой созерцания. Созерцания чего? Может быть, того, что стало ей понятно только здесь, — бесконечности. «Вероятно, — подумала Пандора, — так ощутить бесконечность можно, только еще стоя на луне. Потому что та сила, что создала эти извороты скал, должна была быть поистине непостижимой». Замерев рядом с творением этой силы, Пандора впервые приблизилась к тому пониманию, которое пока что постичь ей было не суждено. Наконец именно здесь, в этом месте, она почувствовала, что в ее животе проснулась жизнь.

Ева делала ей знаки. Пора было подниматься наверх. Две женщины радостно взглянули друг на друга сквозь стекла масок. Всплывали они медленно, так, чтобы избежать кессонной болезни. Пандора благодарила этот остров. Приезд сюда оказался лучшим из поступков, совершенных ею когда-либо.

Глава двадцать седьмая

Еве пришло время улетать.

— Мы здорово провели время, Пандора. Ты была прекрасной напарницей.

— Спасибо, Ева, за все то, чему ты меня научила. — Пандора крепко обняла подругу. — Теперь мне придется искать другого напарника.

Ева ухмыльнулась.

— Ну что же, Чак не может им стать.

Пандора удивленно раскрыла глаза.

— Почему это?

— Да потому, что я видела, как сегодня утром он записался в пару к твоей матери.

— К маме? Ты уверена?

— Ага. Они оба были этим очень довольны.

— Уж не думаешь ли ты, Ева, что они серьезно смогут сойтись?

Ева пожала плечами.

— Знаешь, с моим стариком мы сошлись после того, как я многие годы провела в убежденных холостячках.

Пандора помахала Еве, когда ее аэроплан, хлопая полостями маленьких крыльев, пролетел над хижиной Бена. Ева возвращалась в свой обычный мир, к магазинам, городскому шуму, людям, не знающим ничего друг о друге. Пандора ни капли ей не завидовала. Потому что сама собиралась заняться куда более захватывающим делом — сбором раковин. За несколько ночей до этого с юга дули сильные ветры, поэтому она решила отправиться на южное побережье острова, где располагался и дом мисс Рози.

Ступая босыми пятками по пляжу, Пандора набрела на мистера Логана. Старик стоял, печально прислонившись к своей маленькой рыбачьей лодке. Левой рукой он закрывал глаза, зубы его отбивали дробь. Когда Пандора приблизилась, он отодвинул два пальца и глазами человека, выпившего за свою жизнь гигантское количество рома, уставился на нее.

— Ты дамочка, что зовут Пандорой?

Пандора кивнула.

— Да, — ответила она весело, надеясь, что ее веселье хоть как-то скрасит его тяжелое похмелье.

— Хорошая ли ты христианка?

— Надеюсь, что да. — Пандора немного удивилась такой постановке вопроса. Она уже привыкла к прямоте в разговорах островитян, но старик Логан даже среди местных выделялся способностями к пьянству и блуду. Поэтому Пандора невольно относилась к нему чуть настороженно.

— Подойди-ка сюда, сядь, девочка. Я расскажу тебе о том, что случилось прошлым вечером. Я был в баре, вместе с друзьями. Мы играли в домино. И вдруг эта бездельница, негритоска с Ямайки по имени Сандра...

Пандора нахмурилась. Она терпеть не могла, когда о ком-либо из ямайской общины острова так зло отзывались. Мистер Логан, однако, был слишком увлечен своим рассказом, чтобы это заметить.

— ...подошла ко мне и обозвала членолизом и лжецом. — По подсчетам Пандоры, мистеру Логану должно было быть около восьмидесяти. Тем не менее на лице старика от нахлынувших воспоминаний появилось выражение, сочетавшее страх и гнев.

— А потом она еще сказала: «Ох, мистер Логан, извините, я не хотела вас обидеть, это было бы грешно, потому что вам и так скоро помирать». Помирать? — удивился я. — Кто это сказал, что я собираюсь помирать. А она отвечает: «Да я была на днях у мисс Мейзи, и она на вас заклятье, обеа, наложила». Мол, извините, мистер Логан, но вам просто не следовало тогда изменять мне с этой Дульсией.

— А вы и вправду ей изменили, мистер Логан?

Мистер Логан кивнул, при этом по лицу его пробежала хитроватая улыбка.

— А как я мог поступить иначе, если Дульсия спряталась в грейпфрутовых кустах позади бара и окликнула меня, когда я шел домой полный рома и жажды любви? Женщина хочет любви, и мужчина тоже ее хочет.

— Но вы же в то время уже были с Сандрой, мистер Логан?

— Знаю. — Мистер Логан обхватил голову руками. — В общем, я спросил мисс Мейзи, снимет ли она с меня свое заклятье. Она отказалась. За это я двинул ей по зубам.

— Но это вряд ли помогло вам, мистер Логан.

— Вот я и думаю, может, мне надо сходить к преподобному Хевгуду и рассказать ему обо всем. Может быть, он отпустит мне грех, и тогда заклятье спадет само собой?

Пандора тщательно обдумала проблему старика.

— Вполне возможно, все так и получится. Преподобный Хевгуд очень громко читает свои проповеди, так что если он отпустит вам грехи, то Бог может и услышать вашу просьбу и простить вас.

— Ты так думаешь?

— Я уверена, — сказала Пандора с удивительной твердостью в голосе. — Мы все ошибаемся, но и все мы получаем прощение. Но для начала, мне кажется, вам следовало бы сходить к мисс Мейзи и попросить прощения у нее.

Мистер Логан ухмыльнулся.

— Что? Пойти с извинениями к этой старой ведьме?

— А почему бы и нет? Возможно, никто в жизни перед ней ни разу не извинился. Потому что все слишком боятся ее.

— Ну что ж, мисс Пандора, я последую совету и пойду к ней, сяду ей на колени и чмокну ее в носик.

— Сделайте это, пожалуйста, мистер Логан.

«Надо же, — думала Пандора, продолжая свой путь по пляжу, — людям за восемьдесят, а они все еще только о сексе и думают, только им и занимаются. Возможно, это из-за местного климата».

Она остановилась у маленькой мелкой лагуны, выдолбленной в горной породе словно динамитным взрывом. От лагуны к морю через скалы уходил канал. Она опустила голову в воду и сразу же заметила на песчаном дне «лейс мюрекс». Пандора взяла в руки эту редкую раковину. Счастливая находка обрадовала ее. Хотя та забавная встреча с мистером Логаном и так улучшила ее настроение.

Вскоре Пандора проголодалась. Но Бен был занят — он давал уроки подводного плавания в бассейне гостиницы. Так что Пандора решила его не беспокоить, а отправиться проверить, как там поживают посадки мисс Рози.

Выйдя на пляж рядом с домом мисс Рози, Пандора услышала, как та раскалывает раковины на кухне. На будущие выходные к мисс Рози приезжали родственники с Большого Яйца. Оставшиеся в живых дети мисс Рози обзавелись семьями и работали на большом острове.

Старушка продолжала вызывать у Пандоры восхищение. Она просыпалась каждое утро в четыре часа, купалась в море и только затем начинала свой день.

Пандора окликнула мисс Рози из-за пальм.

— Это я, Пандора. Я пришла повидать вас, можно?

Мисс Рози вышла к ней, вытирая руки фартуком.

— Как раз вовремя, — сказала она. — Я только что приготовила цыпленка, горох и рис на обед.

Пандора присела за стол, а мисс Рози продолжила свое занятие.

— Мисс Рози, как вам удается достать моллюсков из раковин?

— А вот так. — Женщина взяла новую раковину, размахнулась устрашающего вида мачете и прорубила трехдюймовую дыру на одном из конусов. Потом взяла кусочек проволоки и через образовавшуюся дыру осторожно выволокла моллюска наружу. — Молодые и неопытные хозяйки запихивают моллюсков в морозильник, ждут, пока они умрут, и только потом вытаскивают из раковин. Молодежь ведь всегда ищет в жизни легких путей.

— А разве плохо иметь в доме стиральную машину, плиту и тому подобное?

— Я и сама стираю в машине, но все белье я все равно сушу на улице. Солнце сушит и очищает вещи лучше, чем горячий воздух. К тому же я люблю снимать сухое белье с веревок, люблю чувствовать под ладонями выбеленное солнцем белье.

— Я понимаю, о чем вы говорите, — сказала Пандора. — Я тоже стираю наши с Беном вещи в машине, не пользуясь сушкой, так как тоже предпочитаю сушить их на солнце.

Мисс Рози передала Пандоре тарелку с горячим цыпленком, горохом и рисом. Соус чили придавал блюду удивительный аромат.

— А вы ведь не только чили сюда положили?

— Нет. Еще я добавила сюда зерна Пимана, которые прислала одна моя кузина с Ямайки. Это как те зерна, что бывают в больших перцах, вкусно, да?

Пандора кивнула.

— Знаете, мисс Рози, ваш остров просто удивительный. Здесь куча всяких храмов, полных прихожан, молящихся одному Богу. И в то же время на острове живут мистер Логан, капитан Лоренс и им подобные, нещадно пропивающие собственную жизнь. Наконец, сюда заявляются все эти туристы, притаскивающие с собой свои вредные привычки. Не знаю, вероятно, когда вы были девочкой, все тут было по-другому — тишина, покой, мир, да?

— Да, здесь было гораздо спокойнее. Люди были богопослушными. Но у нас, например, совсем не имелось врачей, о лечении болезней мы знали лишь то, что приносили нам с гор знахари. Чаем из розмарина мы лечили жар. От того же жара использовали отвар из листьев лихорадочного растения. Верхнюю листву папаевых листьев применяли для лечения почечных болезней. Но особенно много женщин умирали при родах. Зимой, когда катера и лодки не могли подходить к острову, а море было слишком неспокойным для лова, все население острова голодало. Кое-кто делился своими припасами с остальными. А некоторые и не делали этого. Вот мистер Джонс запирался в своем магазинчике и один расправлялся с провиантом, что доставался ему от миссионеров. А вокруг все ели коренья маниоки. Еще я помню, как ходила на северную часть острова за плодами сливовых пальм для моей матери. Жизнь была гораздо сложнее, но порой мне кажется, что она была и счастливее. — Мисс Рози вздохнула. — Не знаю, дитя мое. А ты выглядишь намного лучше.

Пандора съела все, что было у нее на тарелке.

— Может быть, и не лучше, но точно уж толще.

Мисс Рози кончила колоть раковины и принялась отделять белое мясо моллюсков от черно-синих кишок.

Пандора продолжала наблюдать за ней.

— А как вы думаете, — спросила она осторожно, —

женщины из других мест могут приехать на вот такой маленький остров и устроить здесь свою жизнь?

Мисс Рози понимающе посмотрела на Пандору.

— Те, кто с прочих островов, иногда здесь приживаются, но не женщины из больших стран. Они через какое-то время заболевают тут островной лихорадкой и уезжают. Порой они увозят с собой и наших мужчин, но те вдали от острова тоже долго не выдерживают. Их начинают раздражать обувь, море как бы проникает им в кровь. Случаются депрессии, им снятся их родина, морские черепахи, косяки морских окуней, наша островная еда. Мистер Логан рассказывал мне, что доплыл на своем корабле до самого Китая. Но и китайская кухня, по его словам, не могла сравниться с блюдами, что готовим мы на Малом Яйце.

— Пожалуй, вы правы, мисс Рози. Я здесь счастлива и хотела бы остаться на острове. Но при этом я знаю и то, что я все еще замужем за Ричардом и хочу, чтобы мой с ним брак был счастливым. Я не знаю, что делать. Он пишет мне оттуда письма о том, какой он несчастный. Я, со своей стороны, тоже много о нем думаю. В общем, я в тупике и меня это страшно «достает».

— Ох уж этот твой американский жаргон! — Последняя фраза Пандоры почему-то очень позабавила мисс Рози. — Мы, на нашем острове, говорим в таких случаях, что каждый должен плыть на своем собственном каноэ.

— Вот это верно, мисс Рози. — Пандора усмехнулась, полностью согласная с тем, что сказала старая женщина. — Я собиралась спросить у Джанин, нет ли у жителей вашего острова какого-нибудь способа, для того чтобы, ну, как бы начать что-то с самого начала. Например, мою жизнь с Ричардом, и сделать все так, чтобы избежать прежних ошибок. В Америке такие проблемы люди пытаются решить с помощью психиатров, которые, якобы, должны все за тебя в этом смысле сделать. Я, однако, не думаю, что смогу вновь попытаться решать свои проблемы через врача.

— Ну, здесь есть пещеры сновидений. Они расположены как раз на краю большого утеса. Джанин может все о них тебе рассказать, тем более что эти пещеры появились у нас с прибытием на остров переселенцев с Гаити. Тебя специально готовят ко входу в такую пещеру, и ты там остаешься до тех пор, пока твое сновидение не завершится. Чаще всего туда водят слабоумных, но ты-то ведь не слаба умом.

— Нет, конечно, мисс Рози. Я слаба сердцем. Я похожа на эту раковину, что нашла сегодня. В меня, как в нее, можно заглянуть и ничего там не обнаружить. Помните в Библии ту часть, где рассказывается, как Иисус изгонял злых духов. Он изгнал их, но потом сказал, что если не заполнить места, где они, эти духи, были, то туда вернутся другие злые духи. Вот так бывало и со мной. Я пускала в свою душу, в свою раковину других людей. А они захватывали там все, вытесняя меня саму. Меня там не оставалось, царствовали только те, чужие, люди. Так вот, сейчас я должна изгнать из моей раковины Ричарда, найти саму себя, и только потом я хочу начать думать о моем муже, как об отдельном от меня человеке, о другой личности. Вы понимаете меня?

Мисс Рози кивнула.

— Да, понимаю, — ответила она.

— А если пойти в эти пещеры сновидений и в снах вновь пережить ту часть своей жизни, что тебя так беспокоит, можно ли будет таким образом что-либо изменить в этой жизни или нет?

Мисс Рози задумалась, потом ответила.

— Не совсем. Видишь ли, ты сама сказала, что потеряла себя. Ты сейчас как бы человек, от которого не падает совсем никакой тени.

Пандора кивнула, она начинала понимать, к чему клонит старушка.

276

— Да, а в пустые раковины могут забраться все, кому вздумается... К тому же, ты говорила, что перестала ощущать себя, потеряла себя, еще когда была маленькой девочкой.

— Да, вероятно, так оно и произошло. Я тогда стала представлять себе, что нахожусь где-то совсем в ином месте, вместе с отцом. Я просыпалась каждое утро, причесывалась, чистила зубы, смотрела на окружающий меня мир, но при этом была уверена, что сама я в действительности-то иду вдоль железнодорожных путей и беседую с папой, что в одной руке он держит свою обеденную корзинку, а другой рукой сжимает мою ладонь. В школе в монастыре мы все сидели на длинных лавках, похожих на шпалы. Так в моем воображении отец всегда и везде сидел рядом со мной, даже обедал рядом. Половина того, что бывало на моей тарелке, всегда предназначалось отцу. Никто этого не замечал, потому что монашки-воспитательницы за обедом были всегда слишком заняты чтением молитвенников. Так что мы сначала тихо обедали вместе с отцом, а затем шли в сад играть. Обычно мы сидели там вдвоем и читали расписания поездов, ходивших по всей Америке. Папа еще говорил, что человеческой жизни не хватит на то, чтобы изучить расписание всех американских поездов.

Так что потом, когда я сбежала вместе с Норманом, я просто позволила ему влезть в мою пустую раковину. Когда же он причинял мне боль, я была рада этому хотя бы потому, что таким образом я понимала, что живу и могу чувствовать. Когда я касалась головы, отдергивая от боли руку, я, по меньшей мере, знала, что пребываю все еще на этом свете. С Маркусом получилось немного по-другому. Когда он причинял мне сексуальную боль, я понимала лишь, что существую сексуально. Ничего другого это мне узнать не помогало. Я просто знала, что какие-то парни трахают меня, причем в основном те парни, которым на меня наплевать. Да и вообще секс может причинять очень большую моральную боль. Чувствуешь себя такой скверной и грязной. Становится страшно стыдно. Монашки-воспитательницы, безусловно, сочли бы это справедливым. Ну, и еще, Маркус просто доводил меня своими словами, своей презрительной руганью. Это великолепно у него получалось: *«Ты! Да посмотри на себя, какая ты инфантильная, беспомощная, никому не нужная...».*

Мисс Рози слушала печальную исповедь Пандоры, горько вздыхая. «Может быть, — думала она, — пещеры сновидений и смогут помочь этой женщине найти себя, ту несчастную девочку, что до сих пор путешествует где-то с покинувшим ее отцом. Может быть, пещера сумеет вернуть бедняжку в настоящее».

В голосе Пандоры явно послышались теперь нежные нотки.

— И еще, я очень хотела бы понять Ричарда. Он так долго носил на себе мою раковину, что, возможно, решил наконец-то сбросить ее и бежать для того, чтобы узнать, каково же его собственное «я». Меня удивляет другое — то, что с Ричардом мы действительно были счастливы вместе. А потом вдруг все сразу сломалось, распалось. Как бы то ни было, спасибо вам, мисс Рози, за то, что выслушали меня. Я мало кому все это рассказывала.

— Тебе как раз следует побольше говорить о своей жизни, Пандора. У всех у нас в душе есть тайники, секреты. Но, если все их держать внутри себя, не раскрывая никому, жизнь будет слишком грустна и тяжела. На-ка, держи свою ценную ракушку и иди с Богом.

Пандора зашагала обратно по пляжу. Она вдруг поняла, что в жизни еще никому не говорила о своем тайном общении с отцом. Ей и в голову никогда не приходило рассказать кому бы то ни было об этом, потому что она боялась, что отец тогда может исчезнуть из памяти.

278

Она наклонилась поднять еще одну похожую на шлем ракушку. Цвет ее был оранжево-коричневым, края же напоминали симметричные ряды зубов. Рядом с ракушкой валялась пустая пачка из-под сигарет. «Сегодня я спрошу у матери, где сейчас отец», — решила Пандора.

До сих пор Моника отвечала на такие вопросы однообразно и зло: «А зачем тебе знать, где находится этот никчемный босяк?»

Может быть, лучше всего спросить мать об этом в присутствии Чака, всегда настраивающего Монику на добрый лад.

Пандора медленно продвигалась по пляжу. Следом за ней по песку шагала тень, но она не была на нее похожа. Тень была высокая, стройная, широкоплечая. В правой руке тени покачивалась в такт шагам обеденная корзинка.

Глава двадцать восьмая

Моника была в хорошем расположении духа.

— Я перенесла свой отлет, — сообщила она приподнятым голосом.

Пандора попыталась изобразить удовольствие. Конечно, хорошо и приятно было сознавать, что они с матерью могли нормально разговаривать, а иногда и обнимать и даже целовать друг друга. Но все же Пандора очень хотела как можно быстрее вернуться к тому тихому, спокойному существованию, что они вели с Беном до приезда матери. Присутствие Моники воскрешало в памяти Пандоры много грустных и неприятных эпизодов ее прошлой жизни. А Пандора как раз хотела жить не воспоминаниями прошлого, а будущим. Именно поэтому, кстати, она так желала принять наконец твердое и ясное решение относительно своей связи с Ричардом.

Скоро подошло время так называемого «веселого часа», когда все обитатели гостиницы, «как воронье на падаль», слетались на бесплатные порции ромового пунша. Как всегда, громче всех слышался голос одного доктора, повествовавшего о последних своих рыбацких подвигах. Компании ныряльщиков активно обсуждали виденное накануне на подводных прогулках. Все эти сценки, предсказуемые детали поведения людей были уже очень знакомы Пандоре и во многих отношениях весьма ей нравились.

Она увидела Бена, шедшего к ней с широкой улыбкой на лице. Пандора улыбнулась в ответ. «Если бы только...» — подумала было она. Но не стала продолжать свою мысль, понимая, что сказанное однажды Беном было правдой. Как бы она ни любила этот остров, кроме него в жизни ей нужно было еще очень многое. Здесь она не сможет жить спокойно, в ее душе поселится неудовлетворенность, и тогда Бен перестанет улыбаться, морщины беспокойства лягут вокруг его глаз.

Пандора сидела рядом с Моникой и Чаком, все еще бурно обсуждавшими планы своего нового делового проекта. Время приближалось к восьми вечера, Пандора проголодалась и была немного на взводе от выпитого рома.

— Ма, — сказала вдруг она, удивившись собственной смелости, — а что все-таки случилось с папой? Ты когда-нибудь это выясняла?

Моника быстро взглянула на Чака, который с интересом подался вперед.

— Моника, ты и мне мало говорила о своем старике, — произнес он.

— Да и говорить-то нечего. — Моника зажгла сигарету. — Мы поженились молодыми, знаешь. Ну, я забеременела, а потом у нас, в общем, как-то не сложилось. Мы плохо друг к другу относились, вот однажды он взял свою обеденную корзинку, ушел и больше не вернулся.

Сердце Пандоры бешено колотилось.

— И что, он больше никогда не показывался? Так никогда и не сообщил тебе, где был и что делал потом?

— Ну почему же. Он звонил из разных мест. Иногда присылал открытки. В последний раз он дал о себе знать, когда работал в Аризоне.

— Значит, он еще жив, да?

— Да, конечно, твой папаша обязательно дотянет до ста лет.

Пандора поняла, что дальше расспрашивать пока не следует.

Она и так зашла настолько далеко, насколько хватило мужества. К тому же, как она поняла, Моника и сама хотела показать Чаку, что где-то у нее был еще и другой мужчина и что в ее отношении к Чаку главное чувство вовсе не какая-нибудь материнская привязанность.

Пандора заказала себе на ужин кусок мяса и задумалась над тем, что из себя в действительности могут представлять пещеры сновидений. Кажется, буддистские монахи жили в пещерах по многу лет, так что сама по себе идея не была чем-то совсем уж оригинальным. Монахини тоже, бывало, совсем удалялись от мирской жизни, укрываясь в монастырях. Но попытка вновь прожить все эти годы с Ричардом могла оказаться очень болезненной. Причем не столько из-за воспоминаний о каких-то физических страданиях, предательствах или разочарованиях, сколько из-за ностальгии по тем временам, когда им с Ричардом было весело и хорошо вместе. И все же попробовать следовало, хотя бы для того, чтобы иметь основания наконец принять однозначное решение. Недовольство в отношении Гретхен в письмах Ричарда становилось все очевиднее. Это обстоятельство радовало Пандору. Вот и сейчас она удовлетворенно откинулась на спинку стула, прислушиваясь к шуму моря.

Вокруг, под полосатыми зонтами, обедали прочие посетители бара. Маленькие ящерицы с загнутыми хвостами шмыгали по каменным стенам, совершая порой стремительные маневры с единственной целью ухватить упавшие на пол кусочки еды. Максин, повариха, глыбой стояла за стойкой бара и широко улыбалась. Ярко светила луна. «Мой отец жив, — думала Пандора, — так что я могу когда-нибудь его найти».

Ей вдруг показалось, что в окружающей ее плотной изгороди вдруг появилась небольшая брешь, сквозь которую сверкнул луч света.

Моника уже сильно опьянела. Она и Чак раскачивались на своих стульях, по любому поводу хлопали друг друга по спинам и дико хохотали. Они напоминали сейчас Пандоре персонажей из какой-то странной книги. Они как бы обеими руками держались за ту жизнь, которую кто-то для них придумал. Причем интересовали их не жизнь вообще и не какие-то отвлеченные чувства, а только их сиюминутные нужды и желания. Мир жил его заботами, а они — собственными. А свою скучную сущность персонажи пытались скрыть испуганными, надуманными шуточками да невеселыми смешками.

— Мне пора, малышка. — Чак в последний раз хлопнул Монику по плечу.

— Брось, Чак. Пойдем ко мне и еще повеселимся.

Чак на мгновение задумался. Для своих шестидесяти с небольшим Моника — бабенка, что надо! Хотя была и толстовата и пахла сигаретным дымом, она вполне могла дать ему много больше, чем те фригидные молодухи, которых он уже пытался тут «опрокинуть». К тому же с ней ему не надо было все время переживать, думая, достигла она оргазма или нет. Потому что такие, как она, обычно кончали раньше него. Но нет, сегодня у него иные планы, его ждал другой маленький, но аппетитный фруктик. У этого фруктика были здоровые упругие сиськи, а волосы на лобке, Чак в этом был убежден, были столь же белокуры, как ее шевелюра.

— Не-а, — ответил он. — У меня есть еще дела. Я должен помочь Сэму подготовить его «Морскую ведьму» к завтрашнему плаванию. А с тобой мы увидимся на втором погружении... Нырнем на пару!

Моника понимающе ухмыльнулась.

— Знаю я, куда отправился этот негодяй, — ворчала она, когда возвращалась в номер, опершись на

Пандору. — Он помчался трахать ту маленькую блондинку, что приехала вчера. Ох уж эти мужчины. Все они одинаковые!

Они подошли к двери номера. Моника попыталась было вставить ключ в замочную скважину. Посмотрев на ее тщетные попытки, Пандора мягко отобрала у нее связку, открыла дверь и подвела мать через холл к кровати.

— Не надо меня укладывать в постель, как какую-нибудь старуху, девочка. Побудь со мной еще немного. Давай что-нибудь выпьем. У меня в спальне есть еще бутылка ямайского рома, а это здоровский напиток.

Пандоре очень хотелось уйти, но она не смогла. В старые времена, до своего приезда на этот остров, она, конечно, извинилась бы и ушла. Но здесь, на Малом Яйце, люди поступали иначе, они привыкли проводить время в обществе друг друга. К тому же, в чем-то мать начинала даже нравиться Пандоре. Благодаря Чаку в Монике проснулась тяга к коллективным развлечениям.

— Этот старый козел, конечно, влезет на эту молодуху и здорово в этом плане подустанет. Увидишь, как он завтра будет ковылять. Его член будет болеть так же, как нос вождя каннибалов, проткнутый костью сожранного путешественника. И это пойдет ему на пользу.

— Ма, не все мужчины так уж плохи.

Моника тяжело плюхнулась на стул. Она налила в стаканы две большие порции рома, протянув один Пандоре.

— Конечно, они не так уж и плохи, дорогая. В них вообще нет ничего плохого. Они просто другие. В мое время детей так и воспитывали, нам говорили: «Шшш, у папы был плохой день в конторе», или «Не расстраивай своего папочку». Мужчины были богами. А теперь? — Моника пожала плечами и ухмыльнулась. Ее распухшие ступни отдыхали на прохладном полу. — Я тебе открою огромный секрет. — Моника отхлебнула еще рома. — Смотри не упади со стула. Я решила выйти замуж за Чака.

Пандора какое-то время не знала, что ответить. Потом спросила:

— А Чак знает?

— Ну, и знает, и не знает. Он знает, что у меня есть домик и кое-какие сбережения и что сам он без денег. Знает, что стареет и что нам хорошо вместе. А вообще-то я хотела бы сыграть свадьбу здесь, на пляже, под пальмами этой гостиницы. — Моника налила себе еще стакан рома.

— Но, ма, он же никогда не будет тебе верным мужем.

— Да и я тоже не буду ему верна. Увидишь, Пандора. — Язык Моники стал заплетаться. — Увидишь, мы с Чаком сможем здорово поладить.

— Давай я уложу тебя в постель, ма. Ты еле держишься на ногах.

Моника кивнула.

Когда Пандора поправляла подушку под ее головой, Моника вдруг чуть не расплакалась. Это было удивительно, потому что Моника редко проявляла слабость.

— Я должна тебе кое-что сказать, милая. Вернее, я должна перед тобой покаяться. — Моника всхлипнула. — Твой отец, — совсем пьяно говорила она, — твой отец никогда ничего с тобой не делал из тех вещей, о которых я тебе потом говорила.

Пандора выпрямилась рядом с кроватью.

— Так почему же ты постоянно мне рассказывала об этом? — рассерженно воскликнула она. — Почему ты это сделала, ты же нам обоим этим страшно навредила?

— Почему? Наверное, потому, что ревновала. Я ревновала, поскольку он так тебя любил с самого момента твоего рождения. Он любил тебя куда больше, чем меня. Посмотри там, в моей сумочке. Там его последний адрес. — На этом Моника уснула.

Пандора унесла открытку с адресом отца к себе домой. Отверстие в окружавшем ее темном густом лесу становилось все шире, а свет, через него пробивавшийся, все ярче.

Глава двадцать девятая

Она не стала будить Бена. Просто вышла одна на крыльцо хижины, села на качели и приложила к уху раковину, которую дала ей мисс Рози. Ей казалось, она слышит звуки далекого и холодного моря. Аризона... «Что я знаю об Аризоне?» — спрашивала себя Пандора. Она пожалела, что плохо учила в свое время географию, которую им в монастыре преподавала заумная коротышка-монахиня. Большую часть своей взрослой жизни эта монахиня провела в ограде высоких монастырских стен, но умела при этом так красиво рассказывать о землях Богом благословенной Америки, что завораживала всех учениц в классе. Всех, кроме Пандоры, мечтающей о совсем другом — о железных дорогах и паровозах, и желающей одного — чтобы ее отец был рядом.

Она чуть сильнее раскачала качели. Аризона, ах Аризона! Тут ей послышался голос Фрэнка: «В ту сторону идет длинная-длинная прямая дорога. Аризона более плоская, чем хвост бобра. В Аризоне во все стороны видно на много миль».

Завтра она обсудит это все с Джанин. Пандора действительно хотела наконец прояснить свои чувства к Ричарду, вновь пустить его в свое сердце или, напротив, изгнать его оттуда. Пока же он был просто занозой, которую ей никак не удавалось вытащить. При этом он писал то эйфорические письма, в

287

которых говорил, что все прекрасно, то письма безутешные, где звал ее вернуться.

Одно из этих писем лежало теперь перед ней. Наступало Рождество. Ричард собирался возвращаться в Бостон. Он понял, что ему никогда не удастся завершить роман. Так что он вновь решил вернуться к куда более динамичной жизни репортера. И еще он понял, что не любит немцев, так что Гретхен скоро вернется к Фридриху.

Пандора продолжала сидеть без движения. Слишком много событий происходило вокруг нее. Нужна была передышка. Например, несколько дней в пещере сновидений, чтобы мир вокруг нее немного пришел в порядок. Да, это было бы неплохо. Тем более что Пандора вполне доверяла Джанин и ее сестрам. Они смогут о ней позаботиться.

Медленно поднявшись, она вошла в хижину, легла рядом с Беном и расплакалась. Она поняла, что признания ее матери вдруг смыли жившие в ней ощущения грязи и вины. Раньше она как бы сидела за створными окнами и не могла из-за больших грязных разводов на них увидеть сад. А теперь вдруг — и это было просто потрясающе — стекла окон стали чистыми. Более того, она наконец узнала, где сейчас отец. Он перестал быть для нее тенью, став вновь живым человеком.

Пандора понимала, что должна быть очень зла на мать, ведь по ее вине отец и дочь столько лет не могли общаться нормально. Однако сейчас, глядя в лицо матери, она ощущала вовсе не злость, а, скорее, жалость и печаль. Пандора вспомнила тот день, когда ей исполнилось девять лет. Отец подарил ей голубое кружевное платье с плотной темно-голубой нижней юбкой, которая при ходьбе шелестела, как листва деревьев. Вместе с платьем отец принес ей пару черных блестящих туфель из настоящей кожи и белые гофрированные гольфы. Было 19 февраля — день ее рождения. Она, как обычно, пошла утром в школу, зная при этом, что вечером с работы отец обязательно принесет ей подарок. Мать же начала тот день недовольным фырканьем да возней с записями карточных партий. Тогда она очень разозлила Пандору. А сегодня она воспринимала это с бо́льшим пониманием: мать с отцом часто по вечерам играли в карты.

— Я принесу тебе торт после работы, — сказала тогда уходя Моника.

Пандора кивнула. Она знала, что торт этот ей придется есть одной, без друзей. И все же будущие подарки отца и этот торт страшно радовали ее. Поэтому весь день в школе она провела с широкой восторженной улыбкой на лице.

Моника, конечно, с работы торопиться не стала. Фрэнк, однако, пришел вовремя и принес в свертке подарки. Пока же Пандора бегала наверх в свою комнату их разворачивать, отец разжег камин в гостиной и вскипятил сверкающий медный чайник. Тем временем Пандора натянула подаренное платье, застегнула маленькие перламутровые пуговички, спускавшиеся от воротника к поясу. У платья были длинные рукава, каждый из которых заканчивался белой кружевной оторочкой. Оно было самым лучшим из всех, что приходилось видеть Пандоре. Она качнула бедрами, и тафтовая нижняя юбка ответила широкими всплесками. Пандора натянула белые кружевные гольфы, потом туфли. Побежала в ванную и взглянула на себя в зеркало. Она тщательно почистила зубы, пробежала гребешком по волосам.

— Я готова, па, — крикнула она с верхней ступеньки лестницы. — Закрой глаза и не подглядывай, пока я не скажу. — Степенно, осторожно Пандора спустилась вниз. На мгновение она замерла в дверях гостиной.

Отец задернул занавески на окнах, как бы отгородившись от серого февральского вечера. Огонь в камине бодро плясал. Он поставил большую поздравительную открытку на полку камина, рядом стоял пышащий паром чайник, как будто выражавший радость по поводу появления Пандоры в комнате.

— Теперь ты можешь открыть глаза, — сказала Пандора. Она поднялась на носочки, чтобы выглядеть как можно выше.

Лицо Фрэнка замерло и покраснело. Пандора хихикнула.

— Па, ты похож на мальчишку.

Ей даже показалось, что в его глазах блеснули слезы. Отец откашлялся, потом протянул к ней руки. Пандора обняла его, и они начали танцевать вальс. Раз-два-три, раз-два-три. Подол платья следовал за движениями девочки...

Тут послышались знакомые шаги, повернулся ключ в замке. У двери замерла тень матери, во все глаза уставившейся на них. Тот взгляд страшно напугал тогда Пандору. Теперь, однако, Пандора понимала, что это был взгляд нелюбимой женщины, родившей своему мужу дитя, которое он обожал. Это был непозволительный подарок. Фрэнк и Пандора замерли. Сердце девочки бешено колотилось.

— Я сейчас подам торт, Пандора. А ты иди наверх и сними это платье, ты можешь его испортить. Фрэнк, принеси угля для кухонной печи.

Пандора легла и задумалась о том, что такое человеческая память и почему она бывает такой многослойной. Что-то произошло многие годы назад и было ею не понято из-за ее возраста. А что, если и разрыв с Ричардом тоже является результатом такого же непонимания?

Джанин сверилась со своей картой и внимательно посмотрела на росший на горных склонах розмарин. Она, Джулия и Джейн водили Пандору по разным пещерам.

— Ты должна найти такую пещеру, где ты бы почувствовала себя уютно, — предупредила Джанин. — Где-то здесь ты найдешь такую пещеру, которая покажется тебе давно знакомой. Не торопись, ищи, постарайся сама обнаружить ее, несмотря на то что их сотни.

Каждое утро после своего очередного погружения Пандора уходила в горы на поиски своей пещеры. Сначала она боялась в одиночку идти по тропинке, вьющейся по густым зарослям горных джунглей. Но спустя несколько недель она поняла, что привыкла к окружающим звукам, голосам лягушек и кузнечиков. Еще она поняла, что жившие в горах живые существа, как и морские рыбы, имели каждое свою территорию, свои повадки. Когда-то, впервые приехав на этот атолл в Карибском море, Пандора чувствовала себя чужой. С тех пор многое, однако, изменилось: она подружилась с муреной, жившей в развалившемся корпусе затонувшего корабля, с одной собакой, которая всегда рада была получить от Пандоры кусочек курицы и позволяла за это трепать себя по могучему уродливому загривку, с целой компанией ящериц, всегда готовых сразиться друг с другом, защищая свое обиталище в том или ином месте горного склона.

Бен поддразнивал увлечение Пандоры поисками пещеры, но говорил при этом, что пещеры сновидений — это серьезно, что они издавна существуют на всех островах Карибов.

— На нашем острове, правда, они не пользуются большой популярностью, — признавал он. — Все потому, что у нас тут много храмов, а священники всегда старались прогнать с острова всяких там ведьм и колдунов.

— Я не вижу во всем этом ничего плохого. Мне просто хотелось бы найти подходящее место и побывать в такой пещере сразу же после Рождества, а потом я поеду к отцу. А следующим летом я вернусь сюда. И тогда, надеюсь, я буду знать, что мне делать дальше. А ты, Бен, что ты намерен делать в отведенные тебе жизнью сроки?

Бен рассмеялся.

— Мой ответ опять рассердит тебя, Пандора. Да, я знаю. Я останусь навсегда на этом острове. Я женюсь, заведу детей, буду ездить в Майами и всегда с радостью возвращаться сюда.

Пандора нахмурилась.

— Хотела бы я иметь столь же четкие ответы на вопросы о моем будущем. Иногда мне кажется, что все дело в том, что у меня слишком широкий выбор.

Они сидели на мысу, далеко выступавшем в море. Над ними пролетел фрегат, еле удерживавший в клюве огромную рыбину. Рыба вдруг сделала резкое движение, вывернулась из птичьей хватки и плюхнулась обратно в воду. Пандора засмеялась, глядя, как взбешенный фрегат тщетно попытался перехватить ускользающую добычу.

Пандора поднялась и стала наблюдать, как неудачливая птица взлетела на вершину утеса и устроилась там у теплых водных источников. Рядом с тем местом, где уселся фрегат, Пандора увидела небольшую пещеру. Она была похожа на маленькую комнатку, выстроенную в башне средневекового замка.

— Мне кажется, что эта будет моей пещерой, Бен, — с волнением в голосе проговорила Пандора. — Посмотри туда, наверх, она выглядит замечательно, правда?

— Во всяком случае, расположена замечательно высоко и добраться до нее будет замечательно трудно. Ты это имеешь в виду?

Пандора улыбнулась.

— Я готова мчаться туда наперегонки с тобой, — воскликнула она.

И они отправились вверх по склону, пробираясь сквозь густой кустарник. Тропинка становилась все круче и круче. Но это Пандору не смущало, ей казалось, что за спиной у нее появились крылья, а в груди гулял радостный ветер, несший ее вверх по горному склону ко входу в пещеру.

До пещеры она добралась первой, и ей пришлось даже какое-то время ждать запыхавшегося Бена.

— Что это с тобой? Ты что, последнее время усиленно занималась бегом?

— Нет, бегом я не занималась. — Пандора пригнула голову и вошла в пещеру. Здесь она смогла опять выпрямиться. Грот, вероятно, был выточен в скале океанскими водами миллионы лет назад. Потом же, когда горный утес вознесся над морем, вода покинула углубление, которое сама создала, стекла вниз, оставив пещеру весьма внушительных размеров. Пол грота был совершенно чистым, лишь в левом верхнем его углу Пандора обнаружила постороннего — висящую вниз головой летучую мышь.

С той высоты, на которую они забрались, окружающее остров море в любую сторону было видно на многие мили. Тропинка же, подходившая ко входу в пещеру, так круто уходила вниз, что из самой пещеры были видны лишь небъятное сверкающе-синее небо и море. Море тоже как бы смотрело на Пандору, сложенное из полей янтарно-зеленого цвета, из других полей, поражавших глубокой синевой. Кое-где эти поля прорывались шипами рифов, венчавших опасные коралловые скалы, чуть прикрытые смеющейся невинной белой пеной.

— Я бы очень не хотел, чтобы с тобой тут наверху случилось что-нибудь неприятное, — произнес Бен, глядя вниз на острозубые рифы. — Ведь, знаешь, не все твои сновидения будут хорошими, добрыми.

— Да уж, это точно, — подтвердила Пандора. — Но я доверяю Джанин. И к тому же, Бен, я должна сыграть свою роль до конца. Знаю, это звучит страшно банально. Все, кто сюда приезжает, со временем начинают жалобно твердить окружающим, что, мол, хотят «сыграть свою роль до конца», но при этом ничего особенного для этого не предпринимают. Но я-то как раз настроена решительно. Я хочу кое-чего добиться в жизни. Не богатства или знаменитости, нет. Я просто хочу быть любимой, Бен. Хочу найти кого-то, кто любил бы меня и кого я тоже могла бы любить, не боясь, не ожидая боли и предательства с его стороны. Разве не может такого быть, чтобы два человека просто любили друг друга? Заботились бы друг о друге?

Бен покачал головой.

— Я не знаю, — ответил он. — Так что, если ты все это узнаешь, ты обязательно и мне расскажи.

Взявшись за руки, они двинулись вниз по тропинке.

Глава тридцатая

Джанин сказала, что лучшее время для сновидений наступит накануне Рождества. Вместе с мисс Рози они пришли к такому выводу, в основном, учитывая поведение морских черепах. Особенно той из них, старого морского гиганта, что жила у подножия облюбованного Пандорой утеса. Усталый голос этой черепахи, проделывавшей в сутки многомильные переходы и неизменно возвращавшейся к вечеру на родной остров, часто слышали на Малом Яйце. Черепаха поднимала голову из воды и громкогласно выдыхала воздух могучими легкими. Ее звали поющей морской черепахой, а песнь ее считалась сигналом к началу приготовления волшебных снадобий. А это время, следовательно, было также лучшим и для магических сновидений.

Моника отнеслась к намерению Пандоры весьма скептически.

— Если ты не останешься с Ричардом, то тебе надо бы подыскать себе другого мужчину. Учитывая, что в этих делах тебе не везет, я бы посоветовала держаться того, кого ты уже нашла. Он хотя бы хорошо с тобой обращается и не бьет. — Так говорила Моника в аэропорту перед отлетом с острова. Чаку она обещала приехать сюда опять в следующем году. — Я чуть было его не захомутала, — доверительно сообщила она Пандоре, сопроводив эти слова обычным своим хриплым, прокуренным смешком. — Я, конечно, дорогая, не могу запретить тебе что-то делать. Да я и не вижу особого вреда от того, что ты проспишь где-то там несколько дней вдали от выпивки и сигарет. Напротив, наверное, из этой пещеры ты выйдешь в великолепном виде. — Моника помолчала, а затем добавила мягко: — И вообще, милая, я хотела бы поблагодарить тебя за великолепные каникулы, которые ты мне подарила. — Слезы потекли по ее щекам.

Пандора положила руки на плечи матери, крепко обняла ее.

— Все в порядке, ма. Сейчас все уже в порядке. Не волнуйся. Я позвоню тебе, как только выйду из пещеры, и расскажу, что и как там было.

— Знаешь что? — Лицо Моники раскраснелось, пошло пятнами, на губах заблестела слюна. — Ты хорошая девочка. Очень хорошая девочка.

Пандора в смущении переминалась с ноги на ногу. Все это так не походило на ее обычно холодную, скрытную мать. Прочие пассажиры посматривали на разворачивающуюся перед их глазами сценку и, вероятно, думали, что Моника пьяна. Пандора услышала объявление о посадке, обняла мать за талию и мягко провела ее в маленький зал ожидания. Там она достала платок и вытерла слезы Моники. Та продолжала шмыгать носом и моргать.

— Я думаю, что мы успеем выпить еще по стаканчику рома, а? — предложила Моника.

Тут они увидели Чака. Он стоял недалеко от них у стойки бара.

— Дамочка, а я как раз для вас тут приготовил то, что вам надо.

Пандора вздохнула с облегчением. Она еще раз обняла мать, потом повернулась и вышла из здания аэропорта.

Стоя у кромки зарослей ризофоры, что примостилась у самой взлетной полосы, Пандора с трудом, но могла различить очертания лица матери сквозь маленькое окошко на входной двери аэропорта.

Потом она долго махала рукой уносившему мать самолету. Махала до тех пор, пока тот не стал точкой в далеком небе над морем. Их с матерью примирение, как ни странно, позволило Пандоре больше не переживать по поводу того, что ее рождения когда-то не ждали, а ее саму потом не любили. Теперь мать стала ее союзником, а Пандора уж точно знала, что союзники в этом мире необходимы. В мире, где вокруг было столько ходячих мертвецов, получивших при рождении тело без души и рыскающих теперь по свету с одной единственной целью — отобрать у кого-нибудь его душу.

Эти мысли занимали Пандору по дороге к мисс Рози. Та оказалась, как всегда, рада ее принять. Мисс Рози была занята приготовлением своего знаменитого супа из рыбьих голов. Поблизости расположились несколько кошек, подставлявших солнечным лучам свои пыльные усы. Иногда старушка отрывалась от готовки и бросала маленькие кусочки рыбы все прибывающей кошачьей братии. И тогда все вокруг взрывалось душераздирающими воплями, коты бросались за добычей, выгнув пушистые спины, подняв торчком уши и хвосты.

— Джанин сказала мне, что ты решила скоро уснуть. — Мисс Рози перестала помешивать в суповом котле. — Ты сделала правильный выбор. Твоя пещера хорошая и просторная. Чистая, красивая и близко от Создателя. Но послушай меня, Пандора. Те, кто причинял тебе боль в жизни, постараются заставить тебя отказаться от твоей задумки, от сновидений, вообще от твоей мечты. Ты не должна покидать пещеру, что бы там ни происходило.

— Что ты имеешь в виду, мисс Рози, когда говоришь о «тех, кто причинял мне боль в жизни»? Во сне они же не смогут до меня добраться. Это же только сон, а не реальная жизнь.

— Все в нашей жизни реально, Пандора. Когда ты спишь и видишь сны, ты отправляешься куда-то в другое место, хотя тело твое остается там, где и было. А вот твоя «сенса», так мы зовем на острове душу, живущую вечно, так вот она может отправляться куда угодно. На этот раз твоя сенса должна будет остаться в тебе, потому что тебя будут навещать сновидения о прошлом. Придут и те, кто когда-то причинял боль, потому что в своих отвратительных черных сердцах они знают, что виновны, так как в свое время отбирали у тебя твою сенсу, которую ты будешь требовать вернуть. Они не отдадут ее без борьбы. Значит, будет борьба. Твоим главным противником выступит не твой первый мужчина. Он сейчас слишком занят нынешней своей жизнью. Но вот тот, второй, он плохой человек, и он попытается мучить тебя. Так что не выходи из пещеры, что бы ни произошло. Не выходи!

— А что я могу увидеть?

Мисс Рози покачала головой.

— Я тебе не могу этого сказать. Потому что если я скажу, то испорчу твои сновидения. — Она подняла голову от своего варева. — Сядь, — продолжала она и дала Пандоре миску уже готового супа. — В первый раз тебе мой суп не очень понравился, да?

Пандора покраснела.

— Нет, — призналась она. — Но тогда, несколько месяцев назад, я многое не любила. Теперь, мне кажется, я немного поумнела.

— Ты и тогда не была глупой, — успокоила ее мисс Рози. — Просто ты многого не знала. Жизнь в других местах так усложнилась, что люди перестают думать. Даже здесь у нас, с тех пор как появились телевизоры, желание думать пропадает. Все пялятся в телевизор с утра до ночи. И им уже кажется, будто то, что они там услышали — их собственные мысли.

Пандора разомлела под солнцем. Все же эта идея, на которой настаивала Джанин, что ей надо заснуть, весьма беспокоила Пандору. Мисс Рози заговорила о событиях, происшедших на острове накануне, а Пандора, прислонившись к могучему стволу пальмы, слушала ее и убеждалась, что жизнь не может быть лучше, чем та, которая есть у нее сейчас. К тому же завтра — воскресенье, и вся их компания намеревалась отправиться куда-нибудь на традиционный для обитателей Малого Яйца пикник.

Воскресное утро выдалось прекрасным для пикника. Отправляясь к морю на старом грузовичке, на который была погружена маленькая белая лодка Бена, Пандора и ее возлюбленный проехали мимо одной из местных церквей. Оттуда доносились голоса, в молитве обращенные к Богу. Пандора, однако, сказала себе, что всегда чувствовала себя ближе к Богу в море, а не в церкви. К тому же очень многие из тех, кто пел сейчас в церкви, спустя какое-то время последуют за ней и Беном к морю. И, наконец, узнай Преподобная Мать о том, что Пандора общается с духами и считает себя обладательницей сенсы, наверняка обвинила бы свою бывшую воспитанницу в идолопоклонничестве и приговорила бы к долгим годам чистилища, а то и к низвержению в ад.

По дороге к морю им постоянно встречались грузовички, груженные лодками и катерами, следовавшие в том же направлении. Обогнув очередной выступ прибрежной линии, Бен остановился напротив бара, где и спустил лодку на воду. Пандора проверила содержимое холодильника. Впереди них в море уходили вдаль четыре катера. Пандора и Бен подплыли к катеру и залезли на борт. Мужчина повернул ключ зажигания — двигатель включился моментально. Бен поднял якорь с обычного места, из-под одного из камней, лежащих на дне у берега. Пандора взяла штурвал и длинным уверенным маневром повела катер вдоль рифа, затем повернула его навстречу волнам. Катер радостно перепрыгнул через первую из них, потом через вторую. Двигатель работал без сбоев, демонстрируя готовность легко справиться с теми пятью милями, что ему предстояло преодолеть до назначенного места проведения пикника.

Пандора кивнула.

— Ты, Бен, можешь выпить пива, а я пока выведу наш катер за рифы.

Бен взглянул в ее маленькое решительное, загорелое лицо. «Как же эта женщина изменилась! — подумал он. — Теперь она может уже и катер провести между опасных рифов, и нырять, не испытывая страха...» При этом он понимал, что всегда видел в Пандоре все эти способности, еще не реализованные. Когда он ее впервые встретил, она была похожа на тех крошечных пурпурных насекомых, что жили повсюду на острове и всегда как будто приветствовали людей плавными движениями своих мягких ножек. При первом же неожиданном звуке, при первом шаге в их сторону они спешили, однако, скрыться в своих норках.

Теперь Пандора не выказывала никаких признаков слабости характера. Ее глаза больше ни у кого не испрашивали разрешения улыбнуться. Он надеялся, что сновидения помогут ей принять окончательное решение. Он искренне на это надеялся. Он знал ее лучше всех остальных. Ведь именно он провел с ней множество ночей, с печалью наблюдая, как часто и беспокойно ворочается она во сне. Даже когда она не спала, то иногда вопрошала вслух сама себя о том, какова же будет ее жизнь без Ричарда: «Что со мной станется? Смогу ли я жить без мужа?»

— Не думай об этом, — отвечал ей Бен, пытаясь разом прервать неприятный разговор. — Ты не обязана делать столь решительный выбор.

— Ты безнадежен, Бен. — Пандора обычно в этом случае швыряла в него подушкой, они сходились в шутливой схватке, потом мирились, чтобы заняться любовью.

Выходившие из-за рифов волны были огромны. Пандора приподнялась, вглядываясь в мелькавшие под ними клыки скал. Ей вспомнился совет мисс Рози. Она осторожно вывела катер подальше в море, оставив далеко позади опасные рифы, и лишь затем повернула к острову, где собирались участники пикника.

Но скоро солнце стало слишком припекать, несмотря на белый навес, закрепленный над головой. Тогда Пандора уступила штурвал Бену и, забросив в море леску с наживкой, уселась, глядя вслед стремительно убегающим вдаль пальмам Малого Яйца.

— Как ты думаешь, они и Малое Яйцо так же испортят, как испортили большой остров?

— Пожалуй, да, — ответил Бен. — Я слышал, что некоторые участки в северной части уже проданы американцам. Так что скоро у нас появятся свои «Биг Маки» и «Пицца Хат».

— А можно это все остановить, как ты думаешь?

Бен покачал головой.

— Нет, вряд ли... Среди прихожан наших многочисленных церквей есть, конечно, умудренные опытом хорошие люди, которые пытаются что-то сделать, но в то же время, — Бен горько ухмыльнулся, — один из виднейших наших прихожан как раз и занимается активной распродажей острова. Я не против того, чтобы люди приезжали к нам и пользовались вместе с нами тем, что имеем мы. Но я против того, чтобы кто-то превращал Малое Яйцо в шикарную игровую площадку, в место, куда можно будет приезжать для того, чтобы тут гадить: дурить голову островитянкам, портить наши рифы, напиваться, а потом убираться восвояси. Послушай, что говорят по вечерам перед отлетом все эти приезжие: «Вот доберусь до Нью-Йорка, расскажу всем своим друзьям, каких чудесных телок можно тут снять!», «Ром здесь дешевый, как грязь, а какое тут подводное плавание! И акул здесь можно увидеть больше, чем в Красном море!». Через какое-то время все эти откровения начинают звучать, как скучная, заезженная пластинка. Тогда я беру несколько дней отпуска и отправляюсь на южное побережье порыбачить или просто пожить вдали от всех, в тишине. Вернувшись, я больше не злюсь. Мне лишь жаль этих людей.

Пандора почувствовала, как леска в ее руках натянулась.

— Вот я и поймала нам обед! — закричала она и потянула леску. Рыба сопротивлялась. Пандора начала было опять жалеть, что приходится убивать столь чудесное создание. Но потом она сказала себе, что убивает не просто так, а для пропитания. Такой прагматичный довод одержал верх над угрызениями совести. Пандора втащила рыбу в лодку и, чтобы прервать ее мучения, быстро ударила ножом в жабры. Только потом достала крючок изо рта рыбы.

Бен был явно доволен.

— Ты поймала приличного красного снеппера, молодец.

Море начало менять окраску при их приближении на место. К пикникам на островах этого района Пандора уже успела привыкнуть, но на этот раз, по общему согласию, участники решили избрать особенное место — крошечный островок к югу от Малого Яйца, знаменитый шестифутовыми игуанами, водившимися здесь. Пандора горела желанием поскорее увидеть этих доисторических чудищ. К тому же если дельфины уже пришли в местные воды, то, скорее всего, встретить их можно было как раз здесь. Но все же сезон дельфинов еще не наступил, и поэтому Пандора просто хотела посмотреть на облюбованные ими места.

Стоя вдвоем с Беном у штурвала, они выровняли катер по каменным треугольникам на берегу островка и с ревом бросили судно между видневшимися то здесь, то там рифами. Пандора знала, что Бен мог найти проход к причалу и с закрытыми глазами, и тем не менее сам маневр страшно ей нравился. Нравился грохот двигателя, волны, распадавшиеся надвое на носу катера, коралловые клыки в считанных футах от днища судна.

Не успели они причалить, как Пандора схватила ласты, маску и направилась к морю.

— Я просто должна освежиться, Бен. Вернусь через минуту и помогу тебе. — Она натянула маску, ласты и нырнула. Если когда-то она была здесь, в воде, чужой, то теперь чувствовала себя совершенно как дома.

Сначала она отправилась к рифовой гряде, где они прошли только что и где ее так напугали огромные коралловые клыки. Лежа ничком на волнах, подставив спину горячему солнцу, Пандора наблюдала за играми двух черных рыбок — «французских ангелов». Вокруг косяками ходили красные рыбы-белки и голубые рыбы-попугаи. Пандора повернулась на спину и некоторое время просто мечтала, едва помня о людях, сновавших рядом по берегу.

Еще совсем недавно она ни за что не решилась бы плавать вот так, в одиночку, Пандора вообще боялась одиночества, не отдавая даже себе отчет почему. Сначала с ней всегда бывал отец. Даже если его и не было, она знала, что он скоро вернется. Когда же отец совсем ушел, а ей обязательно требовалось вырваться из удушающей хватки матери, она тут же находила себе Нормана, потом Маркуса, Ричарда, а после Бена. Бен, правда, не был «привязан» к ней. Он был самим собой, ходил собственными тропами туда, куда хотел. В своей жизни он уже достиг той степени самостоятельности, о которой ей, в ее тридцать семь лет, оставалось только мечтать. «Если повезет, — думала Пандора, лежа на волнах, — чудотворные сновидения помогут и мне стать наконец самостоятельной. Чего я хочу, — проговорила она одними губами, не поднимая головы над водой, — так это быть совершенно счастливой в душе».

Она вытянула руки в стороны, опустив лицо в воду. В школе такое положение они называли «плавающим трупом». Ей вновь послышались мягкие тихие удары барабанов в руках Джанин. Нежные звуки, соскальзывающие с натянутых барабанных кож составляли не отдельные фрагменты, а нечто единое целое.

Пандора ухватилась за эту мысль, вдруг пришедшую ей в голову, и, когда вышла из воды, поделилась ею с Джанин, готовившей на берегу еду.

— Все едино, частей не существует, — объяснила ей та. — Все в этом мире взаимосвязано, отдельные части появляются лишь тогда, когда, например, ты, Пандора, пожелаешь разбить свою душу на кусочки. Вселенная едина, как гигантская шелковая рыбацкая сеть. Причем она становится все больше, эта сеть, чтобы отвечать новым условиям, создаваемым некими силами. Ты можешь быть либо тем, кто достраивает единую сеть, либо одной из этих неких сил.

— А быть и тем, и другим сразу, видимо, нельзя, иначе можно рассыпаться на части, так?

— Вот именно. Подумай об этом перед сном.

Пандора вернулась к катеру и взяла ведро со своей рыбой. Мужчины, которые уже закрепили на берегу катера и лодки, собрали дрова для костров и теперь возлежали в гамаках, растянутых меж пальмами над песком, попивая пиво и рассказывая рыбацкие истории. Рядом с Джанин был кусок мяса пойманной кем-то барракуды. Муравьям, терзавшим его, повезло, мясо оказалось неядовитым.

Пандора занялась рыбой, выпотрошила и почистила ее. Джанин поджарила перцы, бататы, раздала всем тарелки, в том числе Окто, рассказывавшему одно за другим самые невероятные из своих морских приключений.

Вскоре Пандора с Беном отправились на поиски игуан. Искать пришлось недолго. Неподалеку они натолкнулись на двух здоровых ящеров, сонно заморгавших при приближении двуногих существ. Пандора замерла.

— Какие красивые! — воскликнула она. — Я всегда мечтала увидеть игуан.

Бен сорвал несколько листьев с ближнего дерева.

— Угости-ка вон ту, которая побольше.

Пандора нагнулась и протянула листья шестифутовому гиганту. Как бы немного смущенно он взял угощение и стал пережевывать.

— Так значит, мечты, сны могут сбываться, Бен? — рассмеялась Пандора.

— Конечно. — Мужчина и женщина присели на корточки, наблюдая, как игуаны нежатся на солнце.

Глава тридцать первая

В жизни Пандоре никогда еще не приходилось в такой степени доверять свою жизнь другому человеку. Хотя, может быть, такое и было, когда она жила с Маркусом. Поэтому она с некоторым беспокойством все же разрешила наконец Джанин приступить к завершающей стадии приготовлений ко входу в пещеру.

Чтобы немного занять себя на то время, пока они с подругой искали по горам нужные растения и ждали прихода поющей черепахи, Пандора поступила на работу в гостиницу инструктором по подводному плаванию.

Наступило Рождество, правда, одето оно было здесь не в красные фланелевые одежды, а в зеленые пальмовые ветки. Сам Санта-Клаус появился в гостинице заметно измученный после перелета на борту маленького аэроплана, но был встречен веселыми возгласами собравшихся, каждый из которых получил по куску поджаренной индейки, нашпигованной каштанами. При этом по лицам поедавших рождественские угощения градом катился пот.

Пандора все Рождество чувствовала себя разбитой. Ее очень расстроил телефонный звонок от Ричарда, который умолял ее вернуться. Он долго убеждал ее, но так и не добился своего: Пандора сказала, что ей нужно время.

— Сколько? — спросил он.

— Как минимум до октября, Ричард. — Этот месяц

всегда казался Пандоре счастливым. — Давай подождем до октября.

— Я люблю тебя, Пандора. Я правда люблю тебя. Я был идиотом.

Она услышала, как Ричард заплакал на том конце провода. Он всегда много плакал. Пандора повесила трубку и пошла к столику, где уже сидели Бен и его бабушка.

Окто и Джанин расположились на балконе. Огромный Окто улыбался неизуродованной половиной своего лица. Тут же, в отблеске звезд, сидели и болтали Джейн, Джулия и повариха Максина. На столиках стояли тарелки с рыбой, бататом, жареными плодами хлебного дерева, кусками фруктовых пирогов и свежеприготовленной говядины и свинины. Пандора не смогла заставить себя есть говядину. Владелец коровы здорово заработал на продаже ее мяса, но, чтобы забить бедное животное, он всю ночь преследовал ее по острову с криками: «Стой, корова, стой!» Эпизоды, подобные этому, делали жизнь на острове в глазах Пандоры грубой и примитивной. Максина тоже весь год откармливала к Рождеству свинью, чей пятачок лежал сейчас на столе, а глаза осуждающе смотрели на Пандору, словно бы та должна была спасти животное, но не стала этого делать.

Бен еще давным-давно предупреждал Пандору, просил не ходить в стойло у дома Максины и не кормить эту свинью.

— Потому что однажды мисс Максина заявится туда не с ведром кипяченой воды и шваброй, а принесет нож. Раз — и все мы окажемся с жареной свиньей на столе.

К этому времени Пандора уже осознала, что ее взгляды на мир, на которых ранее всегда стоял штамп «сделано в США», кардинально изменились. Она жила и мыслила теперь по-другому. В ее новом образе жизни не было ничего страшного, просто он стал иным.

Так что, проигнорировав говядину и свинину, Пандора принялась с аппетитом поглощать сочного цыпленка и куски жареной рыбы.

Окто достал свою старую скрипку, Максина — гитару. Сначала они играли рождественские песенки, и Пандора с интересом вглядывалась в их лица, когда они пели, например, «О, миленький городок Вифлеем, вот и опять мы видим тебя». Значит, и здесь под яркими звездами другого, южного, небосвода звучат те же песни.

Что еще поражало Пандору, сидящую в тиши этой прохладной ночи, так это понимание того, что за всей библейской тяжелой риторикой, разливавшейся в рождественские дни над Америкой, а теперь еще и здесь, на Карибских островах, скрывалось простое, всем понятное послание народам: две тысячи лет тому назад родилось дитя, призванное всех нас научить любви и служению Господу. Пандора сложила руки на животе. Она знала, что значит носить дитя под сердцем.

Вскоре музыка изменилась. Окто исполнил свою версию песенки «Кто подсыпал перцу в мой вазелин?».

Мисс Рози рассмеялась, топнула ногой.

— А теперь я спою вам одну старую песню, — сказала она и тихо запела.

Поющая черепаха зовет всех проходящих мимо.
«Вот путь в рай» — говорит она в своей песне.

Продолжая петь, мисс Рози встала и двинулась в танце к берегу. За ней направился Окто, а следом все остальные, дружно подпевая старой женщине.

— Мы зовем черепаху, — объяснила Джанин. — Она еще очень далеко отсюда.

Пандора обняла Бена за талию. Так они стояли, вглядываясь в темноту.

— Бабушка говорит, что в это время в следующем году тебя здесь уже не будет, — промолвил Бен.

У Пандоры перехватило горло.

— Я и сама не знаю, где буду, Бен. Откуда же бабушке это известно?

— Просто известно, и все.

— Если я уеду, а потом задумаю вернуться, как ты это воспримешь?

Бен посмотрел на нее и широко улыбнулся.

— Мне это доставит огромную радость.

— Если только я не буду пытаться увезти тебя с этого острова, да?

Бен кивнул.

— Не буду, не буду. Обещаю. Но сначала я должна решить вопрос с Ричардом, а затем съездить повидать отца. Я и представить себе не могла, что отец может играть столь важную роль в жизни женщины. До сих пор я просто знала: в моей душе не хватает чего-то очень значительного. И жила, сознавая себя творением союза мужчины и женщины, но принимала во внимание лишь женскую часть этого союза. Большая часть моей души словно так никогда и не выросла, не повзрослела, потому что тому мужчине не дали возможности быть моим отцом. Я могу припомнить всего лишь несколько эпизодов наших контактов, когда мать не вмешивалась и не портила их, не превращала в нечто, что якобы мне угрожало. Как, например, тогда, под Рождество... — Пандора глубоко вздохнула. — Я всегда знала, что это именно отец подкладывал мне рождественские подарки в чулок. Он прокрадывался на цыпочках в детскую, скрипя тем не менее своими огромными башмаками, клал свои подарки, а потом тихо-тихо приговаривал: «Хо-хо-хо». А я со словами «Здравствуй, Санта-Клаус!» садилась на кровати. Отец зажимал себе нос пальцами и произносил совсем уж по-сантаклаусски: «Здравствуй, миленькая», и уходил из комнаты. Эта ночь бывала для меня самой лучшей в году. Самой лучшей!

Со столов убирали не торопясь, как бы в полусне.

Оживились только на кухне, брызгая друг на друга водой из-под крана. Над морем медленно поднялось солнце, освещая место праздника, участники которого стали постепенно расходиться по домам.

Пандоре понравилось это Рождество. Черепахи так никто и не видел, но многие говорили о перемене в погоде. Гольфстрим уже изменил климат в Европе. По-иному дули сезонные ветры, а мисс Рози сочла необходимым предупредить всех, кто мог ее слушать, что пришло время готовиться к ураганам.

— Следующий год будет плохим из-за них, — пророчествовала она. — Поэтому я заготовила уже белье, консервы и теплую одежду. После урагана людей убивает холод. После урагана солнце не светит целыми сутками, а вода бывает грязной.

Максина рассмеялась.

— Мисс Рози обожает ураганы, — сказала она Пандоре. — Она меняет песок в своей пешере каждый апрель и ждет.

В один из дней Пандору вдруг охватило сильное волнение. В своем почтовом ящике она обнаружила радостное письмо от отца:

«Дорогая, приезжай погостить ко мне. У меня хороший маленький домик у самой железной дороги. Специально для тебя я крашу сейчас гостевую комнату. Пожалуйста, пришли мне свою фотографию. Тебе я посылаю свою.

Твой любящий папа».

У Пандоры перехватило дыхание при взгляде на фото любимого отца. Он выглядел совсем как раньше, только седины прибавилось. «Я должна не откладывать свою задумку насчет сновидений», — решила Пандора.

Она чувствовала, что события начинают подгонять ее. Теперь над ней довлел не только вопрос о том, как поступить с Ричардом. К этой проблеме добавилась

310

еще одна: долгожданное письмо от отца. Бо́льшая часть души Пандоры рвалась на встречу с ним. Но она уже научилась сдерживать эмоции, учитывать приоритеты и действовать только тогда, когда все уже хорошо продумано. В своей прошлой жизни женщина лишь реагировала на непредсказуемые поступки других людей. Поэтому теперь была намерена твердо держать штурвал своей маленькой лодки, плывущей по бурной реке жизни.

Сев за стол, она написала отцу ответное письмо.

«Дорогой папа,

разобравшись с делами, я с радостью приеду навестить тебя...»

Остальную часть письма Пандора посвятила рассказу об острове.

Ричард оставался главным источником ее беспокойства. Как с ним поступить? Этот вопрос она хотела решить как можно быстрее.

Черепаха появилась довольно поздно. Но однажды ночью со своего катера ее услышал Окто.

— Она пришла, Джанин. Твоя подружка может начинать свои сновидения.

Джанин обрадовалась. В последнее время она заметила, что Пандора становилась все беспокойнее. К тому же ей все чаще звонили, возрос и поток писем, буквально наводнявших теперь почтовый ящик Пандоры. Грозился приехать Ричард, Пандора в ответ умоляла оставить ее в покое.

— Я решила узнать, кто я и для чего живу на этом свете, — говорила она мужу. — Но узнать это я должна сама, и тебя это совершенно не касается.

— Ты дикарь из племени мумбо-юмбо, — издевался Ричард. — Скоро ты мне скажешь, что носишь набедренную повязку и бряцаешь подвешенными к твоим щиколоткам костями съеденных миссионеров.

— Прекрати, Ричард! Не смейся над тем, что мне дорого. Ты просто не понимаешь.

— Ну ладно, даю тебе срок до октября. Тем более что сам я лето проведу в Южной Африке с Дагдейлами. Помнишь эту симпатичную супружескую пару?

— Кажется, помню, Ричард. Все это представляется мне таким далеким. — От телефонных разговоров Пандора здорово уставала. А все потому, думала она, что нерешительность всегда была самым утомительным из состояний.

— В пятницу, когда зайдет солнце, мы отправимся в пещеру, — спокойно сообщила Пандоре Джанин, сидевшая с сестрами во дворе хижины Бена. Они уже все обговорили и дали своей подруге последние наставления. — Помни, что бы ни случилось, ты не должна покидать пещеру. Тебе может даже показаться, что ты проснулась, но на самом деле это будет совсем не так. К тому же ты бессильна изменить свои сны. Конечно, они твои сновидения, но это будут сны о тех отрезках твоего прошлого, которые ты хотела бы прожить по-новому. Понимаешь? Именно это в твоих сновидениях поможет тебе после пробуждения принять правильное решение. Правда, иногда все не срабатывает. Но если ты готова быть до конца честной в своих снах, все получится.

— А что, разве можно быть нечестной во сне?

— Да, можно, — ответила Джанин. — Так же, как и в реальной жизни. Ведь ты иногда делаешь что-то только ради того, чтобы произвести впечатление. И получается, что ты поступаешь нечестно, потому что ты делаешь не то, что тебе в действительности хочется.

— Ладно, — пообещала Пандора, — я постараюсь. Но все это начинает мне казаться чем-то из песни «Битлз», помните? Про таинственную волшебную башню?

— Так оно и есть, — не стала возражать Джанин, и все вдруг от души рассмеялись.

Время шуток и смеха быстро кончилось. Следуя жестким наставлениям Джанин, Пандора оказалась

ынужденной не есть ничего и не пить с утра пятницы, а лишь лежать на качелях и смотреть на море.
По инструкции подруги, ей было позволено лишь
мачивать горло водой, если во рту совсем уж пере-
охнет.

Бен тоже оставался дома, но держался почти незаметно. Лишь иногда он подходил к Пандоре и брал ее
а руку.

— Ты никогда на делал этого сам? — спросила она
го.

— Нет. У меня не было на то нужды. Может,
олько однажды, когда та девушка совсем свела меня
с ума. Тогда мне казалось, что моя голова полна
раздавленного мяса. Но я обошелся без пещер —
бабушка отослала меня на три дня в море, сказав, что
там я приду в себя.

— Мне-то свести тебя с ума не по силам, ты это
имеешь в виду?

— Нет, тебе не по силам. А вот саму себя ты свести
с ума как раз можешь. И поэтому тебе надо многое
прогнать из своей души.

— Знаешь, что я действительно ищу в жизни, так
это свой дом. Я имею в виду не какой-нибудь там
домик или страну, а место, где я чувствовала бы себя
как дома. А пока вся моя жизнь — это вечное изгна-
ние. Моя мать всегда считала меня бунтовщицей, дев-
чонкой, которая только и стремится дать кому-то отпор, огрызнуться. Но я была совсем другой. Может,
отец мне поможет и мое сердце найдет дом рядом с
ним.

— Может быть. — Бен вернулся в хижину. Теперь
его фигура больше не заслоняла Пандору от палящего
солнца.

Она хотела было крикнуть: «Бен, вернись!», но не
смогла. Жара и духота совсем сморили ее. Пандора
впала в забытье.

Через какое-то время, когда стало прохладнее, она

услышала голоса. Потом почувствовала как Джанин положила руку ей на плечо и сказала:

— Выпей вот это.

Пандора слабо кивнула, а затем Окто поднял ее и положил на носилки.

Несколько человек подняли носилки и процессия отправилась в путь, от подножия утеса наверх. А солнце тем временем стремительно погружалось в море, разрезая водную гладь, крася ее в цвета крови и вина.

Пока процессия взбиралась по склону утеса, обитатели гостиницы могли видеть ее маршрут по шевелению верхушек ярких ананасовых кустарников.

— Что это там движется? — недоумевали многие из зрителей.

— Наверное, это какая-нибудь идолопоклонническая церемония, — пошутил один доктор и, фыркнув, поднес к губам очередной стакан рома.

— Нет, просто кто-то сегодня отправляется в пещеру сновидений, чтобы попытаться подправить там свою жизнь, — возразил Чак, обращаясь к маленькому мужчине, одному из своих коллег по подводному плаванию. Чак знал, что этот кто-то — Пандора, и от всей души желал ей успеха. А еще он желал бы перестать так скучать по ее матери.

Засыпая, Пандора увидела нахмуренное лицо Джанин, похожее, по мнению Пандоры, на физиономию арабского воина.

— Ничто не сможет принести тебе боль или вред, Пандора. Если проснешься, выпей сока, у твоего изголовья. Здесь всегда будет кто-нибудь находиться, охраняя тебя и пещеру. Но главное, твоя собственная сенса станет постоянно рваться отсюда наружу, пытаясь что-то изменить в твоем прошлом. Однако помни: прошлое изменить нельзя. Можно лишь его узнать и это знание использовать, чтобы изменить будущее. Ты слышишь меня?

314

Пандора кивнула. Теперь ей хотелось лишь одного — заснуть и видеть сны. Она услышала медленный бой барабанов. Это был именно тот звук, что расставлял все в ее душе на свои места. Сладость звука заполнила голову и тело Пандоры. А потом наконец музыка, олицетворявшая ее настоящее, понесла ее в снах назад, в прошлое, к первым воспоминаниям.

Глава тридцать вторая

Последний звук, который запомнился Пандоре, были удары барабанов Горусов, уносимые куда-то вдаль морским бризом, гулявшим меж кустов розмарина, плотно обступавших вход в пещеру. Ее глаза слипались, но время от времени она все еще могла приоткрывать их, и тогда взгляд неизменно падал на ее звезду, светившую во мраке ночи. Пандора чувствовала, что лежит на мягком песке, а голова ее покоится на подушке, набитой дикими травами. От нее теперь требовалось только одно — расслабиться, поддаться наплывавшим воспоминаниям, унестись назад, в прошлое, и развязать узел своих отношений с Ричардом.

Первое воспоминание, пришедшее к ней, не было связано с Ричардом или с их совместной жизнью. Оно было очень болезненное и волнительное. Пандора вспомнила себя маленькой девочкой, стоящей на коленях в грязной холодной ванне. Сзади нее плавал какой-то большой предмет, похожий на кусок дерева. Ее голова едва возвышалась над краем ванны, и поэтому, чтобы не опрокинуться навзничь, Пандора изо всех сил цеплялась за этот край. Но гораздо больше ее пугал какой-то странный, преследовавший ее предмет в воде. Пандора громко закричала, и тогда две руки грубо подхватили ее и, подняв из ванны, поставили на пол. Потом одна из этих рук залепила ей сильную пощечину, и оказав-

...аяся рядом мать прокричала: «Ах ты маленькая ...рянь! Посмотри, что ты наделала!»

Девочка села на пол, наблюдая, как мать выудила ...ту штуку из ванны, бросила в туалет и спустила воду. ...менно с этого момента Пандора стала считать, что ...на нечиста.

«Так, может, именно с этого момента началась ...еудачная история моих отношений с Ричардом?» — ...одумала Пандора. Детское воспоминание так вдруг ...асстроило, что она не выдержала, приподнялась на ...октях и отпила несколько глотков напитка, что Джа... ...ин поставила около ее подушки. Пандоре хотелось, ...тобы сновидения, посещавшие ее в пещере, были ...онятными и последовательными, а не такими отры... ...очными, мучительными, как первое. Напиток успо... ...оил ее, она опустилась на подушку и сразу же увиде... ...а следующий сон.

Она в своей комнате, в Айдахо. На ней узкая ...ерная юбка и белая блузка, в ушах — дорогие брил... ...ианты. Сидит в вертящемся кресле перед коричне... ...ым письменным столом викторианского стиля. Это ...же совсем из другой эпохи. Пандора поняла, что ...еперь она видит не картины детства, а события, про... ...сшедшие гораздо позже. От волнения дыхание Пан... ...оры стало глубже.

Снаружи за входом в пещеру внимательно следили ...есколько пар глаз. Здесь была Джейн, успешно пре... ...долевавшая сон и довольная тем, что наконец смогла ...е только быть свидетельницей страданий Пандоры, ...о и помочь ей. Здесь же, неподалеку, находилась и ...тарая мисс Мейзи, рассчитывавшая, наверное, ис... ...ользовать свое ведьмино искусство, если вдруг ле... ...ившие американку своими чарами добрые волшебни... ...ы потеряют пациентку, позволив ей, например, по ...еосторожности, сорваться с утеса.

— ...Миссис Сазерленд — моя клиентка, мистер ...аунсенд. У нее не было и нет необходимости обра-

шаться в прессу. Тем не менее она решила все же дат
одно интервью. Правда, текст его может быть отозва
до того, как ваша газета его использует.

Говоривший это Винсент Сингер являлся адвока
том Маркуса, а заодно и одним из участников порног
рафических мероприятий. Пандора вглядывалась в ег
лицо. У мистера Сингера был вытянутый смуглый
подбородок. Маленькие усики прикрывали верхнюю
пухлую губу. Над подбородком нависал длинный хищ
ный нос. Глаза маленькие и слишком широко поса
женные, левый глаз немного косил, упираясь прямо
ухо сидевшего напротив Ричарда. Но больше всег
портили и без того неприятное лицо мистера Сингер
его грязные неровные зубы, то и дело показывавшиеся
из-за толстых губ. Зубы эти напоминали Пандоре ос
кал старой собаки, одной из тех тощих, оборванных
крадущихся животных, что вечно скрываются по зако
улкам и, скалясь, провожают торопящихся мимо про
хожих. Мистер Винсент Сингер всегда походил н
человека, который только что съел кучу дерьма. «Тако
го же дерьма, как и я», — грустно усмехнулась Пандо
ра и перевела взгляд на Ричарда.

— Меня зовут Ричард Таунсенд. — Ричард протя
нул белую крепкую руку и пожал ладонь Пандоры
мягкую, слабую, с прекрасно обработанными ногтями
Да, это был именно тот человек, с которым она встре
тилась однажды в бостонском театре, куда приезжала
как-то с Маркусом. Очевидно, желая в присутствии
адвоката Маркуса не выходить за рамки формальной
вежливости, Ричард обращался к ней с уважительным
дружелюбием незнакомца.

— Я рад, что вы решили поговорить об этом деле
именно со мной. — Он почесал затылок. — Для такого
простого парня, как я, вся эта история выглядит весь
ма запутанно.

Пандора знала, что мистер Сингер мог себе позво
лить и в дальнейшем вот так сидеть за столом, сохра-

яя на лице выражение полной невинности. Ведь са-
ого его, в конце концов, так никто никогда и не
оймал на месте преступления.

«Я уверена, — думала Пандора, — что весь этот
кандал приведет лишь к тому, что Маркус на какое-
о время прекратит свои гадкие занятия. А потом все
ернется на круги своя...»

«Ты же была одной из нас, Пандора. Ведь ты сама
омогалась Маркуса. Ты сама согласилась на группо-
ые курсы лечения. Именно ты дала согласие на то,
тобы путем сексуальных страданий справиться с
ластью, которую имели над тобой подсознательные
оспоминания. Так почему же тогда ты сидишь теперь
от тут и готовишься рассказать этому человеку кучу
ранья о том, какая ты у нас несчастная да невинная?
Никакая ты не невинная. Ты активно во всем этом
частвовала». — Все эти мысли Пандора могла бук-
ально прочесть на лбу мистера Сингера. Тем более
она понимала: многое из того, что думал адвокат,
вполне могло оказаться и правдой...

Волны стыда и вины чуть было не разбудили Пандору. Она услышала совсем рядом уверенный голос
Маркуса:

— Почему бы со всем этим не покончить? В конце
концов, женщины с таким прошлым, как у тебя, никогда не меняются. Вы лишь кочуете от одного склон-
ного к насилию мужчины к другому. Мы, мужчины,
можем без проблем определить ваш тип. Вы даже
пахнете по-особенному, для нас вы такой же источник
удовольствия, как для кота — испуганная, зажатая в
угол мышь. Ты, Пандора, источник огромного удовольствия для меня. Потому что тебя очень просто
напугать. Так что давай-ка, бросай эту свою дурацкую
роль, которую ты играешь тут с твоими дружками, и
приезжай ко мне. Я встречу тебя, и вместе мы вернемся в наш большой красивый дом, окруженный пышными зелеными лугами. Ты уже, наверное, соскучи-

лась по своей лошадке Томми? Во всяком случае, Томми точно уж по тебе скучает. Очень скучает.

Глаза Пандоры наполнились слезами, тотчас по- бежавшими ручейками по щекам. Она приоткрыла глаза и увидела Маркуса таким, каким он предстал перед ней в их первую встречу. Его чуть склоненная на бок голова, круглое, похожее на бильярдный шар лицо... Но на этот раз он смотрел не в сторону, а прямо. Его огромные гипнотизирующие глаза притя- гивали ее.

«Нет, — твердо сказала себе Пандора. — Вот уж нет!»

Она вновь перенеслась в кабинет мистера Сингера.

— Вы должны извинить миссис Сазерленд. В пос- леднее время она многое перенесла, — произнес адво- кат.

Пандора покраснела.

— Простите, — вымолвила она. — Я попытаюсь быть внимательнее.

— Так, ну что же, мистер Таунсенд, вы можете начать ваше интервью.

Репортер удивленно уставился на мистера Синге- ра.

— Неужели вы думаете, что я буду интервьюиро- вать миссис Сазерленд здесь? В конторе адвоката? Бо- ты мой! Я-то надеялся пригласить вас на обед в одно только что обнаруженное мной прекрасное заведение. Если, конечно, что-нибудь в Айдахо может быть пре- красным.

Улыбка тронула губы Пандоры. Она очень давно не улыбалась, поэтому улыбка испугала ее. Ей показа- лось, что уголки ее рта вдруг могут сломаться, упасть на безупречную гладь рабочего стола мистера Сингера. Какая глупая мысль, подумала она тут же. Ей давно уже надо было выпить следующую таблетку. Пандора взглянула на часы. До следующего времени забытья, до начала очередного полуобморочного состояния оставалась еще четверть часа. Постоянное пичканье своего организма таблетками мало ее беспокоило. Пандора была уверена, что почти все американские женщины жили на таблетках. Они принимали их, проснувшись утром, отдыхая от головной боли, при месячных, для снятия напряжения. Порой она с удивлением думала, как же справлялось со своими жизненными проблемами поколение ее матери? Ответ приходил сам собой: оно просто находило другие способы успокоения — курить сигареты да ненавидеть своих детей. Так же, как ненавидела Пандору ее собственная мать, Моника.

«Опять пошло-поехало, — заметила Пандора. — Снова мысли разбегаются, как тараканы. Мне следовало бы сосредоточиться на старине Винсенте, это, во всяком случае, поможет мне быть последовательнее».

— Пойдемте со мной, миссис Сазерленд. Я знаю, что вы расстроены, но я умею обращаться с женщинами. Мы совсем не будем говорить о делах. Мы просто пообедаем и познакомимся поближе. Согласны?

Пандора удивленно уставилась на стоявшего перед ней мужчину и не смогла сдержать улыбку. Чуб светлых волос падал на его узкий лоб, лицо выражало спокойствие и доброту, глаза — большие и серые — смотрели с теплотой. На нем было староватое, но добротное твидовое пальто поверх аккуратнейшего костюма.

Пандора опять взглянула на Сингера. «Да пошел он... — решила она. — Я не обязана тут оставаться».

— Спасибо, мистер Таунсенд. Я с удовольствием с вами пообедаю.

Пандора поднялась, немного неуверенно. Однако репортер тут же оказался рядом, заботливо поддержал ее под руку.

— Не волнуйтесь, все в порядке, — сказал он.

«Да, пожалуй, он действительно понимает женщин», — думала Пандора, когда они пересекали кабинет по полу, застеленному толстым ковром, и выходили сквозь большую, сделанную в том же викторианском стиле дверь, которой репортер хлопнул со всей силы.

— Пусть это напомнит им нечто из «Алисы в Зазеркалье». Не слышали об этой книге?

— Слышать-то слышала, конечно. Но вот читать не приходилось. К сожалению, я вообще мало читаю.

— Не страшно, я раздобуду вам экземплярчик. Однако ваша собственная история мне представляется все более увлекательной. Но, несмотря на это, мы не будем сегодня о ней говорить. В этой вашей Богом забытой дыре мне предстоит проторчать еще целую неделю, и я надеюсь, что вы поможете мне не особо тут скучать. К тому же, я всегда знал, что мы с вами снова когда-нибудь встретимся. И еще — прошу вас, зовите меня Ричард. — Они пожали друг другу руки, сделав это в шутливо-раскрепощенной манере. Потом Ричард решительно подвел ее к своему спортивному автомобилю. — Это мой «ягуар». Как он вам? Я хотел купить красный, но в тот момент у них из гоночных был только зеленый.

Вопрос о цвете автомобиля мало заботил Пандору. Ей страшно требовалась очередная таблетка.

— Не могли бы вы найти мне где-нибудь стакан воды? — попросила Пандора. — Мне хочется пить и немного мутит.

Ричард обеспокоенно взглянул на нее.

— Да, конечно, — ответил он, отпирая дверь «ягуара» и усаживая Пандору. — Побудьте здесь, а я вам сейчас быстренько принесу стаканчик вон из того заведения, что через дорогу.

Пандора тем временем вынула футляр из-под темных очков, достала оттуда четыре таблетки, которых должно было хватить на несколько следующих часов. Это даст ей возможность приятно забыться. Что бы другие от нее ни хотели, в состоянии забытья она была согласна это им дать, потому что в действительности ее как бы и вообще не существовало. Таблетки словно блокировали все ее мысли, ощущения женщины, не позволяя испытывать ни угрызений совести, ни чувства вины. И это было нормально.

Пандора привычно проглотила все таблетки, не запивая. Она все еще сидела в автомобиле, когда вдруг услышала детский плач. Странно, подумала она, оглядываясь и чувствуя, что таблетки еще не стали действовать в полную силу. И тут прямо перед собой она увидела грудного ребенка. Голова огромная, ножки поджаты к животу, а тельце еще обвивала пуповина. Однако ротик был уже открыт и из скривленных губок вылетали тихие вскрики. Пандора поняла: она должна выскочить из машины, броситься к ребенку и поднять его на руки. Тем более что она знала его. Это был ее собственный ребенок, тот самый, который умер еще до своего рождения. Она хотела встать, но не смогла, словно была прикована к сиденью. Пандора заплакала.

Рыдания сотрясали ее грудь. Вдруг она почувствовала руку Ричарда у себя на плече.

— Не плачьте, Пандора. Все уже позади. Вот выпейте холодной воды и вам станет лучше.

Пандора взглянула сквозь слезы на Ричарда в его большие серые глаза. Он встретил взгляд ее зеленых глаз и понял, что никогда еще не видел в лице женщины столь откровенного страдания.

— Кошмар кончился, Пандора. Все, кто в этом участвовал, уже арестованы. А ваш муж сбежал.

— Да, он сорвался с их крючка. Но он обязательно вернется. Такие, как он, рано или поздно возвращаются. И всегда находятся такие, как я, идиотки, которые попадаются на их приманку, а потом обнаруживают, что освободиться не могут, поскольку уже поздно.

Теперь, однако, таблетки начали действовать. Пандора достала из сумочки платок и зеркальце... «О Господи! — подумала она. — Что же я сделала со своим лицом!»

Ричард улыбнулся ей.

— Может быть, мадам, ваше лицо сейчас вам и не нравится. Но я как раз хотел сказать, что это самое красивое лицо, которое я видел за многие годы.

Глава тридцать третья

Пандора улыбнулась Ричарду: таблетки неизменно заставляли ее без устали улыбаться. Но еще и потому, что в английском акценте репортера было что-то очень трогательное. Ричард смотрел на нее несколько озадаченно.

— Знаете, я, собственно, не представляю, что мне с вами делать. Вообще-то я не думал, что проститу... ой, простите! Дорогая моя, я совсем не это имел в виду. Я сказал огромную глупость.

— Как вы меня хотели назвать, мистер Таунсенд?

— Пожалуйста, зовите меня Ричард. — Он покраснел. — Ну, я не думал, что такая женщина, как вы, может попасть в историю, в которую обычно попадают, простите, как раз проститутки.

Пандора вскинула брови. Что бы он ни говорил, это не могло почему-то обидеть ее.

— Среди нас не было ни одной проститутки, мистер Таунсенд.

— Я же уже извинился. И еще раз прошу у вас прощения. Я новичок в этих проблемах. И, пожалуйста, для вас я — Ричард. Обещаю не говорить больше глупости. Меня послали сюда в большой спешке. Я даже не успел изучить суть вашего дела. Единственное, что мне известно, так это то, что ваш муж сбежал из города. — Он заметил, как Пандора вздрогнула, и выругал себя за лишнюю болтовню. — Я просто хотел сказать, что до того момента, как редакция известила

325

меня о вашей готовности дать эксклюзивное интервью, у меня было весьма мало рабочего материала. Ну, я, наверное, вас заговорил. Давайте куда-нибудь поедем, не можем же мы тут сидеть вечно. Где бы вы хотели пообедать? Я угощаю. За обедом мы поговорим обо всем, но только не о вашем деле. Согласны?

Она опять улыбнулась, и Ричарду показалось, что ее лицо похоже на чайную розу, теряющую свои последние лепестки. Это впечатление дополнялось исходившим от женщины слабым ароматом лета и боли. Что, черт возьми, такого должно было с ней случиться, чтобы она могла сидеть вот тут, такая элегантная, изысканно ухоженная и в то же время так пугающе беззащитная? По своему опыту охотника Ричард знал, что самая слабая в стаде олениха часто вот так же стояла в стороне от остальных, как бы жертвуя собой во спасение жизни стада. Он понимал, интервью смущало Пандору, однако твердость, с которой она вела себя в кабинете адвоката, свидетельствовала о том, что где-то в глубине души женщина уже приняла некое продуманное, взвешенное решение.

— Почему бы нам не пойти в «Трипль Сек»? Это тихий славный ресторан. Мы там сможем поговорить. А вообще-то я уже тысячу лет не была в ресторане.

Ричард вполне мог в это поверить. Когда скандал вокруг оргий в «Клинике Монксшил» оказался на первых страницах газет по всей стране, большинство замешанных в нем женщин либо срочно перевели в другие клиники, где найти их было невозможно, либо они исчезли, уехали с мужьями в какие-нибудь круизы. Маркус сбежал из города и вообще из страны. Пандора осталась одна, но не могла покидать свой огромный белостенный особняк из-за постоянно дежурящей вокруг него толпы орущих журналистов. Ричард понимал, что в этом скандале еще не сказано последнее слово. Но это все — потом, а пока ему требовалось быстро доставить Пандору к ресторану, который она сама выбрала.

Пандора, сидя в автомобиле рядом с Ричардом, рассматривала его классический английский профиль. Во всяком случае, именно такой профиль она считала классически английским, поскольку видела когда-то старую картинку, изображавшую одного английского джентльмена на охоте. Она задумалась о том, что Ричарду очень подошли бы высокие наездничьи сапоги. При этом мысли Пандоры умело обошли всякие воспоминания о наездничьем хлысте: слишком уж неприятными они были.

В ресторане между ними вдруг повисла прохладная тишина. «Черт, — подумал Ричард, — мне следовало бы привести с собой в это захолустье Гортензию. Она хотя бы заняла нас своей болтовней». Таких любовниц, как Гортензия, можно было порой использовать не только ради секса. Уезжая из Бостона, Ричард оставил ее лежащей на кровати и раскрашивающей свои бедра лаком для ногтей.

— Ох, Ричард, — сказала Гортензия, когда тот уже выходил их дома, — по твоему возвращению мы, наверное, попробуем и сами устроить что-то вроде оргии, ладно? Привози эту бедняжку с собой. К ней ревновать я совершенно не собираюсь. Хотя и сама могу встретить тебя с обведенными помадой сосками, с которых, вдобавок, будет стекать мороженое.

Девушки из Нью-Джерси хороши в постели, но при этом они были все же ужасными занудами. Так что Ричарда вполне устраивало, что недельку он сможет отдохнуть от Гортензии. Правда, его немного беспокоило состояние квартиры, в которую ему предстояло вернуться.

Они продолжали сидеть, молча глядя друг на друга. Ричард понимал, что начинать интервью не имеет смысла. Он ничего не знал о сексуальном насилии, его шефы просто решили, что если кто и вытянет достаточную историю из этой женщины, так это будет он, их лучший репортер. Глядя на Пандору, Ричард вдруг испытал знакомый позыв страсти, противиться которому было бесполезно. Интервью подождет, решил он. К тому же эта женщина красива и богата. Гортензия, конечно, была хорошей бабой, но денег не имела. И Ричард понял, что ему есть на что рассчитывать с этой сидящей перед ним и столь уязвимой женщиной. Ее так просто можно будет убедить в своей несуществующей надежности. Что-что, а роль серьезного и сильного мужчины Ричард вполне мог сыграть. Ну, а потом, после свадьбы, он может вернуться к своим прежним веселым занятиям. Причем играть в таком случае ему будет посвободнее без так называемого «золотого поводка». Ведь за все платить будет она.

Ричард попытался было продвинуться к Пандоре поближе, сесть на соседний стул так, чтобы расстояние между ними уменьшилось. Однако Пандора так резко подняла плечи, ее руки так умоляюще сцепились на груди, что он понял: ей необходимо пространство, и так может продолжаться еще достаточно долго.

Официант предупредительно склонился над Пандорой, испуганно взглянувшей на Ричарда. И тут он понял, что большая часть ее лоска была фальшивой, а под роскошными одеждами прячется все та же девочка из маленького городишки в Айдахо. Ричард улыбнулся официанту.

— Мы еще не готовы заказывать, — сказал он. — Пандора, не хотите ли что-нибудь выпить?

Женщина кивнула. Хотела бы она что-нибудь выпить?! Что за вопрос? Конечно, хотела бы! Ее просто душила жажда.

— Пожалуй, я выпила бы... э... — Пандора спохватилась. Не могла же она сделать здесь свой традиционный заказ: водка и пиво. Взяв себя в руки, Пандора улыбнулась. — Выберите сами, Ричард. Что-нибудь прохладительное, освежающее.

— Как насчет джина с тоником и долькой лимона?

— Двойной, пожалуйста, — не удержалась она.

Ричард мысленно сделал пометку — женщина была не прочь выпить.

— Я знаю, что это прозвучало резковато, но я просто действительно устала и чрезмерно возбуждена. Я ведь была фактически под домашним арестом из-за этих чертовых журналистов. Слава Богу, что вы получили права на эксклюзивное интервью и они оставили меня в покое. Прошу вас, закажите блюда для нас обоих. Я сегодня совершенно не могу ни на чем сосредоточиться. И простите меня, я покину вас на минутку.

Пандора направилась в туалет. Закрыв за собой дверь, она достала следующую упаковку таблеток. Если все и дальше так пойдет, она уснет посреди обеда. Да, конечно, Ричард очень мил. У него прекрасные манеры. Однако уже многие годы ее, как и остальных знакомых ей женщин, тренировали именно для того, чтобы быть душой компании, вечеринки. Ричарда же вообще сложно было представить на какой-нибудь вечеринке. Пандора не имела намерения соблазнять нового знакомого. Если на то пошло, она вообще не собиралась больше иметь дел с мужским полом. Маркус и его дружки открыли ей глаза на мир, о котором у девочки из маленького городка в Айдахо не было ни малейшего представления. Тем не менее она обещала дать ему интервью и собиралась сдержать слово. Именно для того, чтобы женщины, избиваемые мужьями и решившие обратиться за помощью в какие-нибудь клиники, прежде чем сделать это, догадывались бы проверить их благонадежность либо через своих лечащих врачей, либо через женские ассоциации. А не направлялись туда слепо и глупо, чтобы попасть в еще более печальную ситуацию, чем та, в которой были до сих пор.

Пандора подождала, пока таблетки начнут действовать, чувствуя, как по спине пробегают мурашки. Потом подошла к зеркалу, взглянула на себя. В глазах вновь загорелся огонек. Улыбка стала естественнее. Ей следовало придумать тему, на которую они могли бы поговорить.

Ричард потягивал виски с содовой, когда Пандора вернулась к их столику.

— Я уже изучил меню. Стейк мне показался удачным. Так что я заказал нам ассорти из креветок и стейк. Ну а в заключение еще одно блюдо. — Глаза Ричарда засверкали от удовольствия. — Мое любимое.

Пандора знала, что этот ресторан был знаменит своими пирожными и кремовым десертом.

— Так что же вы выбрали? — спросила она.

— Яблочный пирог со сливками. Знаете, Пандора, у нас в Девоне был повар, который умудрялся делать совершенно бесподобную легкую корочку у своих пирожных. Казалось, что ты ешь крылья бабочек. А под корочкой у него прятались яблоки с капелькой лимона и еще прохладные плотные девонские сливки... Здесь, конечно, — сказал он с неожиданным раздражением, — нам девонских сливок ждать нечего, правда ведь?

— Это уж точно, — поддакнула Пандора. Она глубоко вздохнула и отпила большой глоток джина. — Я не думаю, что у них здесь есть девонские взбитые сливки.

Перед глазами Ричарда вдруг возникло пугающее видение сосков Гортензии, измазанных сливками.

«Бог мой, — мысленно изнывала Пандора, — этот обед, вероятно, никогда не завершится».

Однако к тому моменту, когда они покончили с двумя бутылками вина, их беседа стала гораздо оживленнее. Так, Ричард поведал, что когда-то в детстве он часто ездил на поезде по небольшой железнодорожной ветке, что связывала Эксминстер и Аплайм с Чармаусом, где он играл в теннис в дни летних каникул. Ричард был рад тому, что поезд этот ходит по тому же маршруту и сейчас, и, несмотря на то что негодяи-бюрократы разорили все вокруг и развалили Англию, до этого поезда они так еще и не добрались. С большим чувством Ричард вспоминал изумительно мягкие сиденья с белыми салфеточками на спинках в вагонах того поезда, толстые кожаные ремни, что держали окна, в также извечное объявление в углах купе, грозившее пятифунтовым штрафом всякому, кто будет без дела пользоваться сигнальным шнуром экстренной связи с машинистом.

Пандора тоже почувствовала себя значительно более раскованно и рассказала Ричарду о поездах своего детства, день и ночь стучавших колесами по шпалам «кла-ки-ти, кла-ки-ти». О том, как иногда она подкладывала под эти поезда монетку, потом приносила ее домой, зажимала в руке и, засыпая, могла ощущать в этой расплющенной монете отражение всей могучей тяжести прошедшего по ней состава.

— О Боже! Пандора! Уже три часа. Я должен срочно отвезти вас домой. А у меня назначена встреча с этим ужасным Сингером. Отвратительный старый негодяй, не правда ли?

— Да уж. Его просто не смогли поймать на месте преступления. Они сейчас лягут на дно, а потом опять возьмутся за старое.

Ричард почувствовал, что она уже готова рассказать ему все. Но понимал также, что здесь для такого разговора не место.

— Я отвезу вас домой, а завтра утром заеду опять. И вы меня угостите завтраком. Как вам мое предложение?

Пандора улыбнулась. Она устала. Ей очень захотелось броситься в объятия этого мужчины и рассказать ему всю свою жизнь. Но она понимала, что лучше будет немного подождать. А пока она сможет вернуться домой и дать таблеткам успокоить себя. Тем более что сейчас вокруг нее не слышалось никаких странных звуков, не толпились люди, не окружали плотным кольцом возбужденные голоса, как это бывало раньше. Никто больше не пытался вторгнуться к ней в постель или, хуже того, в ее тело. Теперь она была предоставлена сама себе, и это вносило в душу женщины чувство огромного облегчения.

Глава тридцать четвертая

Пандора никогда не любила вторники. Однако после того, как Маркус скрылся и она надеялась, что навсегда, вторники перестали быть особенно тяжелыми днями. Она с удовольствием уволила всю прислугу, кроме Мариан...

Всю ночь Пандора ворочалась во сне. Ей казалось, что морские волны хватают ее за руки, за ноги, тянут вниз. Вокруг слышались чьи-то голоса...

— С ней все в порядке. — Джанин приподняла голову спящей Пандоры, нежно поцеловала подругу в губы. — Просто она далеко от нас, но сны идут хорошо. Ей так много надо сказать самой себе, и слова эти причиняют ей много боли.

Джанин вышла из пещеры, когда убедилась, что грудь Пандоры при дыхании поднимается и опускается ровно и спокойно. Снаружи дежурил взволнованный Окто.

— У нас есть еще два дня до того момента, когда черепаха споет свою последнюю песнь и уйдет на глубину, а потом и из этих вод на целый год. Но Пандоре этого времени хватит. Так что, Окто, перестань переживать. Джулия останется здесь до вечера, а ночью я ее сменю. Думаю, мне будет нелегко. Мисс Мейзи не прекращала колдовать всю прошлую ночь. К тому же луна уже открылась на три четверти. Надо быть особенно осторожными: если кто-нибудь спрыгнет с утеса над одной из пещер сновидений, нас в два счета выгонят с острова. Именно к этому и стремится старая стерва. — Джанин поцеловала Окто. — Ступай к своей матери, а я вернусь в бар. Джулия скоро уже будет здесь.

Джулия действительно уже подходила к пещере. Настроение, однако, у нее было очень плохое: она испытывала ярость. Дело в том, что, несмотря на пережитый испуг от внезапной потери зрения, Леона, оправившись, снова принялась преследовать мужа Джулии. Медленно идя вверх по тропинке по направлению к пещере, Джулия собирала по пути маленьких жучков, которых можно было потом высушить, сложить ожерельем, а затем сжечь, произнося правильные заклинания. «Если же и это не сработает, — думала она, — тогда я поступлю так, как поступила бы любая женщина Малого Яйца. Я сниму свои туфли и обломаю их каблуки об голову этой стервы». Однако настроение ее от этого решения не улучшилось.

В то же время, мягко переступая лапами, к пещере подкрадывался бело-серый кот, который, вопреки природе, имел на передних лапах не по пять, а по четыре пальца. Это был Офри — кот мисс Мейзи, живший у колдуньи с рождения. Некоторые даже утверждали, что мисс Мейзи сама иногда превращалась в Офри и творила свои грязные делишки. Сегодня Офри имел вполне определенное задание. Его не привлекали даже ящерицы, то здесь, то там гревшиеся под солнцем на камнях. Конечно, он все же поглядывал по сторонам на случай, если заметит где-нибудь беспомощного аппетитного птенчика, но главная цель его похода была добраться до пещеры раньше направляющейся туда женщины. Она шла медленно, то и дело наклоняясь к земле за очередным жучком. Офри ухмыльнулся: Джулии это все равно не поможет. Леона достаточно платила мисс Мейзи за то, чтобы та ее защищала.

Холодное отверстие пещеры, возникшее перед котом, заставило Офри замедлить ход, поднять голову и принюхаться. Он увидел женщину, лежавшую на мягком песке. Ему понравились ее густые медно-рыжие волосы, длинные ресницы и алые щеки. Офри вообще любил красивые вещи. Красивой, на его взгляд, была и эта женщина.

Пандора проснулась с неприятным привкусом во рту. Она протянула руку к стакану с водой, стоявшему у кровати. «Ох уж эти таблетки, — пробормотала она про себя. — Надо бы постараться не принимать их в таком количестве». Она опять легла, прислушалась к тишине в доме. Пора было вставать. Обычно в это время она лишь переворачивалась на другой бок, глотала еще несколько таблеток и засыпала до вечера. По ночам она смотрела телевизор или, под настроение, садилась в машину и ехала куда-нибудь в супермаркет, где накупала целые тележки всякой всячины. Супермаркет Альберто, работающий круглосуточно, был ее любимым магазином. Пандора знала даже, например, что Анжела — кассирша этого магазина, была уже на втором месяце беременности и страдала от токсикоза. «Попробуй принимать имбирные таблетки. Они должны здорово помочь», — советовала Пандора девушке. У другого служащего супермаркета — мистера Кошки — страшно болела спина. Ему предстояла операция. «А вам бы следовало попить курс ДМСО», — говорила ему Пандора. Она даже прочла мистеру Кошке целую лекцию по теоретической медицине, сделав особый упор на то, какими препаратами лечат профессональных спортсменов.

Пандора знала, что ей повезло: хотя ее фотография и публиковалась в газетах наряду с другими участниками скандала, ее хотя бы не вызывали свидетельницей в суд. К тому же, все ее соседи, как один, встали на защиту несчастной, непонятой жены «этого отвратительного психиатра».

Женщина понимала, что, дав интервью, из которого будет ясно, что она, как и все прочие женщины, участвовала в оргиях, наверняка потеряет в глазах соседей с таким трудом заработанный авторитет невинной жертвы обстоятельств. Однако эта роль в любом случае не приносила удовлетворения и не заполняла пустоту, образовавшуюся в душе Пандоры. Ведь даже в самые худшие моменты, когда Маркус издевался над ней, в том числе физически, она, по меньшей мере, чувствовала свою принадлежность к чему-то. Женщина часто задавала себе вопрос: чему или кому все-таки принадлежит. Но так и не нашла ответа. Возможно, Маркусу. А может быть, просто-напросто ее душа так и осталась душой ребенка и была отдана отцу, а тот вернул ее, когда уходил. Матери ее душа вообще была не нужна, поэтому Пандора вверила свою душу Норману. Но и тот отшвырнул это подношение. Потом она отдала ее Маркусу и, похоже, именно поэтому какое-то время с ним оставалась. Сейчас, например, она как бы принадлежала супермаркету Альберто. Когда она входила в этот магазин, глаза работавших там служащих устремлялись на нее, ей улыбались знакомые. В этом магазине она ощущала себя полноценной личностью.

Пандора оплачивала покупки и ехала дальше. Все приобретенное она отвозила в приют Армии Спасения, чьи сотрудники всегда были рады видеть ее.

Потом Пандора обязательно находила какую-нибудь забегаловку на скоростном шоссе, парковывалась, заказывала двойную водку с тоником и, сидя у огромного, размером с большую картину, окна, наблюдала, как мимо проносились машины, освещавшие фарами ее тонкое бледное лицо. Но даже несколько стаканов водки не заполняли пустоту в ее душе...

Вдруг раздался звонок в дверь. Черт! Проспала. Пандора нажала на кнопку переговорника:

— Да?

— Я ужасно пунктуален, миссис Сазерленд. Если вы еще не готовы, я могу прийти к вам попозже.

— Нет-нет. — Она села на кровати. — Я сейчас открою дверь, а вы входите. Служанка скоро придет. Вы сможете сами сделать себе чашку кофе? Кухня прямо по коридору и налево. Там есть еще тосты, мармелад и яйца. Я спущусь через несколько минут.

— Просто изумительно. Я вхожу. А вы сама что-нибудь будете? Я хорошо готовлю завтраки.

— Нет, спасибо. Только кофе. Большую чашку кофе.

Женщина приняла душ и оделась. Как только это интервью появится в газете, а может, еще и до его выхода, ей придется продать дом и уехать отсюда. Оставаться здесь жить и чувствовать на себе косые взгляды соседей представлялось ей невозможным. Она знала, что ее побег — это проявление трусости, но данное обстоятельство уже мало ее волновало. По словам управляющего, Пандора владела приличной суммой на собственном счете в банке, плюс, согласно оставленным доктором Сазерлендом инструкциям, дом вместе с содержимым передавались в ее собственность. Так что — хотя пародоксальность ситуации заставляла Пандору улыбаться — она наконец-то стала богатой женщиной.

Естественно, Пандора на этот раз не собиралась стеснять мать, возвращаясь в ее дом, напротив, она намеревалась послать Монике чек на внушительную сумму. В остальном же Пандора совершенно не представляла, что ей делать в жизни дальше.

Выйдя из душа, она насухо вытерлась, подушилась «Шалимаром», надела черное трико для аэробики, ярко-розовые шерстяные гетры, подобрав среди украшений пару жемчужных сережек. Кожа на лице под действием таблеток все еще была излишне жесткой, поэтому Пандора решила пока не накладывать макияж.

Она торопливо сбежала вниз, в гостиную. Было слышно, как Ричард гремит посудой на кухне. Как это не похоже на Маркуса! Тот все делал очень тихо. Пандоре часто казалось, что тишина для Маркуса была важна так же, как восточное учение «тай ши», приверженцем которого он был. Тишина, распространяемая Маркусом, представлялась Пандоре бесконечными волнами переливающейся тьмы.

С кухни вдруг раздался достаточно сильный грохот и крик Ричарда «Ах, проклятье!». Пандора заглянула в кухню как раз в тот момент, когда ее аппарат для приготовления итальянского «эспрессо» взорвался, расплескивая во все стороны кофе.

— Здорово, никогда бы не подумала, что просто-таки артистическим образом можно сажать кофейные зерна на потолке.

Ричард повернулся к Пандоре, стоявшей в освещенном проеме двери. Ее яркие волосы были стянуты на затылке розовой лентой. Стройную фигуру подчеркивал обтягивающий наряд. Глаза Пандоры, зеленые с карим отливом, улыбались.

— Я безнадежен, знаю... — ответил Ричард, надеясь, что такая откровенность с его стороны вызовет в душе хозяйки дома немного снисхождения.

Пандора широко раскрыла глаза, подтверждая тем самым, что проступок гостя действительно серьезен.

— Бог ты мой! Мариан это совсем не обрадует. — Мысль о недовольстве служанки заставила Пандору широко улыбнуться. — Не бойтесь, она вам ничего не сделает. У нее не хватает времени на мужчин. Совсем не хватает. — Ричард продолжал стоять, аккуратно придерживая левую руку правой. — Вы что, забыли воду налить в кофеварку?

— Точно так и вышло.

— И, значит, ошпарили себе руку, да?

— Да.

Пандора вздохнула.

— Я вам дам сейчас йогурт. Вы сможете подержать в нем вашу руку. Это поможет — боль утихнет, а на коже не останется даже и следов ожога.

— Откуда вы все это знаете, Пандора?

— Коммерческая тайна, — сурово ответила женщина. — Просто я сама слишком часто обжигалась...

Ричард заметил, как при этих словах изменилось лицо женщины, на него как бы опустилась маска.

«Черт, — подумал он. — Да, это было неосторожно сказано с его стороны, но ведь общаться с ней все равно что идти по яйцам аллигатора». Разница состояла лишь в том, что общение с Пандорой могло быть и опасным: из яиц выскакивали взрослые аллигаторы и то и дело норовили оттяпать ногу неосторожному пешеходу. Да и разгром, который Ричард учинил на кухне, не мог способствовать улучшению их взаимоотношений.

У Пандоры разболелась голова. Все происходящее злило ее, и она уже не могла сдержать себя.

«Почему я здесь? — спрашивал тем временем себя Ричард. — Почему я сейчас не в постели с Гортензией и ее гигантскими сосками? Что я тут делаю с обожженной рукой? Может быть, послать самому себе телеграмму: *«Тетушка скончалась этой ночью в Лаймерике. Приезжай как можно быстрее»*. Мысль о том, что ему еще целую неделю предстоит провести с этой женщиной, неожиданно стала его беспокоить. Конечно, она была красивой. Она была из бедной семьи, но этот ее дружок-психиатр хорошо ее выдрессировал. Говорила она с неким среднеамериканским акцентом, и, судя по количеству кулинарных книг в разгромленной кухне, по меньшей мере, кулинарией она интересовалась. Ричард судил о женщинах по их любви или нелюбви к приготовлению еды. Секс он ставил на второе место. Тут мужчина понял, что голоден, очень голоден.

Пандора достала пластиковую баночку с несладким йогуртом и сказала:

— Засуньте всю руку в банку.

Ощущая себя совершенно глупо, Ричард сделал, как было велено. Вдруг дверь на первом этаже распахнулась, и громкий голос спросил:

— Вы наверху, мисси*?

— Да, — крикнула в ответ Пандора, — я наверху, Мариан. У нас тут небольшая катастрофа на кухне.

Ричард повернулся к двери, рука его по-прежнему была в банке с йогуртом, и он чувствовал себя весьма неудобно.

Мариан окинула взглядом Ричарда, его желтую куртку, старый твидовый пиджак, ботинки «Лойб» и прищурилась.

— А я и не знала, что к вам кто-то должен прийти, миссис. Извините.

Лицо Пандоры становилось все бледнее.

— Мариан, мне действительно надо бы выпить чашечку кофе.

— Тогда идите, дорогая моя, в соседнюю комнату, а этот джентльмен поможет мне тут все убрать.

Ричард удивился такой постановке вопроса.

Несмотря на головную боль, Пандора не сдержала улыбки.

— В этом доме главная Мариан, а вовсе не я.

Ричард, занятый отковыриванием ошметков кофейной жижи от пола и со стен кухни, думал о том, что американки все же не совсем нормальные женщины. Пандора, правда, не входила в их число. Она как раз была самой спокойной из всех американок, с которыми сводила его судьба. Прочие же были больше похожи на эту Мариан. Чтобы прислуга, получающая от тебя жалованье, приказывала тебе! В Англии, правда, исключение составляли няньки. Но это были представительницы совершенно особого рода прислуги. Они и рождались-то вовсе не в капусте, как другие девочки. Их находили в обжигающих зарослях крапивы. А

---

* Шутливое обращение к молоденькой девушке.

почему бы не попробовать понравиться этой грузной американке, как он когда-то нравился своей няньке? Подумав, Ричард спросил у Мариан, двигавшейся по кухне с огромной скоростью:

— Вы давно здесь работаете, Мариан?

— Да всю мою жизнь.

Первый шар не попал в цель.

Ричард попробовал второй. Он прицелился, как в крикете, но «ударил» не сильно и мягко.

— А у вас тут семья?

— Нет.

Она даже не попыталась принять его «шар». «Ну ладно, — решил он. — Хватит бродить вокруг да около, пойдем напрямик».

— А вы замужем?

Это сработало.

— Замужем? — Мариан, уже поставив на огонь свежую кастрюльку кофе и приготовив стопку поджаренных хлебцев, которые теперь лежали у тостера рядом с белой тарелкой с маслом и плошкой английского мармелада «Фортнум и Мейсон», вопрошала:

— А зачем мне связывать свою судьбу с каким-нибудь никчемным бездельником и таскать его потом, как гирю на цепи, всю свою жизнь? — Последняя громко произнесенная ею фраза перекрыла грохот соковыжималки, давившей апельсин.

Пандора заглянула на кухню.

— Ричард, не следует начинать с Мариан беседы о мужчинах, особенно в тот момент, когда мне так хочется кофе. Лучше идите ко мне сюда, в соседнюю комнату, и, пожалуйста, попытайтесь ничего не свернуть по дороге.

— Ну, не все же мужчины такие плохие, — вымолвил Ричард, уходя из кухни. — Встречаются и вполне приятные люди.

Мариан закатила в возмущении черные глаза к потолку, потом сурово уставилась на банку йогурта.

— Этот йогурт я как раз хотела использовать на сырный пирог к ужину для мисси.

— Мариан, я приглашу вашу хозяйку на ужин в ресторан. А вообще, я прошу извинить меня. Честное слово, после того как мы поужинаем, я помогу вам с сырным пирогом. Мы подружимся, вот увидите.

— Возможно, но только после того, как вы соскоблите кофе с потолка, понятно?

Ричард поскорее покинул кухню. Его методы обвораживания нянек по эту сторону Атлантики явно не работали.

— Неужели мне и вправду придется тащить сюда лестницу и соскребать кофейные пятна? — спросил он Пандору, когда они уже сидели в весьма элегантной гостиной.

— Нет, — успокоила Пандора. — Она сама все сделает.

Несколько минут спустя кофе был на столе, и Ричард уплетал поджаренные хлебцы с самым популярным в мире мармеладом.

После того как Мариан убрала со стола, она приблизилась к Ричарду и довольно грубо сорвала с его руки банку с йогуртом.

— Помогло, — констатировал Ричард. — И правда помогло. — Его лицо тут же вновь приняло грустное выражение. — И все же я испортил вам ваш сырный пирог к ужину, так что, как я и обещал Мариан, я приглашаю вас в ресторан. Как вы на это смотрите?

Пандора успела выпить традиционные три чашки кофе и почувствовала себя лучше. В ее голове вдруг стали вспыхивать маленькие огоньки, похожие на вечно мигавшие лампы, что были в подвале особняка Маркуса.

— Не знаю, — мягко ответила она. — Слишком уж забытая для меня эта привычка — ходить в рестораны.

Она терпеть не могла посещать рестораны с Маркусом, потому что тот использовал походы как составную часть процесса издевательств над ней. В такие вечера, «вечера работы», Маркус повязывал ей шелковую ленту на правое запястье, и она сидела на протяжении всего изысканного обеда, зная, что по возвращении домой будет распята на кровати, а он примется долго щекотать и покалывать ее беспомощное тело щетками и прочими специально для этого подобранными инструментами. А завершится все это болью. Такие вечера всегда заканчивались болью.

— Когда женщина вот так стонет в сладостной агонии, это заставляет думать мужчину, что он всемогущ, — сказал ей однажды Маркус. — У каждой женщины между криком боли и воплем экстаза есть особый крик, всхлип. Он звучит, как голос скрипки. Именно этот звук мне и нужен, именно он дает мне власть. Твоя же проблема заключается в том, дорогая, что ты от всего этого не получаешь удовольствия. — Маркус приблизил тогда свое лицо к ее лицу и добавил: — Поэтому ты меня так и привлекаешь. Потому что когда-нибудь и у тебя я найду этот звук — «крик скрипки».

Все эти воспоминания пронеслись перед глазами Пандоры, пока она смотрела на своего гостя — «изумительного» англичанина, уплетавшего поджаренный хлебец с мармеладом. Пандора нахмурилась, наблюдая, как неаккуратно он ел, разбрасывая по всему столу крошки. Но тут же успокоилась, ведь Маркуса поблизости не было. Поэтому крошки большого значения не имели.

— Да, пожалуй, я хотела бы сходить в ресторан, — ответила наконец Пандора.

Ричарду же в данный момент очень хотелось в тиши и спокойствии переварить свой завтрак за чтением свежей «Дейли телеграф». Он и Гортензию вымуштровал так, что по утрам та беспрекословно позволяла ему следовать давным-давно установившимся привычкам: завтрак, чтение «Дейли телеграф», быстрая проверка того, не следует ли кого-то из знакомых поздравить с именинами, потом неторопливое шествование в ванную со спортивными полосами газеты для тщательного их изучения. Ричард считал, что он может определять характеры людей по тому, как те завтракают и читают утренние газеты. Более того, в последнее время он стал замечать, что в ванную или в туалет молодые да прыткие карьеристы теперь не шествовали, как он, неторопливо и как бы нехотя. Напротив, они направлялись туда прямиком, без смущения, объявляя всем присутствующим о своем намерении. Глядя на этих молодых карьеристов, Ричард ощущал себя стариком.

Он бросил взгляд на Пандору и понял, что ему давно пора взяться за интервью с ней. Ну а «Телеграф» подождет.

— Может, начнем нашу беседу о вашей жизни с доктором Сазерлендом?

Пандора кивнула.

— Пожалуй, можно, — ответила она. — Пойдемте наверх, в мою маленькую гостиную. Там тихо. Я всегда считала эту гостиную своим убежищем. Потому что со мной там ни разу не произошло ничего дурного.

Ричард почувствовал острый укол жалости, взглянув в лицо Пандоры. Ведь она действительно была благодарна судьбе за это маленькое и безопасное убежище. Он поднялся вслед за женщиной по лестнице наверх. Проходя мимо кухни, Ричард с облегчением заметил, что Мариан действительно уже установила там длинную стремянку и теперь вовсю мыла потолок. Служанка успела-таки бросить в его сторону полный неприязни взгляд.

Пандора указала ему на комнату, располагавшуюся напротив двери в спальню, сама же вошла в спальню, сказав, что вернется через минуту.

Ричард сел на один из детского размера стульчиков

и оглядел комнату. Похоже было, что предназначалась она для ребенка: старая кровать со сбившимся набок толстым бордовым покрывалом, маленькая школьная парта, испачканная чернилами. Ричард приподнял крышку парты — в ней были стопками сложены учебники. Каждый из них надписан: «Пандора Мейсон».

На крышке парты, на самом видном месте нарисован высокий мужчина, чьи плечи заслоняли диск солнца.

— Это мой отец, — сказала вдруг из-за спины Ричарда Пандора.

Ричард от неожиданности выпустил крышку парты, которая, опускаясь, громко хлопнула.

— Простите. Я не собирался тут у вас шарить.

Пандора улыбнулась. Она успела переодеться в старый домашний халат шоколадного цвета в ярко-желтых квадратах. Ее руки беспокойно теребили кончики такого же старого веревочного пояса.

— Надеюсь, мой вид не вызовет у вас возражений, — произнесла она. — Это мой старый халат, я ношу его с тех пор, как мне исполнилось двенадцать. Маркус позволил мне привезти в эту комнату все из моей старой детской спальни. Знаете, это было очень мило с его стороны. Я была такой наивной. Страшно наивной.

Ричард не нашел ничего лучшего, как ответить:

— Я думаю, Пандора, многие люди наивны. Большинство даже не догадываются о том, что происходит в нашем громадном мире. Вот я, например, был ужасающе наивен, когда начинал работать в «Бостон телеграф». — Тут он опять вспомнил, как впервые встретил Пандору в театре, куда сопровождал в тот день свою тетушку. — Должно быть, тут действует закон Юнга, а? — спросил он вслух. — Ведь я именно вас встретил тогда в опере в Бостоне несколько лет назад.

Пандора улыбнулась.

— Таблетки делают туманными почти все мои воспоминания. Но и я прекрасно помню, где и когда видела вас. И все же именно из-за таблеток я мало что помню из происшедшего со мной. — Потом, с сосредоточенностью послушного ребенка, она произнесла: — Но я постараюсь. Я правда постараюсь. — Пандора села сначала на детский стульчик, потом спустилась на пол и устроилась там, скрестив ноги и разминая на них пальцы руками.

Ричард достал из оттопыренного кармана записную книжку.

— Я собирался вести себя как истинный профессионал и принести диктофон, но решил, что это будет только мешать вам. Так что давайте беседовать по старинке, ладно?

Пандора слабо дернула плечами, потом опять замерла.

— Все, кто читал про это дело, знают, что большинство женщин, замешанных в нем, были вполне уважаемыми домохозяйками из семей со средним достатком, за исключением нескольких проституток.

Пандора кивнула.

— Ага. Каждую неделю наша группа, состоявшая из женщин, которых били мужья, собиралась на групповые «сеансы моральной поддержки». Сначала каждая из нас представлялась окружающим, а потом начинала рассказывать о том, что с ней случилось за истекшую неделю. — Голос Пандоры приобрел вдруг некую певучую интонацию и стал похож на механический речитатив заводной куклы.

— Пандора, — Ричард подался вперед, — Пандора, остановитесь.

Пандора вздрогнула.

— Извините, Ричард.

— Вы же не со мной разговариваете, Пандора. Вы просто повторяете какой-то заученный текст. Вы говорите, как человек, которому «промыли мозги»!

Глаза Пандоры неожиданно ожили.

— Вы правы! Эти занятия и вправду превратились в нечто вроде промывания мозгов. После нескольких недель сеансов все участвовавшие в них женщины прекрасно узнавали друг друга. И тогда наступало время приватных сеансов с Маркусом. Бог мой! Женщины буквально сражались за то, чтобы он обратил на них побольше внимания. — Голос Пандоры помягчел. — Ричард, он всегда был со мной таким добрым, таким нежным. Только после того, как я вышла за него замуж, я поняла, какой это опасный человек. Ведь он не просто ненормальный, он действительно опасен. Но поняла я это слишком поздно. — Пандора плотнее укуталась в халат. — Проблема заключалась еще и в том, что между приступами своего сумасшествия, ненормальности, он опять бывал добрым. Брал меня с собой в путешествия. В Гонконге накупил мне жемчуга, одежду, платья, в которых я хожу. К тому же я не уверена, что «нормальные» люди, те, кто никогда не страдал той ужасной, довлеющей над ними страстью, могут понять мою с ним жизнь.

— Если завтра он вдруг позвонит вам и позовет к себе, вы поедете?

Пандора взглянула на Ричарда.

— Знаете, я много раз об этом думала. Надеюсь, что не поеду. Я искренне на это надеюсь. Но в моей душе есть что-то пугающее, что говорит мне: если я опять услышу его голос, я пойду туда, куда он меня позовет. Мужчины, подобные Маркусу, — смертельное искушение для женщин. Они так хорошо нас знают, что могут заставить делать буквально все. Они как торговцы чувственными наркотиками, без которых ты ощущаешь себя потерянной, пропавшей. Так случилось и со мной. Он стал моим путем к наркотическим снам. Когда мы были вместе и он был нежен, внимателен и обходителен, я буквально светилась. Все мое тело ощущало себя живым. — Не сводя взгляда с Ричарда, Пандора стряхнула с плеч халат, выпрямила спину. Волосы разлетелись крыльями и замерли, словно по воле собственного электрического поля, лицо вспыхнуло.

«Бог мой, как она хороша», — подумал Ричард.

— Посмотрите на меня, Ричард. — Пандора подняла руки над головой, легко вскочила на ноги. — Доктор Маркус Сазерленд и его безымянная Жена посетили еще одну вечеринку, и бла-бла-бла в этом духе.

Ричард был потрясен. Как, черт побери, сможет он растолковать все это своим заурядным читателям?

— Неужели вы думаете, что, если я напишу об этом вашими словами, мои читатели поймут меня?

Пандора энергично закивала.

— Да, конечно, — уверенно заявила она, — и не только женщины. Мужчины тоже могут пристраститься к таким «наркотикам». Помните Антония и Клеопатру? — Она опять поднялась и стала ходить по комнате. — Просто женщины всегда пытаются все, что имеют, вложить в свои взаимоотношения с супругом, а мужчины — нет. Поэтому такое огромное число женщин и втягиваются в столь болезненные супружеские отношения, из которых выпутаться им оказывается не под силу. Один Бог знает, что бы со мной случилось потом, если бы Маркусом не заинтересовалась полиция.

— А что, вы думаете, могло с вами случиться? — мягко спросил Ричард.

— Думаю, в конце концов я убила бы себя из чувства отвращения к себе. Многие поступили именно так, знаете? Потому что на определенном этапе вы абсолютно перестаете себя понимать. Вы просто знаете, что существует какая-то часть вас, часть, похожая на дикого зверя, которого так до конца никогда и не удается приручить. Усмирение же этого зверя по силам лишь опытному дрессировщику, умеющему хорошо владеть хлыстом. Такому дрессировщику, как Маркус. — Пандора замолчала. Она выглядела очень усталой. — Пожалуй, мне надо лечь и немного поспать, — пролепетала она детским голосом, забралась в кровать и отвернулась к стене. Ржавые пружины кровати протестующе заскрипели.

— Можем ли мы вместе пообедать сегодня, Пандора? — Ричард вдруг понял, что очень хочет получше узнать эту женщину. Причем, не в интересах своих читателей, не для газеты, а для себя.

— Позвоните мне в семь. Это будет самое подходящее время. — Ее длинные ресницы опустились, и она быстро заснула, словно ушла в какой-то глубокий-глубокий лабиринт, где, как показалось Ричарду, никто не смог бы ее отыскать.

Журналист вернулся в контору, положил перед собой белый лист бумаги и написал: «Смертельное искушение женщин». Бог ты мой! Вот ведь был мужик, мог заставить любую женщину делать все, что пожелает, а меня едва на Гортензию хватило. Он позвонил домой в Бостон, в свою квартиру.

— Да? — Вместе с этим словом в ухо Ричарда ворвалось чавканье разминаемой жвачки. — Это Гортензия. Что вам надо?

— Это Ричард, Гортензия. Я хотел просто спросить тебя, не сохранила ли ты пачку газетных вырезок о процессе над Маркусом Сазерлендом?

— Не-а.

— Нет? Гортензия, как это — нет?

— Послушай, Ричард, хватит на меня бросаться. Мог бы начать с другого, мол, привет, малышка! Я так по тебе скучаю, или что-то в этом роде. Или ты об этом не думал, только и занимался, что трахал свою мисс Чокнутую Развратницу?

Ричард нахмурился.

— Извини, Гортензия. Я устал. И к тому же не спал с мисс Сазерленд. Она просто печальная потерянная женщина, чтоб ты знала. А бумаги, о которых я спросил, нужны мне для моей статьи.

— Извини и ты меня, милый. Но я их взяла к себе домой. Мне нечего было положить в клетку морской свинки. Я и не подумала, что они тебе понадобятся. Они теперь уже порядком обписаны. Но я все же могу их принести обратно, если нужно.

— Да нет, спасибо, не беспокойся. Я смогу достать эти газеты и в библиотеке. Вернусь в субботу поздно вечером, так что не жди меня, ложись спать.

Гортензия издала гортанный смешок. Самому же Ричарду после сегодняшней беседы с Пандорой не очень хотелось думать о сексе.

Глава тридцать пятая

Пандора проспала всю вторую половину дня и ей снились ужасные сны. Словно она была где-то далеко-далеко, на вершине какого-то утеса. Все эти разговоры о Маркусе, к тому же, расстроили ее. Ей вспомнилось его лицо, пристальный взгляд, его рот... Она вдруг ощутила у себя во рту тот же прежний вкус, что бывал у нее всегда ранним утром. По утрам у нее болело все тело, во рту было сухо и присутствовал только вот этот масляный, какой-то рыбный, сальный привкус. Сквозь завывания ветра и шум дождя Пандора вдруг услышала тихий ясный голос, который сказал ей: «Выплюнь это. Просто подойди к двери и выплюнь все это».

Она с трудом встала на ноги, ее тошнило. Но кто-то вдруг оказался рядом, открыл ей рот и пальцами достал так мешавшее ей нечто. Нежная рука погладила ее волосы, провела по лбу. Потом ей дали отпить напитка из сосуда, всегда бывшего рядом, и опять положили... в ее маленькую кровать в городе Бойсе, штат Айдахо.

Окто вылез из пещеры и подошел к Джанин.

— Посмотри-ка, — сказал он, показывая ей сгусток слизи на пальце. — Мейзи добралась-таки до нее, видишь? Пандора пыталась уже встать. Если бы она встала, то обязательно прыгнула бы с утеса.

В стороне от них, в густых зарослях, глаза четырехпалого кота сверкнули в приступе ярости.

* * *

Ричард всю вторую половину дня зло названивал знакомым психиатрам, пытаясь добиться от них доброго совета.

— Ну что ж, может быть, она страдает от синдрома раздвоения личности, — предположил доктор Спрингфильд. — Просто она стала приставать к этому своему будущему мужу, потому что он был известным человеком. Вы же знаете, как бывает. Женщины падки до этого.

Доктор Хорст считал, что речь идет об эротомании.

— Она безрассудно любит его, потому что он обладает над ней полной властью. Абсолютной властью. Видимо, это очень сложный случай. А согласна ли она подвергнуться психотерапии?

Ричарду вдруг показалось, что доктор Хорст испытывает нечто большее, чем профессиональный интерес к вопросам эротомании. У него, на том конце телефонного провода, наверное, уже потекли слюнки.

— У меня есть одна пациентка, которая обожает, когда ее шлепают по заду. С ума сойти. — Доктор Хорст громко расхохотался.

Ричард опустил трубку немного резковато. Ему неожиданно страшно захотелось сбежать куда-нибудь из этого опасного большого мира, где люди почему-то позволяли себе делать совершенно немыслимые вещи, издеваясь друг над другом без малейших угрызений совести.

Потом он долго перебирал в руках канцелярские скрепки. Смастерив из них достаточно длинную цепь, бросил это занятие, решив перейти к конструированию моста из спичек. Становилось жарко, ему хотелось спать. Наконец он перебрался к старому дивану, стоявшему в репортерской комнате, и тяжело уснул. Ему снилась рыбалка на форель в Девоне. А еще, к его удивлению, приснилась Пандора, сидящая рядом с

352

ним на скамеечке. На этом моменте мужчина проснулся и понял, что пора уже ехать в гостиницу и переодеться к обеду.

Выбирая одежду, причем гораздо более тщательно, чем делал обычно, Ричард понял и другое: как правило, он не приглашал тех, кого интервьюировал, в рестораны. Более того, его редакция и не предусматривала оплату таких мероприятий.

Ричард знал, что он мот. Конечно, он получал приличное жалованье в «Бостон телеграф». Но была и роскошная, дорогостоящая квартира в Бостоне. А еще Гортензия — другой объект мотовства. «Правда, теперь, — думал Ричард, шагая по гостиничному номеру, — этим объектом она не долго останется». Поправляя итальянский шелковый галстук, Ричард констатировал, что неприятным в Гортензии было то, что если, скажем, на Давида — творение Микеланджело или на какую-нибудь Афродиту, выходящую из морской пены, да даже из самой обычной ванной, завернутой в махровое полотенце, смотреть было в радость, то вот Гортензию логичнее всего было представить сидящей на толчке и орущей на него по какому-нибудь поводу.

«Школа Шелборна» для мальчиков, где Ричард учился, не побудила его на сколь-нибудь глубокие размышления о женщинах и их сексуальном поведении. Самым значительным его выводом по этому поводу был тот, что он, к счастью, принадлежал к числу мальчиков, обладателей пенисов, которых не было у девочек, и что, следовательно, мальчики имели солидное преимущество перед девочками.

Сожительство с Гортензией открыло Ричарду весь ужас его сексуальной необразованности. Клаттерз, которого в их школе для мальчиков знали еще как мистера Клаттербака, был весьма хорош, конечно, в преподавании сексуального воспитания. Именно он первым из учителей стал, как конфетти, разбрасывать по классу многоцветные презервативы. Но забыл при этом рассказать своим ученикам о таких девочках, как Гортензия. Он говорил только о неопытных девочках да о необходимости обеспечения начинающими своего полового акта должной смазкой: «Вазелин, мальчики. Применяйте как можно больше вазелина».

В первый раз, когда он занимался любовью с Гортензией, это показалось ему ужасно скучным. Она громко и удовлетворенно вскрикнула, пукнула, а потом мирно уснула. Баночка вазелина так и осталась нетронутой на ночном столике, а член Ричарда с глубоким разочарованием глядел на своего хозяина. «Об этой особе нам надо будет еще многое узнать, старина», — печально сказал своему члену Ричард.

Но все же Гортензия ему нравилась. Несмотря на то что как ураганом смела все его привычки. Осталась, правда, одна святая привычка — тащиться после завтрака в туалет со свежим номером «Телеграф». Как ни пыталась Гортензия поломать эту привычку, но так и не смогла этого сделать. Однажды любовница даже повалилась на пол, напрочь отказалась двигаться, заявляя, что ее психиатр сказал, будто Ричард скрывает от нее некую интимную информацию, весьма важную для успеха их взаимоотношений.

Ричард поднял ее с пола, что, кстати, стоило ему значительных усилий, так как вес у Гортензии был приличным.

— Ничего подобного. Я просто-напросто хочу посидеть по утрам в туалете, — с отчаянием в голосе произнес он. — Хочу открыть свою газету на страницах с советами для садоводов, немного почитать, подумать о чем-нибудь. А уж потом начать свой день. Что же в этом, черт побери, плохого?

И все же Гортензия умудрилась прибрать Ричарда к рукам: из достаточно скромного, застенчивого мальчика, воспитанного в традициях государственной школы и любящего литературу она сделала очень уверенного в себе городского мужчину.

«Во всяком случае, таковым я себя считал до этого дня», — подумал Ричард, чувствуя, как его уверенность тает на глазах. Он так и не смог определиться, в какой ресторан повести красивую женщину. Женщину, которая выглядела то роскошной, притягивающей взгляды красавицей, то, через мгновение, становилась похожей на погибающий цветок. Пандора напомнила Ричарду его детство, когда он брал в руки сероголовые одуванчики и одним выдохом сдувал с них все пушинки. Так вот, Пандору, казалось, можно было сдуть одним дуновением.

В свои двадцать восемь лет Ричард был уверен, что жизнь большинства людей течет плавно и размеренно, словно по определенной железнодорожной колее. Сам он, правда, несколько выбился из этой колеи в отличие от других членов своей девонской семьи. Она состояла из пяти мальчиков, и каждый с детства был предназначен для армии и военно-морского флота, либо для административной службы, в крайнем случае, дипломатии. Ричарда, самого младшего, хотели направить по стезе священника. Ему запомнилось пораженное лицо отца, когда он отказался изучать теологию в Кембридже.

— Грехи плоти, папа. Ты знаешь, как это бывает.

— Но, мой дорогой мальчик, ведь ты же и священником сможешь жениться.

— Знаю, папа, — с чувством ответил Ричард. — Но жениться-то я смогу только на одной женщине.

Отец вышел тогда из комнаты, бормоча что-то под нос и теребя лацкан пиджака.

Ричард позвонил дежурному администратору гостиницы и попросил подсказать лучший ресторан в городе.

— «Ле Бо Риваж», сэр. Вам зарезервировать столик?

— Спасибо, — поблагодарил Ричард, ощущая, как мышцы в низу его живота собираются в тугой комок.

«Ни за что, — пообещал он себе в спальне гостиничного номера где-то в каменных дебрях городка Бойсе, штат Айдахо. — Я ни за что не влюблюсь в эту женщину. Боже! Если уж я с трудом переношу Гортензию, то эту точно не перенесу».

Пандора сидел у трюмо, то и дело нервно вздрагивая. Мариан расчесывала ей волосы.

— Вы шикарно выглядите сегодня, мисси. Сходите и хорошенько развлекитесь. Вы уже сто лет никуда не ходили. Только в свои благотворительные походы. К тому же с этим типом вы спокойно справитесь. Он же слабачок.

— Знаю, я просто отвыкла разговаривать с людьми, Мариан.

— Ничего страшного, милая. Постарайтесь просто перевести разговор на него самого. Это все, что требуется мужчинам. Понимаете? — Мариан принесла черное в блестках узкое платье. — Наденьте это с той маленькой красивенькой шляпкой с красным помпоном, что так к нему подходит, и вы будете выглядеть на миллион долларов.

Пандора втиснулась в платье. Тугой ободок подчеркнул густоту ее рыжих волос. С глазами было и так все в порядке — они живо сверкали. А не так давно Пандора думала, что ее глаза уже никогда не загорятся, что лицо ее постепенно станет неотличимым от физиономий тех проституток, делом которых она, скрепя сердце, занималась.

— Как же все-таки так получается, — вопрошала Пандора, — что я все эти месяцы искала искупления и покоя близ бедных и бездомных людей, а сегодня вдруг согласилась пойти в ресторан с почти незнакомым человеком и, безусловно, проглочу обед, которым можно было бы накормить обитателей целого приюта?

— Перестаньте думать обо всем этом, мисси. Про-

356

сто идите и развлекитесь. Вы что, считаете, что всю вашу жизнь должны будете жить в трудах и муках?

— Ты хочешь сказать, — улыбнулась Пандора, — что я должна воспрять духом, да?

Мариан улыбнулась в ответ. Давно она уже не видела настоящей улыбки на лице Пандоры.

Глава тридцать шестая

Ричард заехал за Пандорой на лимузине, взятом напрокат. Такое решение он принял несколько неожиданно. «Ягуар» вдруг показался ему недостаточно престижным для такой роскошной женщины. Ну а толкаться на улицах в попытках поймать эти американские такси просто не соответствовало его стилю поведения. К тому же, когда Ричард все же попытался свистнуть проезжавшему такси, вложив в рот два пальца, свиста не вышло, а руки оказались покрытыми слюной. Но он утешил себя тем, что таксисты Айдахо наверняка просто-напросто игнорируют британских джентльменов.

Гостиница, в которой он остановился, обеспечила Ричарда длинным лимузином с затемненными стеклами и предоставила безукоризненно одетого шофера. «Придется что-нибудь наврать этой устрашающей секретарше из канцелярии «Бостон телеграф», — решил Ричард, — например, что лимузин понадобился для проведения каких-нибудь тайных операций». К счастью, у него в запасе на этот случай было полно занимательных историй, которые в будущем он надеялся выпустить в виде романа. Потом, после публикации, он мог бы продать свое творение кинематографистам, получить кучу денег и остаток жизни провести, охотясь на женщин и потягивая прекрасные вина.

Все эти мысли приходили Ричарду в голову, пока он ехал в лимузине, ощущая его мягкий, роскошный

358

ход и сравнивая внутреннюю отделку с внутренностями своего первого автомобиля — крошечного кругленького «морриса-майнора», заднее сиденье которого явно не предусмотрено для занятий сексом, да и переднее давало место лишь для страстных объятий и поцелуев. Джеральдина Патч, первая амурная победа Ричарда, умудрилась, однако, успешно отдаться своему партнеру, но была вынуждена для этого перегнуться через спинку передних кресел. Произошло это в один жаркий день под открытым небом при откинутой назад крыше «морриса». Ричарду так понравился его первый опыт, что он принялся всерьез охотиться за любовным эликсиром и заниматься сексом так часто, как только мог. Прошедшие с момента встречи с Джеральдиной десять лет представляли собой череду воспоминаний о грудах сплетенных в экстазе тел на вечеринках, в том числе на кроватях, заваленных толстыми зимними шубами, о прочих любовных эскападах. Некоторые воспоминания касались любовных приключений с чужими женами, которые Ричард позволял себе лишь тогда, когда жена была действительно неотразима, а ее муж — очень далеко, так как у него совсем не было желания в самый разгар любовных утех услышать вдруг звук ключа, вставляемого в скважину законным супругом, или испытать унизительную необходимость бежать из какой-нибудь квартиры со спущенными по щиколотку брюками. Не желать таких приключений было так же свойственно характеру Ричарда, как спокойное чтение газеты в туалете по утрам или неумение свистом в два пальца подзывать к себе такси.

Лимузин остановился у тротуара напротив дома Пандоры. Шофер открыл дверь, и мужчина, распрямив плечи, начал подниматься по ступенькам. Мариан впустила его. При этом она скорчила такую гримасу, что Ричард уже было засомневался, не забыл ли он смыть со щеки мазок пасты и нет ли на плечах его выходного пиджака следов перхоти.

— Мисси ждет вас, — сообщила Мариан, — и не вздумайте опять ее расстроить. Поняли?

— Мисс Мариан, я очень рассчитываю на то, что смогу прекрасно развлечь вашу хозяйку.

— Уж сделайте милость. — Казалось, еще немного, и Мариан просто вопьется зубами в горло пришельца.

Ричард двинулся туда, куда указала ему Мариан, стараясь соблюдать достоинство, зная, что служанка следит за каждым его жестом. «Почему этой старухе удается так запросто заставить мня ощущать себя шестилетним мальчишкой?» — спрашивал он себя. Перед дверью студии Ричард остановился и тихо постучал.

Когда он увидел Пандору, стоящую у мраморного камина, у него перехватило дыхание. Он сразу вспомнил тот старый каталог мод своей матери. На его обложке была изображена женщина, точно так же стоявшая у белого мраморного камина, локтем опираясь на его уступ. Позади этой женщины находилось зеркало, в котором отражались затылок, прекрасные волосы, длинное обтягивающее платье в черных блестках, которое так и хотелось потрогать, погладить, а затем снять, как кожу змеи, и сбросить на пол. В ту женщину Ричард влюбился, когда ему не было и пяти. И вот теперь эта женщина словно стояла перед ним, сойдя с картинки.

— Вы удивительно выглядите, Пандора, — произнес Ричард, надеясь, что голос его не сорвется.

— Правда, Ричард? — Пандора повернулась к нему. — Посмотрите-ка. Вам нравится моя шляпка с красным помпоном? Симпатичная, не так ли? — Сегодня на щеках женщины прибавилось румянца.

— Нас ждет машина. Столик в ресторане заказан. — Ричард глянул на часы. Вообще-то ему хотелось поскорее уйти из этого дома, от Мариан, от отвратительного дела доктора Маркуса Сазерленда. Уйти, чтобы сводить эту красавицу в ресторан и насладиться временем, проведенным в ее компании.

— Я готова, — просто сказала Пандора. — Мне осталось только надеть пальто. — Она облачилась в широкое манто золотого оттенка и надела темные очки. — Пошли? — Пандора положила руку на локоть Ричарда, и так они спустились вниз по коридору, мимо Мариан, которая как-то криво им улыбнулась. «Чтоб ее кондрашка хватила», — подумал про себя Ричард. Он представил себе Мариан трупом, что было неудивительно — сказался опыт нескольких семинаров, проведенных в Медицинском училище Святого Томаса. Хотя он и был очень быстро отчислен из этого заведения за то, что положил ногу мертвеца в шкафчик одной из воспитательниц, некоторые основы человеческой анатомии Ричард изучить все же успел.

— Спокойной ночи, мисси, — сказала Мариан Пандоре. — Я не буду ложиться, подожду вас.

— Ох, не надо себя так утруждать, — мягко возразила Пандора.

— Нет уж, я вас дождусь.

Пандора покачала головой.

— Мариан очень уж обо мне печется.

Они спустились по ступенькам крыльца к сверкающему автомобилю.

— Ух ты! — Пандора в восторге поднесла руку в перчатке ко рту. — Вот это авто!

Ричард улыбнулся, он был доволен тем, что сквозь лоск внешнего облика миссис Сазерленд вдруг проглянуло нечто естественное, человеческое. Шофер распахнул дверцу лимузина, и Пандора скользнула внутрь.

— Я очень рада нашему сегодняшнему вечеру, Ричард, — промолвила она. Ее глаза находились в нескольких сантиметрах от его, розовые губки улыбались, а весь салон автомобиля окутывал удивительный аромат «Шалимара».

«Она пахнет, как вечерний персидский сад, — решил Ричард, откидываясь на спинку мягкого сиденья. — Мы ляжем с ней на берегу какой-нибудь реки, укрытом лепестками мирта, а едва одетые девушки будут ступать вокруг нас, по нашему велению кладя нам в рот кусочки нежных кушаний. А потом, когда встанет солнце, я запью все эти восхитительные лакомства напитком богов, что слижу с углубления на груди Пандоры».

— Нам здесь направо, сэр?

— Э... да, кажется, — Ричард выругался про себя. Насколько все же будничная жизнь лишена фантазии.

Пандора смотрела в окно. Ричарду вдруг показалось, что кровь вновь отливает от ее щек. Он положил свою руку на ее локоть.

— Знаете, Ричард, я должна буду уехать отсюда. Я не смогу остаться. Здесь меня постоянно окружают недобрые воспоминания.

— Могу себе представить! Но давайте все это забудем, хотя бы на сегодняшний вечер. Я хотел бы, чтобы он стал лучшим в жизни и для вас, и для меня. Я заказал столик в «Бо Риваж». Там мы с вами будем вкусно есть и пить всю ночь. И вообще, Пандора, что вам требуется, так это немного развлечься.

На мгновение в душе Пандоры вспыхнула холодная ярость, обращенная против сидящего радом молодого человека. Развлечься?! Развлечение сейчас как раз нужно было именно ему, и именно он собирался развлечься. Развлечься! Потом она взглянула еще раз на Ричарда и подумала: «Нет, я не права. Он так добр ко мне».

— Хорошо. — Пандора улыбнулась. — Сегодня вечером мы будем только развлекаться.

Она приняла столько таблеток, что они должны были поддержать ее в тонусе еще часов шесть. Плюс, на всякий случай, у нее еще был запас в сумочке. Кто-то, а Пандора умела развлекаться. Ведь Маркус, когда на него вдруг нападало рассеянное настроение, всегда заставлял ее развлекать его. Сейчас, собственно, ее заставляли делать то же, просто преподносилось это куда деликатнее.

В ресторане был полумрак, что весьма понравилось Пандоре. Тем не менее она решила не снимать темные очки, чтобы никто из посетителей не смог ее узнать. Ричарду тоже пришелся по душе царивший вокруг холодноватый приглушенный свет. Внутреннее убранство было сохранено в стиле двадцатых годов. Вдоль одной из стен зала шла металлическая стойка бара, за которой на стене выстроились ряды блестевших в свете тусклых ламп бутылок.

— Когда-то здесь находился подпольный бар, — объяснила Пандора. — Местечко это всем так нравилось, что, даже когда оно переходило к новым владельцам, в нем ничего не меняли. Правда, качество кухни улучшалось постоянно.

В другом конце зала небольшой оркестр играл медленный джаз. Ресторан был достаточно полон, и среди посетителей Пандора заметила Дитера Розена, что-то строчившего в блокноте. «Наверняка для завтрашней газеты», — решила Пандора.

Они сели за столик недалеко от оркестра. Ричард открыл меню.

— Будете коктейль? — спросил он.

— Да, джин с тоником, пожалуйста. — Пандора чувствовала себя с Ричардом уютно и просто.

Он изучил меню.

— Что бы вы хотели взять? Я знаю, что здесь хорошо готовят стейк из меч-рыбы.

— О, нет. Я бы взяла филе из камбалы и немного шпината. — Пандора улыбнулась Ричарду. — А вы что закажете?

— Все, что есть! — Ричард вновь схватил меню обеими руками. Его глаза прыгали с одного деликатеса на другой. — Вы себе не представляете, как я буду скучать по всей этой изумительной американской кухне, когда вернусь в Англию. Подойдет время моего отпуска, и я отправлюсь в Девон к родителям. И там мне придется опять есть то, что приготовит нам наша старая добрая няня.

Пандора наблюдала за тем, как Ричард уплетал одну тарелку за другой. При этом он выпил еще и две бутылки вина, не переставая делиться с ней своими детскими воспоминаниями.

— Вам не скучно, Пандора? Я знаю, что иногда слишком много говорю, но в Бостоне мне часто бывает одиноко. У меня не слишком много друзей американцев. Есть, конечно, Гортензия.

— А кто такая Гортензия? — спросила Пандора, хотя ее женская интуиция безошибочно подсказала — любовница.

— Ну, это... — Ричард пожалел, что не удержал язык за зубами. — Это женщина, которая была добра ко мне. А сейчас она, — он помедлил, надеясь, что какая-нибудь удачная мысль посетит его, — она ухаживает за цветами в моей квартире, пока я тут с вами. — Он особо выделил это «с вами», закрыв рукой холодные пальцы Пандоры, лежавшие на коленях.

Пандора улыбнулась. «Какой же он ужасный врун», — подумала она.

— За вашими цветами, Ричард, наверное, очень сложно ухаживать?

— О, да! Очень сложно. Я ведь выращиваю орхидеи. А их надо держать в темноте, смахивать с них пыль, кажется. Все это делает для меня Гортензия. Она очень симпатичная девушка.

— А подружка у вас есть, Ричард?

Ричард ослабил узел галстука.

— Ну, вообще-то нет, Пандора. Вообще-то нет. У меня бывали подружки, но в общем и целом я, скорее, недотепа, как говорят у нас в Англии. Мои четыре брата давно женились и ведут респектабельную семейную жизнь. Один работает в банке, у него жена и трое детей. Гарет, который служит в военном флоте, женат и имеет четверых детей. Что касается Джесона, то он служит в госадминистрации, женат, у него растет сын. Ну, а старина Джеймс у нас во внешнеполитическом ведомстве. Он только что женился, и жена уже на сносях. Когда мы собираемся вместе, все это выглядит очень по-семейному, с гурьбой детей вокруг, кучей пеленок, бутылочек. Жена Майкла — Делайла — немного сдвинутая, у нее хипповые взгляды на материнство, и поэтому она всегда старается покормить свое дитя на глазах у гостей.

Пандора почувствовала, что ей все интереснее слушать о семейных делах Таунсендов. Вскоре она уже с живым любопытством узнавала, кому досталось в наследство семейное серебро тетушки Мэри или почему кузен Джонатан повесился на суку яблони.

— Так почему это произошло? — спросила она.

— Он оставил записку, в которой написал, что у него никогда не может быть секса, или что-то в этом роде. Один из его дружков пошутил, что, когда он вешался, у Джонатана, вероятно, и случился лучший оргазм, какой только и мог быть в его жизни.

Пандора решила сменить тему разговора.

— Может, потанцуем, Ричард? Оркестр играет прекрасную вещь 50-х годов «Любовь — самое лучшее, что может быть». Вы знаете, сюжет этой песни взят из жизни. Она была доктором в Гонконге, наполовину китаянкой, а он — английским врачом, к тому же женатым...

Ричард обнял Пандору за талию, а лицом зарылся в ее волосы. Он впервые держал ее в своих руках, и это первое объятие сказало ему, что перед ним та, что всегда ждала его, была ему предназначена. Он обнимал многих девушек и женщин, но никогда еще не получал от этого столь удивительного наслаждения. Никогда еще изгибы и впадины двух тел не совпадали так совершенно, не составляли столь идеальное целое. Они двигались, затаив дыхание, под тихую музыку, положив головы на плечи друг друга. Пандора улыбалась, чувствуя себя удобно и уютно, Ричард же понимал, что глубже и глубже падает в пропасть, зовущуюся Любовью.

Джанин, жрица сновидений, улыбнулась.

— Посмотри на ее лицо. Что-то хорошее происходит с ней. — Лицо Пандоры действительно помягчело, а губы вытянулись в веселой улыбке.

Глава тридцать седьмая

К концу недели Ричарду стало ясно, что он уже не сможет оставить Пандору одну в ее большом особняке. Не столько потому, что он жалел ее или считал жертвой жестокого и несколько необычного насилия. Он влюбился в ее похожее на цветок лицо, в ее всегда нежданную улыбку. Еще ему очень нравилось ее чувство юмора, правда, шутила Пандора лишь в тех случаях, когда душу ее не сковывало какое-нибудь очередное ужасное воспоминание.

Решение не оставлять Пандору трудно давалось Ричарду. А тут еще Гортензия, забросив «ухаживание за цветами», которых в квартире Ричарда вообще не было, принялась названивать ему в гостиницу и настаивать на возвращении любовника. «Мой справочник гадальных предсказаний показывает, что над нашими с тобой отношениями сгустились темные тучи. Мы должны воссоединиться, понимаешь? Энергетическая связь между нами теряет силу».

В ответ Ричард бормотал, что он страшно занят, напряженно работает. При этом он понятия не имел, как сможет потом сказать Гортензии, что между ними все кончено, а он влюбился в другую женщину.

Он мог легко представить реакцию Гортензии: «Ух ты, Бог ты мой!». Но вот сможет ли она уйти без скандала? И, если все-таки сможет, тогда он сдаст в газету свою статью о Пандоре, а саму ее увезет в Девон. Там, в фамильном особняке в Чармаусе, они смогут провести какое-то время, привыкнуть друг к другу. И тогда, надеялся Ричард, Пандора поймет, что рядом с ней появился человек, который будет любить ее и заботиться о ней всю жизнь.

Ричард чувствовал себя немного неловко. Его взгляды на семейную жизнь и верность были почерпнуты в основном из книг школьной библиотеки, которые имели малое отношение к действительности. Правда очень рано он стал свидетелем и ряда весьма неприглядных брачных союзов в среде своих родственников. Но Пандора, казалось, не подходила ни к одной из известных ему категорий брака.

При этом удивительным было то, что она с большим вниманием выслушивала рассказы Ричарда о его семье.

— Видишь ли, — энергично объясняла она, сидя на диване, поджав колени, — своей семьи у меня не было. Только ненавидевшая меня мать. Поэтому я считаю тебя счастливым, если такое большое количество людей любили тебя, заботились о тебе, интересовались, где ты есть и как твои дела.

За одним из вечерних обедов Ричард предложил Пандоре съездить вместе с ним в Англию. Статья его должна была появиться в воскресном номере «Бостон телеграф», после чего они могли бы встретиться в аэропорту Логан, у бассейна с живыми лобстерами, и уехать вместе. К тому же, спешить особенно было некуда — никто не читал «Бостон телеграф» в Чармаусе.

Обед в тот день проходил тихо и спокойно. Ричард принес некоторые свои записи, которые хотел проверить с Пандорой. Они расправились со всеми блюдами и теперь потягивали кофе. Пандора чувствовала себя необычайно расслабленной. Она уже бросила принимать таблетки. Во многом из-за того, что присутствие Ричарда успокаивало ее гораздо лучше. Те-

368

перь она всегда бывала в хорошем настроении. Кошмар постоянно менявшихся настроений Маркуса к Ричарду никакого отношения не имел. Этот мужчина походил на большой яркий воздушный шар в голубом небе.

Мотылек-торопыга — так бы обозвала его Моника. Растрепанный, неопрятный, вечно опаздывающий, Ричард, однако, всегда улыбался. А именно этого очень недоставало Пандоре. Последние годы она улыбалась чрезвычайно редко.

Ричард наморщил лоб.

— Я пытался уже подправить этот кусок... Пандора, ответьте, почему, имея деньги на своем счету, машину и свободу передвижения, вы никуда не уезжали? Извините, что я опять вас об этом спрашиваю, но ваши ответы были противоречивы. Однажды вы сказали, что Маркус держал у себя все рецепты на ваши таблетки. В другой раз ответили, что вам некуда было идти, разве только к матери, которая тут же принялась бы вас «пилить», говоря, что из этой переделки вы должны выпутаться самостоятельно, а не укрываться у нее. Однако, скорее всего, есть еще и другой, более полный, ответ.

Пандора вздохнула и вдруг почувствовала, что ее заново рождающееся «я» опять принялось тонуть, пуская беспомощные пузыри, открывая губы в отчаянном плаче: *«Спасите, я так беспомощна!»* Она вновь ощутила себя как бы в утробе матери. Ей даже показалось, что своими неоформившимися еще пальцами она пытается отмахнуться от рук с острым скальпелем, стремящихся вытащить ее из утробы и выбросить, как никчемный нарост.

Пандору вновь окутало знакомое чувство беспомощности, овладевавшее, вероятно, ею тогда, когда она ребенком часами лежала в люльке, в дальнем углу столовой, слабая, мокрая, голодная и никому не нужная, вдали от вечно ноющей матери.

— Что-то всегда лучше, чем ничего, — сказала Пандора, посмотрев в глаза Ричарду.

— А, вот как. — проговорил он, глядя на Пандору. Она опять вздрогнула.

— Напиши просто, что если ты никому не нужен, то твоей самой заветной мечтой является стать желанным, неважно для кого и по какой причине. Пусть даже в качестве объекта сексуального насилия, пусть для того, чтобы на тебя орали, третировали и насиловали. — Пандора наклонилась вперед, и Ричард увидел слезы в ее глазах. — Ужас еще в том, что ты испытываешь благодарность за все это. Вечером каждого дня ты просто переполнена благодарностью, если он не очень громко кричит на тебя. И это даже становится похожим на доброту с его стороны. Если он так и не скажет тебе ничего очень уж жестокого, что горит потом в твоей душе обидой многие дни, ты благодарна ему за это. Ведь нежеланные дети всегда и во всем ищут любви. — Пандора откинулась на стуле и подумала над тем, не сможет ли она незаметно от собеседника проглотить пару таблеток. — У меня болит голова, Ричард. Я, пожалуй, выпью аспирина.

— Конечно. — Он подозвал официанта и попросил воды. «Черт побери, — думал мужчина, — как меня угораздило влипнуть во все это?» Моментами Пандора заставляла Ричарда чувствовать некое неудобство. Он странным образом начинал ощущать, что беседует с человеком, который побывал в персональном концентрационном лагере и смог там выжить. Или почти выжить. Пандора напоминала ему нежную красавицу-бабочку, потерявшую одно из своих крылышек.

Пандора взяла стакан с водой, откинулась на стуле и выдохнула. Ричард, расспрашивая, заставил ее подойти к самому дну ее души, той ее части, касаться которой она боялась. Теперь, правда, она гораздо легче справилась с этим страхом. Но не только страх охватывал ее иногда. Порой на нее опускалось всеобемлющее осознание того, что есть дикий ужас, ужас сознавать, что ты уже не существуешь вообще. Такой ужас Пандора испытывала не одна. Об этом рассказывали и другие женщины, посещавшие сеансы Маркуса. Слышать их рассказы было весьма полезно для Пандоры. Несмотря на отвращение к себе, которое она в такие моменты испытывала, Пандора была рада узнать, что не одна она извивалась в муках сексуального извращения, что и другие несчастные, жаждущие истинной любви женщины прошли через это. Отвращение к себе позволяло Пандоре хорошо хранить свои тайны. Да и другие женщины не особо распространялись о том, как конкретно они проводили семейные вечера. Ну а потом, выйдя за Маркуса, Пандора вообще лишилась собеседниц. Осталась, правда, Мариан, но она умела смотреть на мир сквозь пальцы и держать рот на замке.

Сидя за обеденным столом напротив Ричарда, Пандора поняла, что встретила белого рыцаря, человека, влюбившегося в нее, вернее, в созданный им образ, который он теперь готов будет взять под свою опеку и оберегать целую жизнь. Вот и еще один изгиб моего жизненного пути, заключила Пандора, глядя, как Ричард платил по счету.

Она поднялась и последовала за журналистом. Они покинули ресторан.

В гостиной ее особняка Ричард решился наконец и предложил ей съездить в Девон. Пандора выслушала его с милой улыбкой.

— Я согласна поехать с вами в Девон на несколько дней, Ричард. Мне нравится ваше предложение.

Ричард притянул ее к себе. Впервые в жизни он ощутил, что сердце его действительно может разорваться. Ему показалось, что небеса разверзаются раскатами хорового пения, пения радости и восторга. Вокруг них по комнате закружила целая балетная труппа, вдоль стен встали ряды хористов.

— Пандора, — сказал Ричард самым тихим, ровным голосом, на какой был только способен, — когда-нибудь, Пандора, я действительно захочу жениться на вас.

Она открыла свои зеленые, в мелкую крапинку, немного туманные от таблеток глаза, взглянула на него и ответила:

— Да, Ричард.

Джанин наблюдала за тем, как Пандора, спящая в своей пещере, вдруг засунула себе в рот большой палец и аппетитно зачмокала.

Глава тридцать восьмая

Воскресенья не хватило Пандоре для того, чтобы навести порядок в своем наркотическом арсенале таблеток. Но и Ричарду не хватило этого дня, чтобы избавиться от Гортензии.

— Да пошел ты в задницу, Ричард! — кричала она, вытирая огромные слезы. — Ты не можешь вот так выгнать меня пинком под зад. Смотри, сколько всего я для тебя сделала! Я спасла тебя, сделала нормальным человеком. Я объяснила тебе, что пукать это не смертельный грех.

— За это я тебе очень благодарен, — признал, потупив взор, Ричард. При этом он не мог понять, почему женщины так ловко всегда выставляют его виноватым. — Гортензия, мы же с тобой решили, помнишь, что между нами не будет никаких обязательств.

— Помню, помню. Но мой психиатр говорит, что ты просто боишься брать на себя какие-либо обязательства. Ты бы не прочь и взять их, но не можешь пересилить эту боязнь. Не можешь, и все. Это как если бы у тебя был эмоциональный запор.

— Твой психиатр, Гортензия, в состоянии думать только о моих кишках.

— Ну и что? Ведь именно в них все и заложено. Разве ты об этом не знал, Ричард? Потому что вся дрянь спускается и бродит именно там, понимаешь?

Так же, как ненависть и ревность. А не полюбил ли ты другую, Ричард, а?

Ричард сидел в своем читальном кресле у окна и смотрел на выложенную кирпичом красивую площадь. Гортензия же продолжала рвать на себе одежду.

— Посмотри на меня, Ричард. На мое тело. Ты что, больше меня не хочешь?

— Секс тут ни при чем. Я просто влюбился. — Он откинулся в кресле. — Это прекрасно, знаешь? Это — чудо. Сегодня ты обычный человек, просто живущий своей жизнью, которая иногда бывает счастливой, но чаще всего достаточно печальной. А потом вдруг «дзинь» — и тренькает маленький звоночек. Знаешь, как тот, в который звонила крошечная фея, когда спасала Питера Пэна? И все меняется. Это может произойти. Эй, Гортензия! Что это ты делаешь?

Гортензия попыталась взобраться на колени Ричарда.

— Возьми меня, Ричард. Просто возьми меня. Последний раз.

— Я не могу. Извини, не могу. Я и не думал, что когда-нибудь откажусь от предлагаемого секса, но мое сердце принадлежит другой. Банально звучит, да? — признал он. — Я говорю, как Дорнфорд Йейтс.

— Это кто, английский психиатр?

— Нет, — Ричард покачал головой, — это был один идиот, который всегда влипал в истории из-за женщин и машин.

Слезы продолжали капать из глаз Гортензии. Она слезла с его коленей, потом взглянула на мужчину, насупив брови.

— А знает эта женщина, Ричард, кто ты есть на самом деле?

Ричард гордо поднял брови.

— Что ты имеешь в виду, говоря: «Кто я на самом деле?» Надеюсь, ты не собираешься тут прочесть мне еще одну из своих ужасающих лекций, а?

— Пожалуй, нет. Я просто напомню то, о чем ты и сам прекрасно знаешь: ты — совершенно безответственный тип, не способный удержаться ни на одной работе достаточно долго, к тому же ты хронически неверен, так что брак не для тебя. И, наконец, ты мой. Вот и все.

Ричард пристально посмотрел на Гортензию, потом вздохнул.

— Все это я знаю, Гортензия. Но я уже изменился. Правда! Для такого бесценного сокровища я буду верным супругом всю жизнь. Я не выпущу мою Венеру из рук. Она — истинная любовь, мечта всех, кто способен любить. У Данте была его Беатриче, а у меня — моя Пандора.

— Да-да, а у Самсона — его Далила. Не забывай и об этой истории и о том, к чему она привела. — Гортензия надела юбку. — Ладно, Ричард, я ухожу. И надеюсь, ты знаешь, что делаешь. Я умела направлять тебя по правильному пути. Мне врать ты просто не мог. Надеюсь, что та другая женщина достаточно сильная натура, иначе ты погубишь ее.

— У нас все будет хорошо. Я собираюсь взять Пандору с собой в Девон и познакомить ее с моей семьей. Потом она получит развод, мы поженимся и будем счастливы всю жизнь. Не плачь, Гортензия. — Ричарду было больно смотреть на женщину. Он обнял ее маленькое плотное тело, поцеловал. — Я буду скучать по тебе, дорогая. Когда мы с Пандорой вернемся в Бостон, я обязательно познакомлю вас. Она тебе понравится. Наверняка понравится.

— Да уж, это точно. — Гортензия вытерла нос рукой. — Мне еще придется объяснять ей, куда ты запропастился, почему опаздываешь и все такое прочее.

— Я буду другим. Обещаю, Гортензия. Увидишь. И, пожалуйста, не вешай нос, тогда я тебя приглашу в ресторан. После того как соберешь все свои вещи.

Мы их забросим по пути к тебе на квартиру, а потом отправимся съесть пиццу в «Реджину». Согласна?

Гортензия кивнула. Она принялась быстро двигаться по квартире, собирая одежду и обувь, косметику, спрей для волос, свои причиндалы из ванной, холодные кремы из холодильника, коробки «тампаксов» из шкафчика на кухне. Наконец все сборы были окончены, и запыхавшаяся Гортензия сказала Ричарду:

— Все. Пошли.

Он огляделся. Если эту квартиру прибрать, она вновь приобретет безупречный вид. Что же касается него, то никогда больше он не станет раскидывать по полу трусы или оставлять в раковине грязную посуду в ожидании прислуги, приходящей раз в неделю.

— Поразительно, — сказал Ричард, когда они садились в его зеленый «ягуар», — как может порой человек измениться в считанные мгновения.

Гортензия никак не отреагировала на замечание. Она была почти погребена под грудой своих вещей, заполнивших не только багажник автомобиля, но и все заднее сиденье. В руках она держала большой горшок со сладко пахнущей геранью.

— Все дело в сексе, Ричард, и ты прекрасно это знаешь.

Ричард, вытянув к рулю прямые руки, вел машину так, как делал бы это, если бы был Дорнфордом Йейтсом или каким-нибудь другим охотником за приключениями с юга Франции. Они остановились недалеко от судостроительных верфей, у дома, где была квартира Гортензии. Рядом ревело море, кричали чайки. Гортензия ухватила большую охапку вещей и пошла вверх по ступенькам крыльца. Ричард, проявив галантность, внес остальное.

— Тэк-с, — сказал он, пытаясь пресечь все возможные попытки Гортензии разреветься, — поехали есть пиццу. Развлечемся как следует. — Когда они вновь оказались на тротуаре, Ричард даже попробовал спародировать Джина Келли. — «Я пою под дождем! Пою под дождем...» — запел было он.

— Дождя-то никакого нет.

— Ну и ладно. Тогда я попробую спеть «Апрель в Париже».

— Сейчас август, и мы в Бостоне, — горько возразила Гортензия. — К тому же чертовски жарко. Так что лучше поехали.

В «Реджине» стояли духота и гвалт. Говорила в основном Гортензия, Ричард молчал, откинувшись на стуле и попивая грубоватое кьянти. Гортензия, внимательно всматриваясь в его лицо, пыталась наставить на путь истинный. По профессии Гортензия была скульптором. Натруженные руки немного старили ее, но Ричарда она любила по-настоящему. А сейчас она его теряла. И ей очень не хотелось, чтобы он причинил боль еще одной женщине.

— Ричард, сколько раз в своей жизни ты влюблялся?

— Сотни, Гортензия, сотни.

— А со сколькими замужними женщинами ты переспал, а?

Ричард выпил еще вина. Приоткрыл глаза.

— Я бы съел еще кусочек пиццы. Я как-то нехорошо себя чувствую. Со многими, что касается твоего вопроса. С очень многими.

— А с такими женщинами, как я?

— Гортензия, — Ричард положил руку на сердце и рыгнул, — я лишь два раза изменил тебе.

Гортензия возмущенно фыркнула. Этот парень был совершенно неисправим.

— Но, видишь ли, — продолжал Ричард, его глаза сверкали, — когда ты встречаешь «женщину своей жизни», все остальное можно смело вышвырнуть в окно. Прости, дорогая, — извинился Ричард, получив за предыдущую реплику по губам его же собственной салфеткой.— Я так счастлив, Гортензия. И тебя прошу быть счастливой вместе со мной. Пожалуйста, не смотри на меня так жалостливо.

«Реджина» уже закрывалась, но Ричард только-только разгулялся.

Уходя, он прихватил с собой две бутылки кьянти и коробку с недоеденной пиццой.

— Поедем добьем все это у тебя дома, Гортензия. Я настроен по-боевому, а ты?

Гортензия нахмурилась, но согласилась.

— Ладно, Ричард, но только ты садись рядом, а машину поведу я.

Радостно улыбающийся Ричард, с руками, полными пиццы и вина, забрался в автомобиль, откинулся на мягкие кожаные подушки и сказал:

— В воскресенье мы с ней будем там. — Он показал на небо. — Очень высоко и далеко.

Два часа спустя Ричард уже лежал в большой черной «викторианской» ванне в квартире Гортензии. Рядом валялись две пустые бутылки из-под вина и наполовину пустая бутылка виски. Маленькое круглое личико Гортензии появилось из воды на другом конце ванны.

— Попробуй-ка еще, — попросил Ричард, — мне так это нравится.

Гортензия опять пощекотала пальцами ног мошонку Ричарда. Тот уставился на поднявшийся вдруг из мыльной пены напрягшийся член.

— Поднять перископ! — заорал он. — Враги наступают!

Гортензия разразилась гомерическим хохотом. Она обхватила его яички пальцами, мягко сдавила, потом взяла член в рот, и вместе они стали двигаться в горячей воде, полной их запахов. Когда Гортензия поняла, что любовник вот-вот кончит, она уселась на

378

него верхом. Струя семени изверглась в нее. Гортензия склонилась к Ричарду, поцеловала его в губы. «Эх ты, Ричард, негодяй ты этакий, — подумала она. — Ты предал ее, еще даже не переспав с ней. Бедная она сучка».

Она выбралась из ванны, оставив Ричарда похрапывать одного. Вытерлась полотенцем и забралась в кровать. Гортензия всегда знала, что все однажды кончится именно так. Тем не менее переносить разрыв было тяжело. И все же последний акт трагедии состоялся. Он теперь исчезнет из ее жизни. Зато войдет в жизнь другой женщины и там теперь станет откалывать номера. Гортензия знала, что будет скучать без его теплоты, юмора и особенно без его энергии, энтузиазма. Но вот без чего она обойдется очень легко, так это без того Ричарда, который так и остался ребенком. «Няня Гортензия» уходит от мальчика Ричарда», — сказала она сама себе и перевернулась на другой бок. Хватит, пора кончать изображать из себя няньку.

Много позже она услышала, как Ричард, расплескивая воду, выбрался из остывшей ванны и попытался забраться к ней в кровать.

— Отвали, Ричард. Уже поздно, а я устала.

— Но я замерз, Гортензия.

— Полотенце на кухне. Вытрись и проваливай отсюда. Всего хорошего.

— Чертовы бабы, — пробормотал он, — никогда не поймешь, чего они хотят.

Он оделся и вышел из квартиры.

«Как грубо с ее стороны было так орать на меня после славного обеда и сеанса любви. Гортензия всегда была непредсказуема. Не то что Пандора».

Он устроился поудобнее на сиденье «ягуара» и подумал, что не следовало сегодня уделять столько внимания Гортензии. Но ведь это было в последний раз. «Точно, в последний раз», — торжественно пообещал Ричард солнцу, которое только что показалось из-за горизонта. Больше подошла бы луна, потому что в литературе клятвы при луне гораздо весомее. Ричард вздохнул. Сегодня он закончит статью, сдаст ее в печать, а завтра отправится в путь вместе со своей возлюбленной.

Глава тридцать девятая

Мариан обняла Пандору.

— Я приехала в аэропорт проводить вас, — сказала она. Мариан упаковала вещи хозяйки в шесть чемоданов от «Луи Вуиттона», шляпную картонку и саквояж для косметики.

Пандора пристально разглядывала свое изображение в зеркале.

— Знаешь, Мариан... я еще даже не развелась с Маркусом, а уже согласилась выйти за Ричарда.

— Это ваши проблемы, мисси. Вы всем сразу говорите «да». А надо бы попытаться хоть иногда отказывать.

Пандора рассмеялась, чувствуя, что смех ее поднимается откуда-то из глубины живота. Так она не смеялась уже многие годы. Мариан тоже улыбнулась. Ей приятно было вновь услышать жизнь в голосе Пандоры.

— С Ричардом мне весело, Мариан. Он очень забавный и полон энтузиазма.

— Но в нем же нет ничего хорошего.

— Ну, знаешь, ты это говоришь обо всех мужчинах.

— И при этом я права. — Губы Мариан вытянулись в тонкую мрачную полоску.

— После того, что я пережила с Маркусом, это меня не особенно волнует. Мой адвокат уже готовит соглашение о расторжении брака. Похоже, у меня появится много собственных денег. Так что я смогу провести некоторое время с Ричардом. Если повезет, в третьем браке я поймаю удачу. В первый раз я просто была дурочкой. Во второй — еще глупее. Но третий брак уж точно будет навсегда. Должен быть, Мариан. Потому что жизнь начинает меня пугать. Я смотрю в зеркало и замечаю морщины вокруг глаз, появляющийся жирок на бедрах. Скоро и лицо мое станет походить на старый кожаный мешок. Я начинаю бояться старости.

Мариан покачала головой.

— Вам пора, — сказала она. — Машина ждет.

Пандора посмотрела сквозь окно в морозных разводах на знакомый уже силуэт автомобиля, который увезет ее из прошлой неудавшейся жизни. Она искренне надеялась на то, что жизнь с Ричардом будет иной. Маркус, считала Пандора, был черной тучей в ее жизни, тучей, которая как-то умудрилась пролезть в ее душу и повиснуть там таинственной пеленой. Маркус действовал путем продолжительных сеансов обвораживания, методами последовательного соблазнения. Ричард, напротив, все делал стремительно, как метеор: как неожиданный взрыв какого-то вещества, что находится в другой части Вселенной. Общаясь с ним, Пандора как бы надевала очки объемного видения, что выдают в кино в стереозалах, и они вдвоем могли сидеть в этом кинотеатре, держась за руки, и есть сладкий попкорн, наблюдая за тем, как остальной мир ведет свое тяжкое существование.

Машина остановилась у дверей аэропорта. Ричард ждал рядом с носильщиком, готовым принять вещи Пандоры.

— Моя Венера! — воскликнул он, обхватывая ее своими по-обезьяньи длинными руками. Он поднял ее и кружил так долго, что ей чуть не стало плохо. — Я не спал всю ночь, боясь, что вы вдруг передумаете. Но вы приехали!

Люди вокруг останавливались и смотрели на них. Громкий, с британским выговором голос Ричарда буквально летал над аэропортом.

— Пойдем, дорогая. С билетами все в порядке.

Мариан, наблюдавшая за происходящим со стороны, улыбалась. Ричард начинал ей нравиться. Она обняла его, прощаясь.

— Заботьтесь о ней хорошенько или вам придется иметь дело со мной.

— Обязательно, я обязательно буду о ней заботиться. — Ричард в свою очередь сжал Мариан в объятиях.

— Пока, дорогая мисси. — Мариан прижалась к Пандоре, слезы блеснули в ее глазах.

— Не плачь. Я вернусь через три недели. Пока меня не будет, подумай над предложением — поехать со мной в Бостон. Я бы очень хотела, чтобы твой ответ был положительным.

Мариан улыбнулась.

— Спасибо, — ответила она. — Хорошего вам путешествия.

— Пора идти, Пандора, иначе опоздаем. Я купил билеты в первый класс, так что весь полет нас будут поить шампанским. — Он быстро провел Пандору мимо газетных киосков, где ее фото красовалось на первых полосах газет. Ричард успокоился, только когда они очутились в зале ожидания для пассажиров первого класса.

— Хотите шампанского, милая? — спросил он.

— Нет, спасибо. Мне бы кофе. Да побольше.

От таблеток у нее тряслись руки, а стены вокруг будто вздымались и опускались в ритмичных движениях.

— Вы почему-то вдруг страшно побледнели, с вами все в порядке?

— Конечно, Ричард. Я просто боюсь самолетов. Приму пару таблеток и успокоюсь.

Ричард отправился к бару и заказал себе бренди

«Александр», а Пандоре кофе. Ожидая заказа, он посмотрел через плечо на стройную фигуру своей спутницы в коричневом костюме и такого же цвета шляпке с маленькой вуалью. У ее ног стояла сумка с драгоценностями. Ричард стал напевать себе под нос: «Ой, как здорово...» Это была его виннипуховская счастливая песенка, и пел он ее обычно тогда, когда был безумно счастлив, например, после бурного продолжительного оргазма, или же, когда удачным ударом забивал крикетный шар. Сегодня он пел, поскольку только что встретил своего ангела, того самого, которого Бог хранил до сих пор в особом, обитом вельветом ящике с надписью «Для Ричарда Таунсенда» и припиской пониже «только для него», сделанной уже не Богом, а ангелом-хранителем. Радость омрачало чувство вины перед Пандорой — левое плечо его немного саднило. Видимо, так ангел-хранитель напоминал ему, что он уже успел только что откровенно наврать своей единственной в целом мире возлюбленной. Ведь не сам он купил билеты первого класса, их обеспечил ему издатель «Бостон телеграф»: «Ты должен улететь оттуда первым же самолетом. Не надо, чтобы до нее добрались другие газеты. Сделай так, чтобы этот материал остался эксклюзивным, Таунсенд». Но это же лишь маленькое безобидное вранье, ответил Ричард своему ангелу-хранителю и, продолжая напевать, направился к Пандоре.

— Ричард, — сказала она, — что это вы так расшумелись.

— Я не шумлю, — ответил он, сразу же заметно понизив голос. — Просто напеваю себе под нос, потому что я действительно счастлив, милая. Вы и представить себе не можете, до чего я счастлив!

Пандора запила таблетки глотком кофе.

— Я могу спеть вам целиком какую-нибудь из опер Пуччини. Или, если хотите, что-нибудь из Гилберта и Салливена? «Я — бродячий менестрель...», — начал было он. Несколько сидевших рядом пассажиров первого класса обеспокоенно переглянулись.

— Нет, пожалуйста, не надо ничего петь, Ричард. Просто сядьте и выпейте то, что принесли себе. Нас уже скоро пригласят в самолет.

Ричард прямо сиял, глядя на нее.

— Когда мы сядем в самолет, я, с вашего разрешения, надену повязку на глаза и посплю. Ладно, Ричард?

— Конечно, дорогая. Я буду всю ночь находиться рядом и охранять ваш сон он всяких злых медведей и волков. Я отобьюсь от любого тигра, потоплю любую акулу, которая осмелится угрожать вам.

— Ричард, — мягко сказала Пандора, — успокойтесь.

— Я спокоен и совершенно в своем уме. Да и вообще я спокойный, рассудительный человек.

Пандора уснула еще до того, как лайнер набрал крейсерскую скорость и погасло табло с указанием пристегнуть ремни. Ричард нежным движением поправил ей подушку.

— Где-то я видел лицо вашей спутницы, — сказал молодой стюард, морща нос в тщетной попытке вспомнить.

— Вряд ли, — бодро ответил Ричард, — мадам только что прилетела из Гонконга. — Он выключил лампочки над их местами. Вскоре и весь салон должен был погрузиться в темноту.

Сидящий напротив пассажир держал свежий номер «Бостон телеграф» и говорил о чем-то с соседкой.

— Я думаю, что все это ерунда, — услышал Ричард громкие слова мужчины. — Они делали это потому, что им нравилось. А все эти заумные психологические теории — чушь.

У Ричарда сжались кулаки. Он тяжело запыхтел и с такой яростью посмотрел на пассажира напротив, что тот покраснел и вцепился в кресло.

— Мне кажется, — шепнул он своей маленькой соседке, вероятно, жене, — что вон тот парень совсем с ума сошел.

Чтобы подтвердить эту версию, Ричард, глядя прямо на них, с нескрываемым удовольствием зарычал.

Проглотив свой обед и тот, что принесли Пандоре, Ричард заснул, сильно храпя при этом. Парочка напротив была вынуждена спать по очереди, чтобы сберечь от опасного соседа себя и свое имущество.

Глава сороковая

В лондонском аэропорту Хитроу Ричарда и Пандору ждал преподобный Филип Таунсенд. Он представлял собой потрясающее зрелище. Белый пасторский воротничок выглядывал из разреза старого спортивного свитера, поверх которого был надет еще более старый, поношенный твидовый пиджак. Брюки заправлены в носки, а на ногах — типично английские легкие парусиновые туфли с резиновой подошвой.

— Я захватил свой зонтик-парашют на случай дождя, мальчик мой, — сказал отец Ричарда и одновременно сильно хлопнул сына ладонью по спине. — А это, должно быть, Пандора? Замечательно! Ежели мы будем гнать своих лошадей в верном направлении, то доберемся до дому к позднему ужину. Мамочка просто сгорает от желания поскорее вас обоих увидеть. Она так разволновалась.

— Могу я повести машину, папа?

Пандора, которая все еще не могла отвести глаз от экзотического отца Ричарда, была не менее удивлена и тем фактом, что взрослый уже человек называл своего отца вот так — папа. Потом, правда, Пандора решила, что в этом нет ничего удивительного со стороны англичан, привыкших проводить время в окружении мамочек да нянечек. Иностранцам же не под силу было понять суть таких отношений.

— О, нет, Ричард. Ты же знаешь, что свою Дженни я абсолютно никому не доверяю. Возможно, она и стара, но крепка, как кремень, и никогда не причиняет мне хлопот. И я ни разу не попадал в дорожное происшествие. Вот так, мальчик мой!

Ричард посмотрел на Пандору и слегка покачал головой, чтобы отец не увидел его жеста. При этом он умудрился даже пошевелить ушами, что страшно позабавило Пандору.

Носильщики погрузили вещи в автомобиль, вид которого заставил Пандору широко открыть глаза. Машина здорово походила на слона. Позади заднего сиденья было еще одно одиночное сиденье, снабженное крутящимся механизмом.

— Оттуда я, бывало, стрелял по крокодилам в Кении, — объяснил преподобный Таунсенд. — Теперь я лишь изредка пользуюсь им — стреляю с него по «левоногим».

Пандора неуверенно улыбнулась.

— Левоногим?

— Ну да, по католикам.

— А-а, — протянула Пандора и тут же сказала себе, что ей не следует в общении с отцом Ричарда упоминать о своем обучении в католическом монастыре и вообще о том, что она — католичка.

— Забирайтесь-ка назад, Пандора, и держитесь покрепче. А я сяду спереди с папой, и мы попытаемся добраться домой живыми.

Пандора с надеждой подумала, что Ричард всего лишь шутит.

— Полиция, знаете ли, всегда с пониманием воспринимает мой стиль вождения, — сообщил преподобный Таунсенд. При этом он продемонстрировал висевший на шее огромный серебряный крест, украшенный тринадцатью сверкающими камнями, усыпанный бриллиантовой крошкой. — Мне кажется, когда видят мой крест, воротничок, то думают, что я тороплюсь на отпевание умирающего. До сих пор меня еще ни разу не остановили. — Викарий утопил в полу педаль газа, машина рванула с места и тут же снесла часть ограждений стоянки. — Черт, они успели-таки отремонтировать этот дурацкий забор после последнего моего визита сюда.

Ричард, открыв глаза, повернулся к Пандоре, чье лицо побелело от страха.

— Попробуйте представить, что вы в цирке или будто мы ездим на игрушечных автомобилях с резиновыми бамперами. Все это кончится через пару минут. Папа просто ненавидит стоянки.

Наконец они добрались до выезда. Викарий радостно улыбнулся кассиру и спросил:

— Вы что, опять все там ремонтировали, да?

— Да нет вроде, сэр, — немного удивленно ответил кассир.

— Ну, неважно. Да благословит тебя Господь, сын мой. — И викарий с ревом вырулил на улицу, в весьма неживописные кварталы Хаунслоу.

Ричард заметил удивленное выражение лица Пандоры.

— Не волнуйтесь, солнышко мое, — успокаивающе улыбался он, пока автомобиль несся мимо обшарпанных домов по плохим дорогам. — Скоро мы доберемся до Девона. Там — Божьи владения. Вам понравится.

— А будут там зеленые лужки и домики с соломенными крышами? Ведь я именно так всегда представляла себе Англию.

— Будут, дорогая. Во владениях отца есть как раз коттедж у ворот, где живут повар и садовник. У этого коттеджа крыша из самой прекрасной соломы. Разве не так, папа?

— Так, так... Вы посмотрите на этого негодяя! За кого это он себя принимает?! Здесь мое преимущество, молодой человек, — заорал вдруг викарий, высовываясь в открытое окно машины. — Сейчас ведь молодежь совсем не умеет себя вести. Совсем... Ну, да, коттедж с крышей из прекрасной норфолкской соломы. Сейчас, правда, трудно заставить людей делать крышу именно из соломы. Да, Ричард, тебе следует извиниться перед матерью, ты ведь не ответил ей на длиннющее письмо. Так что, будь добр, извинись. Она очень на тебя обиделась.

— Но, папа, она же может мне позвонить в любой момент. Тем более что я готов оплачивать ее звонки. Телефоны и были изобретены для того, чтобы положить конец столь скучному занятию, как писание писем. И, как бы то ни было, мамино письмо показалось мне набором сумбурных сообщений, словно она пыталась зараз рассказать обо всем, в том числе обо всех коровах, которым вздумалось телиться одновременно. К тому же, если у тетушки Луизы и случилось варикозное расширение вен, то она, вероятно, хотела бы сохранить эту новость в тайне. Да и состояние простаты у повара можно было бы не предавать огласке. А мама делает все наоборот — сидит в своем маленьком кабинете и, как какая-нибудь Джейн Остин, детально записывает все, что видит вокруг.

— Теперь она увлеклась другой идеей, — сказал Филип. При этом голос его прозвучал гораздо тише. — Она, дорогие мои, совсем свихнулась на здоровой пище. По утрам она выстраивает все семейство и допрашивает, кто ходил по большому, а кто нет. Если да, то ты освобождаешься от обязательного приема слив, если же нет, то на завтрак вынужден есть сливы. Ненавижу их. Я действительно всю жизнь ненавидел сливы. Всю свою жизнь.

— Так как же ты поступаешь тогда, папа?

Викарий бросил оценивающий взгляд через плечо на внимательно слушающую Пандору.

— Вы, девушка, похоже, умеете хранить тайну. Пообещайте, что никому ничего не скажете. Даете честное слово скаута, клятву смерти или что-то в этом роде? Так вот, Ричард, иногда я просто вру ей.

— Слава Богу, что мама у нас англичанка и не склонна к обыскам. — Ричарду вспомнилась почему-то Гортензия.

— Еще она нас пичкает бобами, которые тоже входят в ее здоровую диету. — Викарий вздохнул. — Наконец, мамочка срезает жир с мяса, и я бываю вынужден пробираться тайком в дом повара, чтобы съесть свою порцию поджаренных хлебцев с куском говядины, с которого стекает жир. Нет ничего вкуснее жареного хлебца с жирнющим мясом. Гораздо вкуснее бобов. Мне удалось, правда, запретить потребление бобов за завтраком в воскресенье. Я сумел убедить твою дорогую мать, что все семейство Таунсендов, включая меня, викария, просто не может после такого завтрака не палить по окружающим газами, как тяжелыми артиллерийскими залпами. В последний раз, когда у нас в воскресенье завтракал епископ, твоя мать с таким усердием приготовила жареные бобы по новому бостонскому рецепту, что после ее блюда преподобный едва сдержался, чтобы не испортить воздух на вечерней молитве. Что касается меня самого, то я выходил из положения, в нужные моменты поднимая прихожан на песнопения. Епископа мои манипуляции премного удивили, так как его проповедь в итоге трижды прерывалась моими песнями. На выходе я всем прихожанам объяснял, что под трансептом сдохло несколько крыс, оттого, мол, и запах. Таким образом, вроде бы, и спас службу. Моя аргументация подействовала на мать, и теперь мы едим бобы по понедельникам, когда не бывает вечерней молитвы.

Пандора покачала головой. Все это для нее звучало весьма странно. Но сейчас женщину больше заботила необходимость принять еще несколько таблеток, чтобы хоть как-то поддержать связь с внешним миром. Спустя некоторое время она попросила остановиться у газозаправочной колонки.

— В Англии мы их называем бензоколонками, милая, — сказал Ричард и указал вперед по пути движения автомобиля. — Вот, кстати, и одна из них.

Пока викарий заливал бензин в бак машины, Пандора удалилась в женский туалет. Он оказался ужасно грязным. Поколебавшись, она зачерпнула-таки в ладонь немного воды из чумазой раковины и проглотила с ее помощью несколько таблеток. Это были так называемые «таблетки реальности» — один из многих подарков Маркуса, от которых при поддержке и с любовью Ричарда она надеялась вскоре избавиться. Уж очень много к нынешнему моменту стало у нее разных таблеток: одни — чтобы уснуть, другие — чтобы проснуться, третьи — чтобы справиться с каждым наступающим днем. Даже сейчас все вокруг представлялось Пандоре не совсем реальным. Ей казалось, например, что она попала в переплетение жизней других людей — Маркуса, Мариан, иногда Нормана и матери. К этому добавились теперь еще новые эмоции и ощущения. А новизна, была уверена Пандора, опасна, потому что не известно, что может ждать тебя дальше. Пандора замерла перед зеркалом, открыла свою плоскую коричневую из змеиной кожи сумочку и, достав помаду, освежила губы. Выглядела она прилично. Подводили только глаза: уж очень сужены зрачки. Распознать в ней родственную душу, однако, смог бы только другой наркоман. Таковых в семье Ричарда, видимо, не было.

«Мамочка» была типичной женой викария. Она положила свои маленькие крепкие ручки на плечи Пандоры, сердечно обняла ее, поцеловала. Пандору приятно поразила нежная, мягкая кожа Молли Таунсенд.

— Все бы хорошо, да тут у нас прошел этот гребаный дождь, дорогуша, — как бы извиняясь, проговорила Молли.

Пандора удивленно взглянула на Ричарда.

— Мама ругается, как солдафон. Ничто ее не может остановить. Так что пусть это тебя не волнует.

— Пойдемте, вся семья ждет вас в столовой. Мы страшно проголодались.

— Надеюсь, мамочка, ты приготовила Пандоре и Ричарду нормальный обед? — Голос Филипа звучал действительно обеспокоенно. — Не можем же мы после перелета через океан накормить их какой-нибудь соломой, а?

— Да, Филип, я приготовила все, как надо. Я приготовила любимое блюдо Ричарда.

Ричард улыбнулся.

— Неужели маринованную зайчатину? — с радостью воскликнул он. — Видишь ли, Пандора, это... — он подумал, прежде чем закончить фразу, — тебе понравится, на вкус — цыпленок, даже лучше.

Пандора взяла его за руку.

Семья Таунсендов напоминала маленькую армию человек из двадцати, включая нескольких детей. Среди этой армии была и тетушка Луиза. Ее варикозных вен, однако, не было видно. Повар тоже выглядел весьма добрым для человека, страдающего заболеванием простаты. Траут — садовник — весело улыбнулся Ричарду и сказал:

— Сходим на охоту, сэр, а?

Ричард кивнул.

— Конечно, только вот устроимся немного, — ответил он. Было очевидно, что главным для Ричарда в данный момент было сохранить в тайне рецепт приготовления маринованной зайчатины, сделать так, чтобы его знали лишь он сам, мама и повар.

Пандоре показалось, что собравшиеся вокруг люди слишком долго жали ей руку, предлагали стаканчик «шерри» и громко говорили с каким-то странным акцентом. Друг друга они понимали без труда. Она же, хотя и внимательно вслушивалась в речь, так и не смогла многого понять. Они проглатывали почти все согласные и ужасно часто повторяли бессмысленные фразы, типа «разве вы не знаете?». Гарет, брат Ричарда с четырьмя детьми, тот вообще обходился без звука «р».

Его жена — Нэн — оказалась сотрудницей специальной службы. Ей Пандора явно не понравилась с первого взгляда. Живот Нэн после последней беременности все еще свисал мешком между коленей. Фигурой она напоминала маленький бульдозер, впрочем, и своим поведением тоже. Ее лозунгом, очевидно, было не принимать ответа «нет». Оглядев стройную красивую Пандору, Нэн однозначно решила, что эта девушка является олицетворением этого ненавистного «нет».

Все притихли, когда в залу торжественным шагом вошел повар. Под мышкой он нес устрашающего вида молоток, для приличия обшитый верблюжьей кожей.

— Позвольте созывать на обед, сэр? — громко спросил повар.

— Позволяю.

Молоток дважды звучно ударил в большой индийский гонг. Все в зале вздрогнули, стекла задрожали. Примолкли даже дети. Филип усадил Пандору справа от себя и принялся время от времени осыпать Ричарда похвалами за то, что он оказался таким хорошим парнем и привел в дом столь распрекрасную девушку.

Пандора чувствовала, что Нэн пристально следит за ней с другой стороны стола. Узнав профессию Нэн, Пандора поняла, что и ей следует быть с этой женщиной поосторожнее. Вокруг продолжался общий разговор, причем говорили все вместе, во весь голос. И создавалось впечатление, что каждый пытается перекричать остальных. Тем временем подали суп в плошках, за которым последовала знаменитая маринованная зайчатина на огромном блюде. Блюдо обошло всех. Пандора внимательно посмотрела на то, что оказалось в ее тарелке. Мясо выглядело сочным, аппетитным и было полито соусом из красного вина.

Когда в разговоре за столом случайно образовалась пауза, Ричард вдруг услышал, как Найджел, самый несносный из детей Нэн, вдруг громко выговорил:

— ...и повар сказал мне, что сейчас мы едим Питера и Флопси.

С другого конца стола тут же раздался дикий вопль:

— Нет, не может быть, скажи, бабушка, что мы не едим сейчас Питера и Флопси!

— Почему же, дорогая? Именно их мы и едим. Они достаточно набрали вес и были совершенно здоровы.

Глаза шестилетней Розмари заполнились слезами.

— Ой, мой бедный кролик Питер! И Флопси! — Слезы ручьями заструились по щекам девочки.

— Как бы то ни было, — продолжил Найджел, купаясь во всеобщем внимании, — повар еще сказал, что их приготовили в собственной крови.

Пандора побледнела. Теперь она не только знала имена бедных животных, которых ела, но и находилась в курсе того, что плавали они на ее тарелке в собственной крови. Эти люди — варвары!

— Я забыла вам сообщить, — сказала Пандора, с улыбкой обращаясь к Молли, — я же вегетарианка.

— Правда, дорогая? — Ричард с удивлением возрился на Пандору. — Но на днях я сам видел, как вы расправились с огромным стейком.

Пандора подалась чуть вперед.

— Значит, я только что стала вегетарианкой, Ричард.

— А-а, понимаю, все дело в крови. Конечно! Какой же ты все же дурачок, Найджел. Никогда не умеешь держать язык за зубами.

Нэн вспыхнула.

— Мне как раз кажется, что с его стороны было весьма умным знать, как готовились маринованные кролики. И, в конце концов, это очень распространенное английское кушанье.

— Если вы не возражаете, миссис Таунсенд, я уже наелась, и мне хотелось бы пойти прилечь. Я немного устала, и у меня кружится голова.

— Конечно, дорогая. — Молли поднялась со своего места. — Я сама провожу вас наверх.

Мать Ричарда щебетала всю дорогу по нескончаемым коридорам. Наконец они подошли к двери с ручкой из слоновой кости.

— Мне кажется, что эта комната вам понравится. Она достаточно старая, но именно в ней есть лучшая в нашем поместье кровать с балдахином. Траут уже перенес сюда ваши чемоданы. К сожалению, у нас нет прислуги, так что распаковывать их вам придется самой. — Молли толкнула дверь, и Пандора не могла сдержать улыбки.

Перед ней была именно та комната, жить в которой она мечтала, будучи ребенком. Все здесь было белым и голубым. Белые шнуры с кистями подвязывали балдахин на кровати. На стене висела большая картина, рядом стоял глубокий удобный диван с голубыми и белыми подушками. Через окно Пандора могла видеть, как в своих детских мечтах, зеленую траву и пасшихся на ней коров.

— Я оставлю вас, милая, и вернусь, когда подойдет час вечернего чая. — Молли улыбнулась, и ее лицо, похожее на лицо гнома, расплылось. — Ричард здорово в вас втюрился, знаете? Именно так мы говорили в наши времена — «втюрился». Так вот, он здорово в вас влюбился.

— Что ж, если честно, миссис...

— Называйте меня Молли, прошу вас, милая.

— Я тоже втюрилась в него.

— О, это очень хорошо. Он мой последний сын и любимчик. Ричард всегда был немного странным, но таким забавным, умненьким и милым. Ну, я должна бежать. Оставляю вас, Пандора. — Она помахала рукой и закрыла за собой дверь.

«Как все же эти англичане могут быть одновременно и варварами, и вот такими милыми? — подумала Пандора. — Но обо всем этом — потом, а сейчас — спать, я хочу спать».

Глава сорок первая

Чай пили в саду. Там опять собралась вся семья, которая принялась в огромных количествах поглощать английские пшеничные лепешки со взбитыми сливками. Пандоре все время хотелось ущипнуть себя, проверить, не грезится ли ей все это. В приступе самообразования, когда она еще была с Маркусом, женщина прочла многие произведения Бейтса. Потом нашла книгу Бенсона, в которой автор со злым юмором описал во всех деталях будничную жизнь английской деревни. Пандора сейчас будто бы окунулась в эту книгу. У нее разболелась голова от вида всех этих громадных кресел, выставленных на зеленой лужайке. Что же касается настоящего английского чая, то он оказался ужасно безвкусным напитком. Ну а взбитые сливки, которыми так восхищался на днях Ричард, в такой степени напоминали по виду скисшие дрожжи, что Пандора напрочь отказалась даже пробовать их.

— Нет, вы обязательно попробуйте, — настаивала всегда готовая «помочь» Нэн. — Корнуоллские взбитые сливки — блюдо очень известное.

— Молочница тоже многим известна, — прошипела в ответ Пандора.

Нэн отпрянула и густо покраснела.

Мужчины в этот момент были уже на оборудованном поблизости плоховатом теннисном корте. Пандоре очень хотелось присоединиться к ним, но сделать это ей так и не удалось. Детей отправили на конюшню, где они катались на старых лошадях, когда-то принадлежавших их отцам. Так что Пандоре не оставалось ничего, кроме как сидеть в этом гурте женщин и придумывать, о чем бы с ними поговорить.

Она попробовала восстановить в памяти имена своих новых знакомых. Молли запомнить было нетрудно, хотя бы потому, что она оказалась женщиной забавной. Делайла, жена банкира Майкла и мать четырех детей, выглядела весьма простенькой. Она все время вязала что-то для Френсис, очень симпатичной беременной жены Джеймса, который работал, как сообщал уже Ричард, в ведомстве иностранных дел. Сама Френсис имела, опять же по словам Ричарда, большие связи. Пандоре вдруг страшно захотелось, чтобы связи Френсис оказались в области наркомафии. Потому что, если ей и впредь придется каждый вечер сидеть с этими женщинами, она рискует умереть со скуки.

Молли, увидев по-прежнему чистую тарелку Пандоры, воскликнула:

— Вы почти ничего не съели за обедом, Пандора, а теперь не едите даже лепешки со сливками. Может, я принесу вам несколько оладьев из отрубей? Они прекрасно подходят к нашим разговорам обо всем и ни о чем.

Все присутствовавшие согласились с тем, что наилучшим дополнением этих разговоров действительно было поедание отрубевых оладьев. Пандора нехотя согласилась. Она готова была согласиться на все, лишь бы как-нибудь пережить этот дрянной вечер. «А может, я сама дрянь и злюсь на них за то, что у них есть дети, а у меня — нет и никогда не будет», — подумала Пандора, откинувшись в кресле и прислушиваясь к диалогу Делайлы и Нэн.

— Я объяснила воспитательнице, что Агате уже четыре и она может начать читать. Девочка знает все цифры и буквы. Но эта глупая женщина ответила, что я просто очередная из настырных мамаш и что Агате нужно побольше времени проводить в песочнице.

— Какие глупости, — вклинилась в разговор Молли, — все дети должны к четырем годам спокойно читать. Всех своих я сама этому научила. Они учились по книге «Дик и Джейн», у которых там еще был пес Скот. Мои мальчики здорово все схватывали, за исключением, конечно, Ричарда. Он был слишком ленив. Знаете, Пандора, однажды я даже врезала ему книгой по голове, когда он опять неправильно прочитал слово. С его дубовой головой я только время теряла. Пришлось в конце концов подкупить его. Тогда он заработал просто великолепно.

— Вот вы всегда так с Ричардом, — вмешалась Нэн. — Надеюсь, у вас и сейчас много денег, потому что уж кто-кто, а Ричард умеет их мотать.

— Нэн! — рассердилась Молли. — Не надо говорить такие вульгарные вещи, дорогая. У Ричарда самая добрая душа из всех людей, что я встречала в своей жизни.

Делайла рассмеялась.

— Да бросьте вы, Молли. Он добр лишь тогда, когда деньги тратятся на него.

Пандора заинтересовалась этой последней деталью. Выйти замуж за мота будет интересной переменой после замужества со скупым Маркусом, который позволял ей покупать лишь то, что могло представить его самого в лучшем виде. Даже драгоценности он ей дарил не от любви. В основном это был подкуп с его стороны. Маркус подкупал свою жену, чтобы она молчала. И все же именно Маркус оставил ей кучу денег и дом для продажи, так что ей сейчас есть что промотать.

— Но ведь он и сам работает в «Бостон телеграф», — не сдавалась Молли.

— Пока работает, но это, вероятно, ненадолго. Еще он болтает о том, что будет скоро писать роман.

Пандора улыбнулась.

— А прочему бы и нет? Замечательно, если он вдруг станет писателем.

— Как говорится, свиньи не летают. — Нэн ухмыльнулась так, как это сделала бы жаба, только что проглотившая стрекозу. — У Ричарда же кругозор шестилетнего ребенка.

— У меня *что?*

Нэн вздрогнула.

— Нэн сказала, что ты никогда не напишешь романа, потому что у тебя кругозор шестилетнего ребенка, — тут же сообщила Молли.

Ричард шутливо взъерошил Нэн волосы.

— Наша дряхлая корова опять завидует, да, Нэн? Нарожала столько телят. А они все такие уродцы, кого ни возьми. И еще я, конечно же, напишу когда-нибудь мой роман и обязательно сделаю тебя, Нэн, одной из его героинь.

Нэн отбросила его руку.

— Ричард, ты когда-нибудь повзрослеешь?

— Никогда, — шутливо пообещал Ричард. — Этого никогда не случится. Мы с Пандорой собрались съездить в Серпентин. Там, в Кенсингтонских садах, есть статуя Питера Пэна. Вы читали «Питера Пэна», Пандора?

Пандора отрицательно покачала головой.

— Нет, я вообще мало читаю.

— Ну что же, пока мы здесь, я предлагаю вам активно пользоваться нашей библиотекой. Но прежде всего прочитайте «Питера Пэна». Это моя самая любимая книга.

С теннисного корта подошли мужчины. Из серебряных графинов разлили свежий чай. Беседа перешла на более конкретные вопросы: состояние коровьих копыт, обилие дождей, затрудняющих заготовку сена, последние ставки на матче местного чемпионата по крикету.

— А вы когда-нибудь были на матче по английскому крикету, Пандора?

Пандора вновь покачала головой. Она рада была, что темные очки скрывают выражение ее глаз.

— Пойдемте, старушка, — предложил Пандоре Ричард, — пойдемте прогуляемся, не будем мешать остальным продолжать их обычные сплетни.

Он поцеловал мать в голову. Пандоре приятно было видеть, как эти двое любят друг друга. В то же время ей было еще и завидно. Она поднялась и последовала за Ричардом вверх по лужайке к теннисному корту.

— Мне она нравится, знаешь? — сказала Молли, глядя прямо в глаза Нэн. — И пока она моя гостья, веди себя с ней вежливо.

Нижняя губа Нэн обиженно выпятилась, обнажив красные воспаленные десны.

— В ней есть что-то странное, Молли. Что-то мне в ней очень не нравится, я чую что-то плохое и обязательно найду его.

— А по-моему, она в порядке, — возразила Френсис. — Правда, немного простовата, как и все американцы. Но они в этом не виноваты. Мама говорит, все потому, что они молодая нация.

— К тому же, она красива, — добавил Филип, следя за стройной фигурой Пандоры, удаляющейся от них рука об руку с Ричардом. — Мне кажется, он нашел себе наконец нужную пару. Может быть, это успокоит его. Заставит осесть и тому подобное.

— Не забудьте, ужин в восемь, — крикнула Молли вслед уходящим.

Ричард махнул в ответ рукой.

— Теперь вы понимаете, почему я живу в Бостоне? — сказал он. — Всю эту семейную жизнь я могу выдерживать лишь несколько недель. А потом меня одолевает клаустрофобия.

— Я тоже не привыкла к такому числу детей, — сказала Пандора, пожалев, что не надела туфли помягче.

— Да и я люблю детей не особо, — поддержал Ричард.

— О, — Пандора даже остановилась от удивления, — неужели это так, Ричард?

Он кивнул.

— Если честно, то иногда попадаются дети, которые мне нравятся. Но в основном все они достаточно отвратительны до тех пор, пока им не исполнится лет восемнадцать. Только тогда с ними можно о чем-то говорить.

— Я не могу иметь детей, Ричард. — Сердце Пандоры заколотилось в страхе ожидания.

— Вот и здорово, — улыбнулся он, — это еще один аргумент в пользу нашего бракосочетания. Все прочие женщины, на которых я чуть не женился, только и хотели, что иметь детей. Это меня совершенно не устраивало!

Они шли, прижавшись друг к другу, по вересковому лугу. Зелень под ногами была толстой и мягкой. Ричард обнял Пандору, нежно поцеловал в лоб, потом в губы. Она отстранилась, потому что ощутила в его поцелуе разгорающееся пламя страсти.

— Я еще не готова, Ричард. Боюсь, мне потребуется какое-то время, прежде чем я начну вновь что-то чувствовать. Прошедшие годы были для меня слишком ужасными и убийственными.

— Я знаю, дорогая, — ответил Ричард, — и я буду ждать, для меня это не составит проблемы. В конце концов, перед нами еще вся наша жизнь.

Пандора опустилась на траву, легла на спину. Ричард присел рядом, положил голову ей на грудь. Она размышляла: такое счастье не может быть вечным, уж слишком оно хрупкое. «Я сейчас похожа на еще не готовый сосуд, висящий на конце трубки стеклодува. Он вдувает в мою душу радость, но может в любую минуту и ошибиться — дунуть слишком сильно, и тогда сосуд разлетится на множество мелких острых осколков. Так что все происходящее, наверное, лишь мой сон». Решив так, Пандора прижалась к уже тихо спавшему Ричарду.

Солнце село, а ветер задул сильнее. Пандора коснулась пальцами лица Ричарда.

— Где это я? — спросил он, просыпаясь и удивленно оглядываясь. Потом улыбнулся. — А, в объятиях женщины, которую люблю. Пойдем же. Пора возвращаться домой, переодеваться к ужину. После ужина я избавлю вас от ежевечерних семейных картежных игр. Мы уединимся в нашей девственной кроватке, и я почитаю вам «Питера Пэна».

— Мамочка, обязательно скажи Нэн, что я ждал не дождался момента, когда мог бы увести Пандору наверх в спальню и сделать с ней там все ужасные, полагающиеся в такие моменты вещи. Скажешь, мамочка? — шутливо убеждал Молли Ричард. Та понимающе хихикала.

— Это прекрасно, что ты опять с нами. Остальные всегда так заняты всеми этими амортизационными выплатами да проблемами воспитания. Спокойной ночи, Пандора, спите хорошо.

— Как они все это едят? — жаловалась Пандора Ричарду, когда они поднимались в спальню, простившись с Молли.

Ричард улегся на большую кровать с четырьмя колоннами, раскрыл книгу, на глаза ему сразу попалась знакомая картинка, изображающая голого Питера Пэна, сидящего на поганке и играющего на своей свирели. Пандора удалилась в ванную, приняла душ и надела лучшее свое розовое шелковое неглиже. Расчесав волосы, она надушилась «Шалимаром». Когда Ричард увидел ее, на лице его появилось выражение самого откровенного восхищения.

— Пандора, я в жизни не видел ничего более красивого.

Пандора двинулась к кровати, опустилась на воздушные белые простыни, улыбнулась.

— Никто все равно не поверит, Ричард, что вы только и делали здесь, что читали мне на сон грядущий.

— Какая разница! — ответил Ричард.

Ричард начал читать, Пандора слушала. Когда по сюжету Питер Пэн должен был улететь, Пандора очень расстроилась, но не подала вида, спрятав лицо в гуще длинных волос. А когда Питер захотел вернуться к матери, натолкнулся на вставленные в окна металлические прутья и увидел другого ребенка в своей колыбели, Пандора не выдержала. Громко всхлипнув, она бросилась на грудь Ричарду.

От удивления он даже выпустил книгу из рук.

— Пандора, ведь это все сказка!

— Нет, это не сказка, — плакала Пандора, — это совсем не сказка. Это — правда, эта книга — о таких людях, как я, а их очень много на свете, Ричард. Нас можно найти повсюду, мы солдаты Армии Нежеланных. — Плач Пандоры перешел в истерику.

Ричард обнял ее и попытался успокоить, нежно покачивая.

— Ты желанна, Пандора. Я желаю тебя, я всегда тебя буду желать. Мы поженимся. Я буду любить тебя. Обещаю.

Но ничто не могло успокоить Пандору.

На острове Малое Яйцо Джулия сетовала, обращаясь к Джанин:

— Так больно смотреть на нее, когда она плачет.

— Знаю, — отвечала Джанин, — но все это поможет исправить какую-то часть ее жизни. Она так далеко спрятала все это в своей памяти, что только в таком вот трансе может это вспомнить. К тому же эти страдания помогают ей. Бедная Пандора! Но теперь ей уже осталось недолго мучиться. Скоро наша подружка опять будет с нами.

Глава сорок вторая

Пандоре становилось все труднее бодрствовать. Ее просто тянуло в сон, и только там она чувствовала себя уютно, в безопасности. Свою огромную пластиковую бутылочку с таблетками она носила всюду с собой. Однажды Ричард, прочитав ей «Маленького принца», спросил, не могут ли они заняться любовью. Она согласилась. Ричард был с ней очень нежен. После Пандора заверила его, что ей все очень понравилось, но, по правде говоря, она так ничего и не почувствовала. Совсем ничего. Ей, конечно, было приятно держать в руках его голову, целовать ясные, спокойные глаза, видеть радостное выражение лица, когда он кончал, издавая счастливые стоны. Но...

— Тсс, — предупредила Пандора, зажимая ему рот, — а то разбудишь Нэн.

Ричард захохотал, откидываясь на подушку.

— Она, наверное, уже проснулась и теперь, задрав задницу, слушает, приложив ухо к полу. Но кого это волнует?! — Он хотел было поцеловать Пандору, но обнаружил, что она уже уснула. Ричард нахмурился: ее сонливость начинала беспокоить его, хотя, конечно, она многое пережила, бедняжка. Он взглянул на нее еще раз, и радость вновь охватила его. Ричард понял, что влюблен, искренне влюблен в эту замечательную женщину. На следующей неделе они вернутся в Бостон и будут жить вместе. Мариан уже получила указания упаковать вещи Пандоры и переслать их в квартиру Ричарда. Служанка прислала Пандоре короткую записку, в которой писала, что не хотела бы оставлять свой дом, семью, но что будет всегда помнить хозяйку и молиться за нее.

Пандора была рада отъезду из поместья викария большинства родственников. Остались лишь Делайла и Нэн. Что касается Молли, то Пандоре она продолжала нравиться. Особенно любила она несколько приземленное, простецкое чувство юмора пожилой женщины.

Этот день ничем особенным не отличался, если не считать сильной жары и того, что Пандора проснулась с головной болью. Боль не отпускала, а поскольку женщина знала, что ей не избежать за завтраком соседства с Нэн с ее свинушной физиономией, она решила принять лишнюю таблетку валиума.

За трапезой палящее солнце словно колотило Пандору по голове. Она вдруг почувствовала, что теряет сознание, и навзничь упала на траву.

Ричард вскочил со стула, поднял ее с земли и внес в холл дома, нежно положив на кресло викторианского стиля. Молли бросилась звонить обслуживающему их семью доктору. Именно в этот момент Нэн получила долгожданную возможность проникнуть в тайну столь отвратительной ей женщины. Она открыла вместительную сумочку Пандоры и тотчас же наткнулась на ту самую большую пластиковую бутылочку, полную разноцветных таблеток. Глаза Нэн хищно вспыхнули. Она бросилась вслед за остальными в холл, оставив сумочку лежать на лужайке перед домом.

— Молли, дорогая, вам нет никакой нужды звать доктора, — выкрикнула она, помахивая бутылочкой с таблетками перед удивленным лицом Молли. — Посмотрите-ка лучше на это.

— Ну, это таблетки, разве нет? — сказал Филип.

— Вот именно, таблетки! Но позвольте уточнить вам, что это за таблетки. Это — наркотики, — прошипела Нэн.

— Заткнись, Нэн, — бросил Ричард, — заткнись, тупая болтушка, сволочь!

— Эта женщина, — продолжала разоблачительную речь Нэн, с перекошенным ртом, истекающим слюной, — она наркоманка!

Пандора открыла глаза.

— Где я? — спросила она, оглядывая окружившие ее обеспокоенные лица.

— Ты упала в обморок, — мягко сказал Ричард, держа ее за руку, — я внес тебя в дом. Скоро приедет доктор.

— Моя сумочка, Ричард! — Паника охватила Пандору.

— Того, что ты ищешь, там уже нет, Пандора. Ты ведь вот это ищешь, не правда ли? Ты же наркоманка! Давай-давай, признавайся. Ты — наркоманка!

Пандора беспомощно и потерянно взглянула на Нэн.

Ричард вырвал бутылочку из руки Нэн, а затем сильно ударил ее. Женщина упала на пол. Рот ее так и остался широко раскрытым от изумления.

— Гарет, что ты стоишь, сделай же что-нибудь, — только и смогла выкрикнуть она.

— Ничего не буду делать, — ответил ее муж. — Мне самому надо было бы треснуть тебя как следует еще много лет назад. Извините, Пандора, Нэн всего лишь старая тварь, вечно во все сующая нос.

Глаза Пандоры наполнились слезами. Молли крепко обняла ее.

— Не волнуйтесь, дорогая. И не смущайтесь. Я годами не могла отучить себя от виски. Я была тогда молода и к тому же замужем за викарием и должна была ходить в гости ко всяким вонючим людям с отвратительными характерами. Наконец, мне приходилось еще и посещать церковь, чтобы доставлять удовольствие Филипу... Я начала с рюмочки по утрам, потом к ним добавились рюмочки в одиннадцать, потом стопочки в обед, еще стопочка за полуденным чаем. Так и стал у меня день полон рюмочек да стопочек. А вечером я засыпала так, что не слышала, как просыпались и плакали дети. То было удивительно чудесное время. Но про это все прослышал епископ. И вот однажды я так напилась, что запихнула двух своих самых младших в таз и отправилась в деревню за покупками. К несчастью, одеться-то я забыла. По этому поводу епископу позвонили, наверное, человек сто. Ему, в свою очередь, пришлось поговорить с Филипом, и в результате я вынуждена была бросить пить. Да, кстати, хорошо, что вспомнила, солнце уже, так сказать, над нокреей. Так что пришло время выпить по здоровому бокальчику джина с тоником, а? От джина я начинаю хихикать. Так у меня всегда было.

Пандора улыбнулась.

— Доктор будет здесь через пару минут, — продолжала Молли, — он тоже с нами выпьет. Что же касается таблеток, то он проявит максимум понимания. А вообще-то, я бы очень хотела, чтобы он дал каких-нибудь таблеток Нэн, этой ханжеской маленькой сучке! — Молли весело заковыляла в большую гостиную, Ричард шел рядом, поддерживая за талию Пандору.

«Теперь понятно, почему она все время спит, бедняжка», — думал он.

Скоро действительно приехал доктор Джексон, уселся напротив Пандоры, и она поведала всю историю своей жизни. То, с каким удивительным спокойствием доктор ее слушал, поразило Пандору. Но такой уж он был человек, спокойный, мягкий, с серыми, похожими на совиные, глазами, посаженными над большим носом. Он тихо сидел, посасывая трубку, и слушал.

— Неудивительно, что вы пристрастились к этим таблеткам, — проговорил доктор Джексон. — По моему мнению, у вас есть два выхода. Либо вы ложитесь в госпиталь, и мы потихоньку отучим вас от них. Либо вы выбросите их все в туалет и проведете несколько мучительнейших недель, в течение которых не сможете спать, будете думать, что умираете. Однако не умрете. А потом наступит день, когда вы оглянетесь назад и удивитесь тому, почему так долго вам не удавалось бросить эту гадость.

Пандора улыбнулась.

Он очень серьезно посмотрел на нее.

— Я слышал, вы собираетесь выйти замуж за молодого Ричарда.

Женщина весело кивнула.

— Послушайтесь моего совета, молодая леди. Я принял его в этот мир, знаете. Он был последним ребенком Молли. Поэтому она всегда его страшно баловала. Не выходите за него, дорогая. Он не способен на брак.

Лицо Пандоры погрустнело.

— Я уверена, что смогу справиться с этим обстоятельством.

Ее собеседник покачал головой.

— Я слышал эти слова от сотен оптимистично настроенных невест, а через несколько лет мне же приходилось их лечить от депрессий, астмы или рака... Вы ведь знаете, что рак возникает и от неблагополучных семейных отношений. Я всегда придерживался подобной точки зрения. Правда, это касается не всех злокачественных опухолей. Ну ладно, будьте счастливы с Ричардом. Радуйтесь жизни, но помните о моем предупреждении. Он не подходит для брака.

Пандора поднялась.

— Что же, спасибо вам. Обязательно подумаю над тем, что вы мне сказали. Я уже сделала в жизни две большие ошибки и не хочу делать третьей.

Доктор Джексон остался на ужин. Ричард ему, видимо, очень нравился. Это удивляло Пандору. Нэн и ее семья уехали из поместья викария, что было воспринято всеми с облегчением.

Уже к самому вечеру Пандора спросила у Ричарда:

— Может, мне и правда лечь в клинику, чтобы избавиться от этой дряни, а? Или лучше спустить все таблетки в туалет?

— Учитывая твой последний опыт пребывания в клинике, дорогая, я думаю, тебе следует выбросить их. Прямо сейчас пойди и выброси. Я спущу воду, а потом мы поднимемся в нашу спальню и я почитаю тебе «Сэр Гавейн и Зеленый рыцарь»*. Это такая замечательная история!

Они склонились над туалетом и высыпали туда всю упаковку. Ричард резко рванул спусковой рычаг, вода забурлила, поглотив разноцветные таблетки. Одновременно что-то буквально взорвалось в голове Пандоры. «Что я наделала?» — в панике подумала она.

---

* Рыцарский английский роман второй половины XIV в.

Глава сорок третья

— Знаешь, Ричард, — сказала Пандора после ужасной бессонной ночи, — мне кажется, что я смогу обходиться без таблеток. Хотя, конечно, доктор Джексон достаточно меня напугал.

— Брось, дорогая, не все так страшно, — успокаивал Ричард, поглаживая спину Пандоры. — Какая же у тебя прекрасная кожа. Она шелковая, как у ребенка. Я могу часами касаться и гладить ее.

— Ричард, послушай меня. Я скажу тебе одну серьезную вещь. Доктору Джексону ты нравишься, но даже он советовал мне не выходить за тебя.

— Правда? Вот это да! Ну, это уж слишком. Хотя пусть это тебя особо не волнует, дорогая. Он всего лишь старый ворчун. К тому же, когда-то я бегал воровать его цыплят. Много времени прошло, прежде чем он обнаружил, что это я.

— Зачем тебе нужны были эти цыплята?

— Чтобы есть, конечно. Подростками мы устраивали себе полуночные пирушки. Братья таскали по этому случаю что-нибудь из кладовой нашего старого повара. Я приносил немного семги. Мы свертывали головы цыплятам, готовили их на огромном костре, звали девчонок и распивали вместе с ними лимонад.

Пандора не сдержала улыбки.

— У нас дома, — призналась она, — все были не столь невинны. Мы пили текилу и занимались сексом.

— Расскажи мне об этом. — Ричард притянул Пандору к себе. — Как-то я приехал в Бостон, и каждый день там казался мне рождественским, праздничным. Вокруг ходило много девушек, чьи груди словно выпрыгивали из маек и рубашек, а джинсы были так узки, что мне и гадать не приходилось, какого цвета у них волосы на лобке. Только представь состояние британского холостяка! Мне казалось, что вокруг разворачивается нескончаемая оргия. Очень забавно! Особенно после всех этих долгих лет возни с застежками бюстгальтеров, попыток пробраться хоть одним пальцем между ног какой-нибудь девицы, которая все охала да ахала, но в итоге чаще всего все равно говорила «нет». Видишь ли, у английских мамочек есть какое-то патологическое свойство никого не допускать во влагалище их дочек. Секс в Англии не разрешается до того момента, пока о тебе не напечатали в «Телеграф» и пока фото твоей девственной невесты не появится в журнале «Лошади и собаки». После того как о помолвке объявлено, начинается подготовка к свадьбе, рассылаются заказы в «Фортнум и Мейсон», к «Питеру Джонсу» поступают первые подарки в виде каких-нибудь серебряных тостерниц. И если в этот момент бедный парень решил вдруг передумать, например после нескольких неудачных сеансов любви со своей нареченной, то его сразу записывают в ужасающие подлецы. На этом фоне Америка мне страшно понравилась.

— Ричард, не пытайся сбить меня с мысли. Доктор Джексон действительно считает, что тебя очень избаловала мать и в результате ты никогда не повзрослеешь.

— Пандора, — начал было Ричард, но вдруг захихикал, потом взял себя в руки и продолжал: — Но тебе ведь не понравится, если я стану совсем уж солидным и перестану даже улыбаться. Разве я не прав?

— Прав, — согласилась она. — Ох, чего бы я

только ни отдала сейчас за парочку транквилизаторов!

Ричард обнял ее.

— Давай встанем, плотно позавтракаем, а потом пойдем хорошенько прогуляемся. Завтра мы возращаемся в Бостон, ты займешься сборами, и у тебя не будет времени страдать по своим таблеткам.

И все же воздержание от таблеток здорово мучило Пандору. Много ночей кряду она так и не смогла заснуть. В эти долгие ночи она прижималась к Ричарду, ища поддержки.

— Это не та боль, с которой я могла бы справиться, — жаловалась она. — Я будто вся открыта перед болью, охватившей все мои нервные окончания. Мне даже кажется, что, если я проведу пальцами по руке, останутся кровавые следы.

Пандора совершенно не могла есть. Она худела с каждым днем и с ужасом глядела в зеркало на свое угасающее изображение. Мозг не переставал твердить, что ей нужны таблетки, что они снимут боль, так мучившую ее.

— Так что же у тебя болит? — спросил ее Ричард в одну из самых трудных ночей.

— Все. Это боль оттого, что я жива. Вот и все.

Потом был первый визит к ним Моники, которой, Пандора не сомневалась, Ричард очень понравится. Просторная квартира, где они поселились, выходила окнами на главную площадь Бостона. Обстановка, мебель, привезенная из Англии, отличались элегантностью и были красиво отделаны в столь любимом Пандорой викторианском стиле. Пандора обожала проводить рукой по идеально отполированным предметам гарнитура.

Сначала в Бостоне она чувствовала себя одинокой, но потом это обстоятельство в некотором смысле даже начало ее радовать. Одиночество оказалось необходимым, чтобы освободиться от власти таблеток. Если Пандору трясло и рвало, то уж, во всяком случае, ей не требовалось никому объяснять причину своего состояния.

Какое-то время спустя она получила письмо от Винсента Сингера, который информировал ее, что развод оформлен, а дом продан. Полмиллиона долларов от продажи дома предназначались ей, плюс сумма в четверть миллиона от продажи обстановки. Ричард весьма обрадовался наследству.

Пандора сказалась права: Монике понравился как сам Ричард, так и новость о том, что ее ранее совершенно никчемная дочь стала вдруг богатой женщиной. Мамаша задержалась в их квартире на две достаточно утомительные для хозяев недели. Она постоянно на что-нибудь жаловалась, но в конце концов уехала весьма довольная, увозя с собой достаточную сумму, чтобы выстроить новый дом и обеспечить себе благополучную старость.

— Постарайся не упустить и этого, дорогуша, — посоветовала она дочери на прощание. — И выходи за него побыстрее замуж. Знаешь ли, такие мужчины, как Ричард, на деревьях не растут.

Пандора смущенно кивнула. Она и так старалась изо всех сил. Дело о разводе было решено благодаря огромным усилиям Винсента Сингера. Ее бывший муж спасался от суда где-то в Мехико, так что постепенно кошмарные сны, воспоминания о Маркусе стали тускнеть, уступая место новой жизни.

Ричард настоял-таки на своем и купил Пандоре изумительное обручальное кольцо с бриллиантами. Потихоньку Пандора стала «выходить в свет», встречаться с друзьями Ричарда. Ей очень понравились Пегги и Рой, его коллеги. Пегги частенько заходила за Пандорой в выходные, и они отправлялись в походы по магазинам. А Ричард, как правило, поздно вставая во время уик-энда, отправлялся с друзьями на баскет-

бол или же, если это была весна, на игру бейсболистов
«Ред Сокс».

— А что вообще делают женщины, если у них нет
детей? — спросила как-то Пандора после первых шести месяцев «вдовства» по выходным.

Пегги пожала плечами.

— Не знаю, — ответила она. — Мы с Роем встречаемся вот уже шесть лет. Я вижу его на работе, потом
он заходит ко мне домой, и мы идём куда-нибудь
пообедать. Иногда я бываю в его квартире, но мне там
не нравится. У Роя слишком много плохих привычек.

Пандора кивнула.

— Ричард такой же. У меня иногда спина начинает
болеть от постоянной необходимости подбирать за
ним его разбросанные вещи. А вообще-то мне начинает казаться, что женская доля — ходить по магазинам,
угощать друг друга в ресторане обедами или просто
ждать мужей дома. Женщинам с детьми, конечно,
легче, они могут заняться со своими чадами.

— Да уж, — поддержала ее Пегги, — но, к сожалению, многие из мужчин, в том числе и наши, в это
время трахаются где-то на стороне.

— Слава Богу, — возразила Пандора, — Ричард
себе такого никогда не позволит. Конечно, он неряха,
и я никогда не знаю, где он и когда вернется домой,
но я полностью доверяю ему.

И пять лет спустя Пандора придерживалась того
же мнения. Что касается Пегги и Роя, то за это время
они успели пожениться и практически тут же развестись. Пегги была безутешна.

— Не знаю, в чем я ошиблась, — сетовала она, —
Рой просто сказал мне, что наш брак ему кажется
«царством клаустрофобий» и мешает ощущать столь
близкую его сердцу свободу.

К тому времени у Пегги уже были две маленькие
дочки. Пандора часто бывала у подруги, теперь уже

полностью занятой материнскими заботами. Из дружеских чувств Пандора регулярно приглашала Пегги на те вечеринки и торжества, которые они посещали с Ричардом.

Через год после свадьбы Пегги и Роя поженились и они. Но замужество не внесло особых изменений в их отношения, за исключением того, что они переехали в еще большую квартиру и открыли общий счет в банке. Жизнь стала казаться Пандоре более насыщенной. По утрам она работала в магазине подарков при маленькой художественной галерее, а послеобеденное время отдавала приготовлениям к приему друзей Ричарда, круг которых расширялся. Несколько раз от Винсента Сингера приходили дополнительные денежные переводы — в соответствии с соглашением о расторжении брака адвокат переводил Пандоре очередную часть средств, полученных от продажи акций Маркуса. Так что теперь молодоженам вполне было по карману жить «на широкую ногу».

В поле зрения вновь появилась Гортензия. Она принялась преследовать Ричарда и одновременно забавлять Пандору, которой откровенно нравился ее динамичный и действительно «богемный» стиль жизни.

— Пандора, ты балуешь этого парня, — поговаривала Гортензия, глядя, как Пандора покупает Ричарду очередную шелковую рубашку от «Тёрнбула и Ассера».

— Но и он тоже меня здорово балует, — отвечала на это Пандора. — Всякими вещицами, неожиданными подарками.

Тогда Гортензия обычно хмурила брови и спрашивала:

— Ты уверена, что счастлива?

— Что за дурацкий вопрос, дорогая! А кто вообще счастлив? Скажи-ка! Да и что такое счастье? Это что — нескончаемая череда оргазмов, да? Что ж, у меня такое бывало, хотя последнее время Ричард здоров устает. И мне приходится как следует возбуждать его. Или же счастье в новом платье? Каком-нибудь путешествии? Не знаю, Гортензия. Такие вопросы мучают восемнадцатилетних. А когда тебе уже за тридцать, ты просто действуешь по обстоятельствам.

Гортензия лежала на розовой, обшитой шелком софе. Ее юбка задралась, открывая взору пухлые колени, а через отмеченные потом разрезы рубашки можно было видеть густые заросли волос под мышками.

— Я считаю, что счастье — это жить в мире и согласии с собой, — рассуждала она. — Помнишь, что говорят по этому поводу священники: «Мир Божий ведет к пониманию всего». Вот именно в этом состоянии я и хочу быть, — на пороге сознания и чтоб мои ноги при этом прочно стояли на земле. Иногда у меня это получается, например, когда я пишу картины посреди ночи, и существуют только я и холст, мазок кисти и запах красок. И это действительно прекрасно!

Пандора улыбнулась.

— Счастливая ты, — признала она. — Мне однажды приснилось, что мы с Ричардом нашли свой остров в Карибском море и там обрели совершенный мир... Не понимаю, куда он запропастился, Гортензия. Скоро придут на коктейль человек десять, еще восемь явятся вечером на ужин. Надеюсь, он не забыл обо всем этом.

Ричард явился с получасовым опозданием, принес букет роз и флакончик «Шалимара».

— Не сердись, дорогая. Я вовсе и не думал опаздывать. Просто решил подарить тебе маленький подарочек, а «Шалимар» оказалось не так просто отыскать.

Гости пребывали в сильном возбуждении. Хозяева, напротив, сохраняли удивительное спокойствие. Они вообще стали уже легендарной парой в Бостоне. Многие завидовали Ричарду. У него была жена, очень его любившая, жена, которая ходит вместе с ним смотреть игру «Ред Сокс», знает средние показатели каждого игрока команды и согласна морозной зимой послушно следить за баскетбольными сражениями любимой Ричардом команды «Селтикс». Наконец, в отличие от большинства своих коллег по газетной редакции, Ричард, просыпаясь, мог твердо рассчитывать на хорошо приготовленный завтрак, а возвращаясь с работы, в урочный или неурочный час, на вкусный ужин из трех, как полагается, блюд.

Окружавший Ричарда и Пандору круг знакомых, надо сказать, становился со временем все более европейским. Друзей Пандоры очень удивляло, что душой компании и заводилой оставался Ричард. Дни, недели, месяцы, годы пролетали в карусели круизов, опер, праздничных вечеринок, поездок в Англию к Молли и Филипу. На тридцатишестилетие Пандора подарила Ричарду красный «кадиллак». Она поставила машину на подъездной дорожке, ведущей к дому, подвела мужа к окну и отодвинула занавеску. Как и рассчитывала Пандора, его радость была безгранична. Следующие несколько недель Ричард разъезжал по всему Бостону в красном автомобиле. Видевшие его друзья звонили Пандоре домой и весело шутили по этому поводу. Особенно удавались шутки Гретхен Мюллер.

Гретхен и ее муж Фридрих недавно прибились к кругу знакомых Ричарда и Пандоры. Фридрих был главой одной немецкой банковской корпорации. Вообще-то он немного пугал Пандору. Его лицо имело клиновидную форму. Глаза были водянисто-голубыми, ресницы редкими и короткими. Наконец, он был тощ, похож на военного, а его речь напоминала лай собак. У Пандоры не было причин не любить его, так как держался он всегда очень вежливо, хотя и строго, в некоей жесткой, «прусской», манере. А вот Гретхен Пандоре очень нравилась. В отличие от Гортензии, бывшей одним из, так сказать, неудавшихся творений

420

природы, Гретхен, по ее собственным словам, принадлежала к расе «счастливо спасшихся».

— Мой народ погибал в лагерях, — рассказывала Гретхен, украшая свои слова присвистывающим немецким акцентом. — Мне стыдно быть живой, любить, есть, заниматься любовью! — Это произносилось, в основном, в конце какой-нибудь вечеринки, когда Гретхен, уже достаточно набравшись, думала лишь о том, чтобы захомутать какого-нибудь мужика, затащить его в ближайшую спальню и быстренько трахнуться. — Что пользы в хорошей еде, если за ней не следует хороший секс? — частенько вопрошала она. Правда, чаще всего, Фридрих успевал утащить ее домой до того, как она умудрялась осуществить свои замыслы. Случалось, что и не успевал, и тогда на следующее утро удрученная Гретхен звонила Пандоре, слезно просила прощения и получала отпущение всех своих грехов.

Пандора часто разговаривала с Ричардом о Гретхен.

— Мне она действительно очень нравится. Я даже ею восхищаюсь. Она живет так, как хочет, то есть полной жизнью.

Как-то утром она спросила:

— Дорогой, что ты будешь на завтрак?

Тот повернулся на другой бок.

— Не знаю, выбирай сама.

— Дай подумаю, — улыбнулась Пандора, — бекон с поджаренными помидорами. Угадала?

Ричард зарылся с головой в подушку.

— Как всегда, — согласился он.

Пандора встала, надела шелковый пеньюар и пошла на кухню. Проходя мимо письменного стола мужа, она заметила на самом видном месте толстую пачку счетов, и перебрала их пальцами. Ричард ненавидел заниматься хозяйственными вопросами, но и не хотел допускать к их личным делам какого-нибудь секретаря. Поэтому по счетам всегда приходилось платить Пандоре. Ричард возражал даже против служанки, которая убиралась в доме трижды в неделю.

— А почему я должна постоянно убирать за тобой разбросанные вещи, Ричард? — спорила с ним Пандора. При этом ей не нравились проскальзывавшие в собственном голосе жесткие интонации. — Неужели тебе трудно самому дойти и бросить их в корзину для грязного белья?

— Перестань ворчать, — отвечал Ричард. При этом его брови поднимались, а голос становился резче.

Иногда Пандора жаловалась Гретхен.

— Ха! Да выбрось его одежду в камин, — предлагала та, — пусть горит. Это будет ему урок!

— Вовсе нет, — возражала Пандора. — Он просто съездит куда-нибудь на своей красной машине и по кредитным карточкам купит себе еще кучу вещей. Есть женщины, любящие шляться по магазинам, но Ричард переплюнет их всех.

К этому времени Гретхен, Фридрих, Пандора и Ричард уже превратились в неразлучную четверку. Гретхен постоянно смешила Ричарда своими забавными грубоватыми историями и непредсказуемыми выходками. Пандора и Фридрих, напротив, предпочитали беседовать о музыке и художественных галереях. Пандора очень заинтересовалась немецкой поэзией. Фридрих предложил ей приходить на регулярные встречи любителей этой поэзии, проходившие по четвергам вечером. Ричард не возражал. И Пандора стала с удовольствием посещать их, возвращаясь домой румяная и счастливая от звуков птичьих песен, раздающихся на равнинах далекой Германии.

Пандора провела вместе с Ричардом десять счастливых лет. У них были общие музыкальные пристрастия: Моцарт, джаз, опера. Они легко путешествовали на пару, и жизнь казалась великолепным, отражающим множество цветов золотым шаром, подвешенным над их головами. Пандоре хотелось, чтобы эти волшебные годы продолжались вечно, как веселые пикники, на которые они частенько ездили, захватив с собой кучу вкусностей в корзине, предназначенной для таких случаев.

Однако Пандора замечала, что с годами Ричард понемногу меняется по отношению к ней. Все чаще он бывал груб и пренебрежителен. Женщина стремилась этого не видеть, списывая все на временное плохое настроение, на работу, беспокоящую ее мужа. Кроме того, он стал очень ревнив. Поэтому Пандора нарочито держалась в тени, давая возможность Ричарду, как всегда, рассказывать свои бесконечные истории. Порой она не выдерживала и, видя выражение скуки на многих лицах, вмешивалась, пытаясь как-то спасти мужа. Но Ричард этого не замечал, он был слеп к реакции окружающих. Даже когда они оставались вдвоем, Ричард продолжал монологи, интересные и посвященные только ему самому. Их поток днем и ночью захлестывал Пандору. Муж замолкал лишь тогда, когда начинал смотреть телевизор.

Происходящее Пандора могла назвать лишь одним словом — *эрозия*. Она понимала, что раздражает и злит Ричарда. Но понимала также и то, что сама считает Ричарда глуповатым и инфантильным. От их прошлого, бывшего когда-то для них раем любви и смеха, с общими приключениями, а иногда и сопереживаниями, мало что осталось. В самом центре этого рая образовалась пустыня, и пески принялись расползаться оттуда во все стороны.

Все началось с постели, где два тела уже не совпадали своими контурами, где друг к другу поворачивались спинами, а подушки использовали как преграду на пути другого. Завтраки перестали быть общим событием, а ужины проходили в тишине или атмосфере взаимной озлобленности. Пандора страдала, укрываясь от источника этих страданий в мире искусства и музыки.

Ричард теперь все меньше бывал дома. Гортензия, всегда готовая посочувствовать Пандоре в беде, говорила, что это обычный кризис человека, прожившего полжизни. Ричард стал все чаще заводить разговоры о том, что ему надо бросить нынешнюю работу и уехать куда-нибудь, чтобы засесть писать книгу.

Пандора лишь пожимала плечами. «Если он действительно этого хочет, пусть будет так», — говорила она себе, не подозревая ни на секунду, что Ричард хочет куда-то ехать писать книгу вовсе не с ней, а с Гретхен...

Тот день, когда вина Ричарда открылась, и сейчас стоял в памяти Пандоры во всех подробностях... Довольный взгляд Гретхен, когда она говорила, что Ричард сейчас присоединится к ним, и позже, тем же вечером, последнее неопровержимое доказательство... В какой-то момент мучительных воспоминаний непонятно откуда вдруг протянулась рука и вырвала эту занозу из страдающей души Пандоры...

Она начала метаться по песку. Джанин и Джулия склонились к подруге.

— Пандора возвращается, — сказала Джанин и присела на песок. — Веди ее к нам понемногу. Пусть идет на твой барабан.

Пандора, все еще стоя посреди своей бостонской квартиры, услышала зов барабана. Звук вызвал в ее сердце такую радость, что там не осталось места даже для печали по Ричарду, который уходил от нее. Она слушала, как муж пытался что-то ей объяснить, что его нужды часто не бывали ею удовлетворены, что близость Пандоры не приносила ему более никакой радости, что она стала предсказуема в своих поступках, а ему, Ричарду, хотелось жить полной жизнью рядом с таким человеком, как Гретхен, которая показала бы ему, как в действительности надо жить. Их существование вдвоем превратилось, мол, в скучную будничную рутину. Пандора лишь кивнула в ответ, она и сама все это знала, как мать знает своего ребенка. Да, Ричард должен уйти, она согласна с этим. И она уедет. Последует на зов далекого океана, чтобы где-то там встретить рыбу своей жизни — своего дельфина. Ричард же вместе с Гретхен тоже поедет туда, куда зовет его сердце.

— Жизнь, — произнесла Пандора, передразнивая Гортензию, — это серия путешествий. До свидания, дорогой. — Она поцеловала его, сбежала вниз и бросила чемодан в ждавшее ее такси. Последнее, что увидела Пандора, было белое лицо Ричарда, смотревшего на нее из окна квартиры.

— Куда? — спросил таксист.

— В аэропорт Логан, пожалуйста!

— О'кей, сделаем.

«Вот и еще одна дверь закрылась за мной», — думала Пандора, закинув ногу на ногу и рассматривая дорогие шелковые чулки, купленные когда-то в Париже. Одетая в мягкое черное пальто и соответствующие черные сапоги, с сумочкой «Картье» и часами, сделанными знаменитым лондонским мастером, женщина поймала на себе уважительный взгляд таксиста.

— Вы шикарно выглядите, мэм, — сказал он, когда она выходила из такси. — Хотите провести вечерок вдали от города?

— Нет, — ответила Пандора, улыбаясь, — у меня свидание на одном острове со стаей дельфинов.

С удивлением таксист следил, как она удаляется. «Повезло же какому-то парню, — думал он. — Как она здорово виляет задом!»

...Пандора почувствовала, как открываются ее глаза, и увидела склонившиеся над ней лица.

— Я вернулась, — промолвила она, потягиваясь. Тело показалось ей длинным, гибким, похожим на туловище червяка, нашедшего вдруг полную влаги землю. Все мускулы были расслаблены, нигде не чувствовалось никакой напряженности, тяжести. Все было так же, как после любви с Беном. Она и его увидела в числе окружавших ее людей. Бен выглядел очень озабоченным.

— Я отнесу тебя домой, — предложил он. — Ты, наверное, совсем ослабла.

Джанин улыбнулась Пандоре.

— Скоро зайду к тебе, принесу лесного чая. Это вернет тебе аппетит. А потом ты расскажешь нам все, что узнала.

— Не сегодня, — твердо отрезал Бен. — Пандоре надо как следует отдохнуть от вас, от ваших ведьминых штучек да заклинаний.

Даже Бен вынужден был признаться себе в том, что в любви Пандора теперь вела себя свободнее и легче. Она получала удовольствие от его тела так, как только хотела. Раньше он чувствовал, что главным для нее было желание доставить удовольствие ему, а что касалось ее самой, то Пандора всегда немного сдерживалась. Она лежала рядом с ним не как прежде, приняв оборонительную позу, сжав кулаки и расположив их перед лицом, а свободно раскинувшись, разбросав руки на чистой простыне. Дыхание ее было спокойным и ровным. То, что происходило в этой пещере, явно принесло ей пользу, освободило ее душу. За это Бен был благодарен. Определить точно, что же произошло, он, конечно, не мог, ибо не был допущен к женским тайнам. Но он не мог не признать: что-то все же сработало, получилось.

Глава сорок четвертая

В течение следующих дней Пандора буквально летала на крыльях. А Джанин и Джейн тем временем опять чистили пещеру.

— Мы должны вымести отсюда все твои старые воспоминания, — объяснила Джанин изумленной Пандоре. — Ведь ты же моешься после трудного рабочего дня, не правда ли? Здесь идея та же. Мы как следует уберем в этой пещере, а уж потом ты расскажешь, что, по-твоему, ты узнала в своих сновидениях.

— Странное дело, — говорила Пандора, сидя с подругами в баре, — но я перестала постоянно чего-то бояться, и это здорово.

Неподалеку от них Лиззи, уперев руки в бока, во весь голос переругивалась с Лайонелом Маршалом, менеджером.

— Твоя вонючая белая любовница отбивает работу у жителей Малого Яйца! Вы притаскиваете с собой всех этих блондинок с голубыми глазами из вашей траханой американской корпорации, а нам, уборщицам, платите меньше минимальных ставок.

Лайонел стоял красный как рак.

— Видишь ли, Джанин, — продолжала Пандора, — перед сновидениями я боялась даже увидеть какого-нибудь сердитого мужчину. А вот сейчас — не боюсь и понимаю, что Лиззи, например, совершенно права. В Штатах Лайонелу не сошли бы с рук его делишки. И еще я решила уже, что после моего пребывания в

427

пещере я поеду к отцу и проведу с ним какое-то время.

Джанин оторвалась на секунду от разливания напитков.

— Я бы на твоем месте уехала с острова, Пандора, и не возвращалась до конца сезона ураганов. Мы с Окто ждали ухода поющей черепахи и слышали, как она легла на гребень волны и, глубоко вздохнув, повернула в море. На лодке мы ее провожали так долго, как могли. Потом следили радаром. Черепаха нырнула очень глубоко. А это значит, что в этом году будут сильные ураганы. Некоторые из островитян после ухода черепахи слышали еще и завывания мертвяков. Это были голоса двух погибших в ураган 1932 года, чьи тела так и не найдены и до сих пор находятся где-то в пещерах.

Пандора отпила пива.

— Я не смогу уехать так надолго, Джанин. Я вернусь сюда. Когда же придет ураган, мы будем вместе. Где-то в другом месте я буду чувствовать себя гораздо хуже, ибо буду переживать за вас. К тому же теперь я уже умею ничего не бояться. Единственное, чего я не решила: оставаться с Ричардом или нет.

— Тсс, — Джанин приложила палец к губам, — мы поговорим об этом в пещере.

— Хорошо. Пойду проверю почтовый ящик: нет ли чего-нибудь от мамы. Хотя она слишком занята телефонными переговорами с Чаком, чтобы вспоминать обо мне. И это хорошо. Потом мне хотелось бы найти Еву — моего напарника по подводному плаванию. Она опять приехала сюда на недельку. Мы обязательно должны сходить с ней поплавать.

На глубине, подвешенная в толще воды у стены подводного утеса, Пандора вновь ощутила состояние покоя. Она пока еще не могла вспомнить ничего из своих сновидений, но даже Ева заметила происшедшую в подруге перемену.

— Ты вся светишься, дорогая, — воскликнула она, целуя Пандору при встрече.

— Именно так я себя и чувствую. Не могу толком понять почему. Такое ощущение, что во мне расцвел маленький цветок, хотя еще и очень хрупкий. А раньше внутри меня были только камни, осколки старых бутылок да слипшиеся, гадкие таблетки. Теперь же мне кажется, что в моей душе кто-то хорошенько обработал почву и как следует чисто прибрал.

Она продолжала думать об этом цветке, когда неподвижно зависла рядом с подводной стеной. Потом дала знак Еве и отплыла в сторону. «Где сейчас черепаха?» — спросила саму себя Пандора. Она двинулась обратно к рифам и замерла над многогранником огненных кораллов. Тут же, как всегда, появилась пятнисто-голубая рыба-попугай, явно требовавшая к себе внимания. Потом подплыл крупный морской окунь и толстым носом ткнулся Пандоре в руку. Она открыла ладонь, показывая, что никакого корма у нее нет. Окунь уплыл обиженный. Мимо промелькнула рыба-ангел, слишком великолепная, чтобы обращать внимание на появление в своем царстве человеческого существа. Пандора улыбнулась.

Она подплыла к Еве и жестом предложила возвращаться. Медленно они повернули к берегу, всплыли, сняли маски и улеглись на нагретом солнцем мелководье. Барракуда — подружка Бена — всплыла из-под обломков корабля, чтобы поприветствовать их.

— Ха! Ева, помнишь, как я испугалась этой бедняжки, впервые увидев ее?

— Ну, тогда, дорогая, ты боялась даже своей собственной тени, — ответила Ева.

— Этого уже нет. Сегодня я напишу отцу и спрошу его, можно ли мне приехать проведать его в следующем месяце. Представляешь, я знаю теперь его адрес и смогу поехать к нему! — Пандора смотрела на море, на длинную гряду рифов, оберегающую южную часть острова от плохой погоды.

Ева кивнула.

— Я и об этом знаю. Ну а мы с мужем поплывем во Флориду. Я уже приготовила запасы пресной воды и еды. Пат говорит, что их нам хватит на год.

Пандора заметила лодку Бена, приближающуюся со стороны рифа.

— Вот Бен возвращается, — сказала она. — Пора домой, готовить обед. — Она взглянула на Еву. — Теперь я хожу домой, чтобы готовить еду Бену, потому что хочу, а вовсе не потому, что должна. И в этом — большая разница.

Подруга улыбнулась.

— Ну, тогда я удаляюсь. — Она помахала рукой, а Пандора, выбравшись из воды, принялась стягивать с себя подводное снаряжение.

Глава сорок пятая

В кремово-белую, в ярких звездах ночь Джанин и ее сестры вновь отвели Пандору в ту самую пещеру, где она во снах пережила многие эпизоды своей жизни. Когда они поднимались на утес, в памяти Пандоры замелькали обрывки ее недавних сновидений. Джанин поймала ее взгляд.

— Не пытайся их как-то сорганизовать, Пандора. Не трогай их. Когда ты будешь готова, все получится само собой, пройдет, как шелковый платок сквозь золотое кольцо. Не приукрашивай то, что вспомнилось тебе, или же ты будешь просто пытаться изменить прошлую реальность с позиций нынешнего знания. Этого делать не надо. Будь последовательна.

— Ты много обо всем этом знаешь, не правда ли, Джанин?

— Да, много. Как и все мои родичи. Но это нисколько не помогает нам в построении собственных отношений с людьми. Это тебя удивляет, Пандора?

— Черт! — Пандора покраснела, надеясь, что в темноте ее замешательство не будет замечено. — Что ж, я и правда не могу понять, почему, обладая такими знаниями, ты занимаешься проституцией, ну, спишь с мужчинами за деньги.

Джанин помолчала.

— Это единственный способ заработать достаточно денег, чтобы нам с Окто оставить свои нелегальные занятия и открыть бар. Он ведь тоже провозит контрабандой наркотики только для того, чтобы заработать.

— Но ведь это не совсем нравственно, так ведь? — осторожно спросила Пандора и тут же устыдилась слов, вылетевших из ее уст.

— Конечно, это не нравственно, мисс Америка. Но кому об этом судить? Тебе что ли? Да у тебя у самой за спиной столько всякого, что...

— Знаю, — мягко заметила Пандора, — это я и сама начинаю понимать.

— Мы почти пришли, — сказала Джанин.

Джейн несла барабаны.

— Сегодня обойдемся без белых петушков? — спросила Пандора. — Слава Богу!

— Нет, нет, мы просто идем в эту пещеру, чтобы поговорить, не боясь быть услышанными. Ведь на этом острове и у камней есть уши. Джулия приготовила нам отличный суп из моллюсков с лепешками. Так что мы сначала поедим, а потом как следует отдохнем.

Пандора отметила, что в ее походке появился особый ритм. До снов в пещере Пандора с трудом могла вскарабкаться на утес, чувствуя себя настолько чужой окружающему, что вынуждена была бороться с этим окружающим на протяжении всего пути наверх. Дойдя до вершины, она оказалась совсем выбившейся из сил и еле переводила дыхание. Сегодня же она шла легко и весело и в своем движении была как бы едина с утесом. Это восхождение напомнило ей путешествие на эскалаторе в каком-нибудь аэропорту.

— На следующей неделе я увижу своего папу, — радостно воскликнула Пандора, заметив наконец вход в пещеру.

Джулия, несшая котелок с супом, первая вошла в грот. За ней последовали Джанин и Джейн. Пандора на мгновение задержалась, бросила взгляд вокруг, потом вниз — на острозубые коралловые скалы, лежавшие под ней. Далеко, во все стороны, уходило море, а прямо перед Пандорой светила полная и, казалось, довольная луна. «Неужели все это действительно происходит?» — с удивлением подумала Пандора. До ее уха донеслись ровные удары крыльев и сердитый клекот филина. У самой руки вытянулся белый светящийся цветок, источающий терпкий приятный аромат. Сладкие весенние запахи сливались со смрадом мертвой гнили прошлогодней листвы. «Да, — решила Пандора, — все это происходит в действительности». Она глубоко вдохнула и скользнула в пещеру.

Какое-то время глаза ее привыкали к темноте. Джейн тихо сидела на песчаном полу, положив рядом свои барабаны. Джулия ушла куда-то вглубь пещеры и принесла оттуда четыре миски и ложки.

— Давайте вначале закусим, а потом будем говорить.

Джанин пошарила в глубоких карманах юбки.

— У меня с собой есть бутылочка грейпфрутового вина. Мне ее дала мисс Рози. Она сама сделала это вино. — Джанин передала бутылку Пандоре.

Вино было грубоватым, но прекрасно утоляло жажду. Отпив несколько глотков, Пандора отдала бутылку Джулии. Ели в тишине. Пандора даже не знала, с чего начать рассказывать.

Когда с трапезой было покончено, Джулия убрала миски. Пандора прислонилась спиной к стене пещеры и вслушалась в бой барабанов, вновь зазвучавший под пальцами Джейн. Интересно, правда ли то, что в этих барабанах лежат кусочки разбитого сердца некоей женщины, которую звали Матерью Земли? Или же все это лишь плод воображения, сновидений, наркотиков и прочих элементов гаитянской игры в волшебство? Пандора почувствовала, что и сама начинает относиться ко всему этому со все большим раздражением и скептицизмом. И вообще, что она делает здесь в компании с этими женщинами? Однако постепенно, по мере того как звуки барабанов сливались воедино, злость покидала ее, а душа начинала сбрасывать свои защитные латы.

— Всю свою жизнь, — начала рассказывать Пандора, — я считала, что я — никто... Я должна была стать жертвой аборта, но этого не случилось. И быть сейчас среди вас у меня нет права. Но я билась за свое существование и пришла на этот свет даже вопреки желанию своей матери. Сновидения помогли мне понять,что я и мне подобные — нежеланные и отвергнутые — вырабатывают для себя особый жизненный стиль, нацеленный прежде всего на выживание. Других прав на полноценную жизнь они как бы и не имеют, потому что ни радости, ни восторга в факте их рождения не было. Следовательно, они не знают и не верят, что существуют радость и удовольствия. Им легче жить в печали и страдании — вечных спутниках таких людей. Смех и радость легко их оставляют. Кроме того, так как мать никогда не обнимала и не целовала меня, а отцу долгое время запрещалось даже дотрагиваться до своей дочери, я практически ничего не знала о каких-нибудь знаках привязанности с их стороны. Если не считать, конечно, затрещин или шлепков. В этом, может быть, и была, кстати, заложена какая-то часть любви. Все это я увидела и вновь пережила в моих сновидениях, но гораздо важнее другое: во снах я поняла, что так никогда и не смогла позволить придать своей жизни определенное направление. Я просто шла по дну ущелья насилия, творимого надо мной матерью, ущелья, углубившегося после ухода моего отца. По этому ущелью я и пришла прямиком в свою жизнь с Норманом. В сновидениях я поняла, что не должна была ни в коем случае связывать с ним жизнь. Но из всех ситуаций моим любимым выходом было подчинение инерции. Вот и тогда я лишь пошла вперед по лежавшей передо мной дорожке и угодила прямо в постель к Норману. И, если бы на дальнейшем пути мне не попался Маркус, я бы или пребывала до сих пор в постели Нормана, или же когда-нибудь он меня убил бы.

О, вы и представить себе не можете, как я была благодарна Норману! Я была признательна ему даже за то, что он меня бил и за то что он хотел меня. Во всяком случае, муж достаточно думал обо мне, к тому же после побоев он всегда потом сожалел о содеянном, а порой даже плакал, видя, что натворил. Я часто, слизывая языком слезы с его щек, прощала его. В этом я не походила на свою мать, не имеющую ни капли сострадания ко мне. Я была рада тому, что на свете был такой вот Норман и что он хотел меня так сильно, что решил жениться. Еще больше благодарности я стала испытывать к Маркусу, когда обнаружила, что и он тоже хотел меня. Я и поверить не могла, что этот вот высокообразованный психиатр, гарвардский выпускник, вдруг возжелает девчонку, родившуюся в семье железнодорожника. Выходя за Маркуса, я наконец-то сделала то, что вызвало у матери одобрение.

Мне снилось в пещере, как я и другие женщины из группы Маркуса глотали таблетки. В какое-то мгновение меня озарила мысль, что все мы, посещавшие эти «групповые занятия», были лишь наполовину людьми. Наши души почти никак не проявлялись, не жили, мы были лишены контроля над нашими телами, над нашими жизнями. Короче, все, что с нами произошло, мы заслужили. Маркус никогда не говорил, что сожалеет о чем-либо, случившемся между нами. Он просто иногда покупал мне подарки, и я была ему за это благодарна. Ведь раньше мне никто и никогда не дарил меха и жемчуг. Да и вообще я не могла предположить, что кто-то из моих соседей, живших у железной дороги, смог бы когда-нибудь позволить себе подарить близким что-то из украшений. Если бы Маркус не попался, я бы так и оставалась с ним до сих пор. Или погибла бы от чрезмерного потребления таблеток.

Когда я спала в пещере, я видела и свою встречу с Ричардом. Это был человек, сумевший заставить меня смеяться. Он научил меня заниматься любовью с нежностью. Убрал из физической любви насилие и боль. — Пандора помолчала. — И я опять это сделала.

— Что ты сделала опять? — спросила Джанин.

— Я сделала его центром моей жизни. Так же, как превратила отца в основу всего существования. Поэтому, когда он ушел, он унес с собой главную часть меня самой. А я осталась опустошенным болванчиком. Все звуки, которые я могла издавать, звучали пусто, не по-настоящему. Мой голос потерял глубину, слова — значение. Тело утратило даже способность вынашивать детей. Когда я выходила за Ричарда, я уже была богатой, потому что с Маркусом каждый болезненный акт сексуального насилия имел свою стоимость, свою цену, ибо за ним для меня следовал обязательный поход в магазин с правом неограниченного доступа к кредитной карточке мужа. С Ричардом все стало иначе. Он любил играть. Я была ему благодарна за то, что он и меня этому научил. Поэтому я отдавала ему все, что имела. Сначала он брал это с признательностью. Потом все с большим пренебрежением. Мои деньги позволили ему стать центром всеобщего внимания. В сновидениях мне вспомнилось даже то, с какой скоростью мы стали самой популярной парой в Бостоне. При этом я все чаще как бы терялась в тени окружавшей нас толпы. Мне так удавалась незаметная роль, что я быстро превратилась в идеальную домохозяйку. Я занималась домом, а муж снисходил до секса со мной лишь тогда, когда был к этому расположен. В моей постели со временем, как и в моем доме, вдруг стало все больше пустоты, и я ничего уже не могла сделать, чтобы заполнить ее. Эпизод с Гретхен мало удивил меня. Я понимала, что Ричард нашел в ней живую душу, которой во мне уже не было. Я была холодна, изношена, устала.

— Так что же ты узнала во сне, Пандора?

Пандора глубоко вздохнула, а потом сказала твердым, гораздо более уверенным голосом, шедшим откуда-то из глубин ее души:

— Я поняла, что существую и что для того, чтобы чувствовать себя живой, мне нет необходимости сливаться, объединяться с каким-нибудь мужчиной. Я поняла, что я человек сама по себе. Я — не составная часть какой-то пары, я не «мы» и не «нас». То, что я делаю, — мое, и нет нужды отдавать это кому-либо. Еще я поняла, что мне надо поехать и найти моего отца. Я знаю, стоит мне лишь освободить его от груза той великой лжи, которую мать навесила на нас с ним, мы оба выздоровеем душой.

— А как насчет Ричарда? — осторожно спросила Джейн.

— Еще не знаю. Я и правда пока не знаю.

Джейн приглушила барабаны, и на какое-то время их умирающая музыка сплотила женщин в универсальном единстве мира и понимания, доступном и желанном для женщин всего мира.

— Знаешь, — произнесла Джанин, — все это происходит совершенно по-разному у мужчин и женщин. В старые времена, Пандора, все молодые мужчины ходили в море. Так что год за годом островами правили женщины. Мужчины, конечно, возвращались, но в жизнь острова они так по сути и не входили. Такие женщины, как мисс Рози и ее подруги, имели собственные деньги, которые они обменивали на то, что хотели получить. Так что для них иметь или не иметь при себе мужчину мало что существенно меняло в их жизни. А потом сюда стали приезжать туристы из Америки, и — еще хуже —

пришло американское телевидение. И наши девушки вдруг решили, что живут они лишь за счет мужчин и для них.

Джейн рассмеялась.

— Ну, теперь-то мы, молодежь, уже опять поменяли свой взгляд на эти вещи. Я вот хочу сделать собственную карьеру. Может быть, выйду при этом замуж, а может, и нет, кто знает? Во всяком случае, мое поколение девушек не будет жить так, как жила ты, Пандора.

Пандора вздрогнула.

— Знаю, — согласилась она. — Я была идиоткой, но я ею быть перестала. Это ужасно — лежать и видеть, как я позволяла всему этому случаться со мной.

Джанин взглянула на Джейн.

— А ты давай не хвастайся! — подбадривала она. — Но я-то вижу, как ты ведешь себя, когда замечаешь какую-нибудь женщину рядом с мужчиной, на которого ты положила глаз.

— Ну и что же! Это называется наступательным действием. Мне так Ева сказала. Мол, нельзя никому позволять брать то, что принадлежит тебе.

Пандора вытянула ноги, расправила все тело.

— Ева, как мне кажется, продумала всю свою жизнь и все поступки наперед. Но и я уже недалека от этого.

Джанин поднялась.

— Пора, Пандора. Спустимся с утеса вместе. А сестры собираются остаться здесь на ночь.

Они шли вниз молча, взявшись за руки. Подойдя к хижине Бена, Пандора поцеловала Джанин и сказала:

— Спасибо тебе, Джанин, за сновидения. Они мне очень помогли.

Лицо Джанин казалось холодным в лунном свете.

— Теперь тебе осталось лишь решить, как поступить с Ричардом.

— Знаю, — согласилась Пандора, — жаль, что в снах никакой ясности на этот счет не получилось.

— Что же, значит, тебе еще предстоит кое-что выяснить самой, прежде чем придут окончательные ответы. Спокойной ночи, Пандора.

Джанин крепко обняла подругу.

Глава сорок шестая

Улететь с Малого Яйца всегда было проблемой. Бен с Пандорой находились в аэропорту острова, больше напоминающем маленький сарай. Самолет опаздывал.

— Мы зря доверяемся людям с Большого Яйца, — со злостью произнес Бен. Если бы все зависело от них, то до Малого Яйца не долетал бы ни один самолет, ни один турист. Они бы всех туристов и их деньги получали сами.

В этот момент послышалось ровное жужжание моторов самолета. Отъезд и радовал, и волновал Пандору. В Феникс она решила ехать на поезде через американские штаты.

— Я ведь так мало знаю Америку, — объяснила она свое решение Бену, считавшему, что она поступает совершенно неразумно.

— Почему ты не хочешь лететь самолетом, раз — и ты на месте?

Пандора рассмеялась в ответ.

— Нет, — сказала она, — хочу поехать на поезде, увидеть разные города, интересные места, лица людей. Папа прислал мне подробный перечень всех мест, где он побывал. Так что и я хочу проехать хоть через какие-нибудь из этих городов. Это даст нам возможность поговорить об увиденном при первой после стольких лет встрече.

Пандора обняла Бена и пошла к самолету. Ей вдруг

стало ясно, что она будет очень скучать по этому спокойному, уверенному в себе человеку, по его теплому телу со сладким ароматом.

— До свидания, Бен, — крикнула на прощание Пандора. Поднялась на борт и обернулась на удаляющуюся взлетную полосу лишь тогда, когда самолет поднялся в воздух и взял курс на Майами.

После мирных тихих месяцев, проведенных на далеком острове, аэропорт Майами показался Пандоре адом. Она даже начала ощущать, как ее охватывает неконтролируемая паника. Глаза заполнились слезами, веки беспомощно захлопали, ноги задрожали. «Ну уж нет! — твердо сказала она себе. — Это слишком похоже на старую, слабую и беззащитную Пандору. Ведь это же лишь аэропорт, набитый куда-то спешащими людьми».

Она медленно двинулась вперед, следуя за потоком людей по направлению к каруселям выдачи багажа. Будет ли там и ее чемодан? Естественно, он там был. Пандора сняла его с транспортера с неким чувством триумфа. Пройдя паспортный контроль, благополучно добралась до таможни. Ожидая своей очереди, она наблюдала за семьями, перемещавшимися по аэропорту обособленными группками. Причем, в каждой из этих семей мужчины были заняты в основном паспортами и авиабилетами, а женщины кое-как справлялись с детьми и ручным багажом. «Неужели всегда и во всем должен быть и тот, кому служат, и тот, кто служит?» — удивленно размышляла Пандора, наблюдая за семейками.

«Может быть, это и так, — думала она, отъезжая от аэропорта в одном из комфортабельных поездов «Эмтрек». Просто я теперь на это смотрю по-другому, ибо много месяцев провела без Ричарда, много месяцев не была обязана никому прислуживать. Единственным человеком, за кем в это время я ухаживала, была я сама». Мысль прозвучала как-то эгоистично. Монахини-воспитательницы в их девичьем монастыре никогда бы не позволили подобной мысли вылезти наружу. Они проповедовали другое — то, что мать для любого мальчика центр его жизни. От нее он узнавал все об окружающем мире, да и сам этот мир существовал в основном вокруг факта, что мать любит своего сына и служит ему. Удобно устроившись в несущемся вперед поезде, Пандора услышала даже знакомый голос преподобной матери: «Повзрослев, мальчик находит себе жену. И она становится главной в его жизни, она любит его и служит ему, как служила до этого момента мать...»

«Как же это получается? — Пандора воспротивилась такому взгляду на вещи. — Ведь у меня никогда не было возможности треснуть по лицу Ричарда, Маркуса или Нормана. Я просто вынуждена была прятаться в те три норы моих с ними браков, что оказывались на пути. Я вынуждена была приспосабливаться к жизни с этими ущербными людьми. Ну все, пора прекращать постоянно думать об этой части моей жизни», — решила Пандора.

Рядом с ней сидел высокий мужчина в глубоко натянутой на уши шляпе «стетсон» и ковбойских сапогах, неудобно засунутых им под лавку.

— Извините, мэм, не могли бы мы с вами поменяться местами, а? Вы бы сели у окна, а я — ближе к проходу.

— Конечно, — ответила Пандора.

— Спасибо, мэм. — Они поменялись местами. — Меня зовут Тони, — сообщил ковбой, приветливо протягивая ей широкую ладонь. — Я еду в Даллас. Только что поныряли на рифах в Красном море, а теперь с радостью возвращаюсь на пару недель на твердую землю.

Пандора взглянула в окно. Большинство пассажиров вокруг выглядели приятными и вполне обычными, занятыми собой людьми. Многие ехали куда-то, видимо, в поисках работы, другие путешествовали с целью получше узнать Америку. Ну а некоторые были явными бродягами. По мере того как поезд проходил города, описанные Фрэнком в его письмах, Пандора чувствовала, как между ней и отцом, которого она давно не видела, возникает новая близость.

Эль-Пасо — поезд окружила пустыня Нью-Мексико. Пески, казалось, охватывают весь горизонт. Тусон произвел впечатление места тихого, но какого-то анонимного. От отца Пандору отделяли теперь считанные мили.

Пандоре показалось, что у нее жар. Отец ведь был все эти годы для нее мифом, источником сильных сердечных мук. Сейчас, однако, все изменилось: признание матери сняло с ее души ощущение стыда и необъяснимого греха.

И все же она втянула голову в плечи, когда поезд наконец-то вошел в вокзал Феникса. На платформе стояли сразу несколько высоких мужчин. Один из них был ее отцом.

Фрэнк ее еще не заметил, но его зеленые глаза, унаследованные Пандорой, с волнением вглядывались в окна прибывающего состава. Пандора медленно направилась к выходу из вагона. «Такой радостью необходимо насладиться не торопясь», — решила она, спускаясь по ступенькам на платформу. Лицо отца казалось более худым, чем она это запомнила, но волосы по-прежнему были густыми и жесткими, хотя и приобрели пепельный оттенок. Она подошла к отцу, вложила свою руку в его.

— Здравствуй, папа.

Он несколько удивленно посмотрел на нее сверху вниз.

— Девочка моя, — наконец изумленно произнес Фрэнк. — Да это ж моя маленькая Пандора! — Он поднял ее на руки и крепко обнял.

В его руках она вновь ощутила себя птенцом в уютном гнезде.

— О, папа, — призналась Пандора, — я так долго ждала этого момента.

Оба заплакали. Мимо спешили по своим делам люди. Вокзалы и аэропорты — это те места, где не замечают плачущих взрослых людей, орущих детей и рыдающих женщин. Потому что в таких местах люди расстаются, встречаются вновь и при этом всегда льют слезы.

Помолчав, Фрэнк сказал:

— Давай я возьму твой багаж, родная. Не можем же мы тут стоять и выть, как дети малые.

Пандора шмыгнула носом, вытерла ладонью глаза.

Они пошли к стоянке. Отец открыл перед ней дверцу небольшого грузовичка. Пандора скользнула в кабину. Ее чемодан от «Луиса Вуиттона» несколько одиноко и печально разместился в пустом кузове пикапа. Он, видимо, не привык путешествовать в таких условиях.

— Я хотел бы тебе прежде всего сообщить, — начал Фрэнк, — что я опять женился.

— Да? Ты мне ничего об этом не писал.

— Знаю. Я хотел все объяснить тебе при встрече. Мою жену зовут Рут, она мне и правда хорошая жена, Пандора. У нее две дочки. Сейчас они уже обе замужем, но, когда мы жили все вместе, я помогал растить их. — Голос отца дрогнул. — Таким образом мне было легче пережить потерю тебя.

Пандора положила руку на локоть отца, и жест этот доставил ей истинное удовольствие.

— Рут всегда дома, Пандора. Она готовит еду, заботится обо мне, она любит меня. Твоя мать, знаешь, никогда не была такой. У Моники в голове бродили самые сумасшедшие мысли. Ну, во-первых, она считала, что у нее должны быть свои собственные деньги. Потом она решила, что ухаживать за мной нет никакой необходимости, потому что я уже взрослый мужчина и сам могу это делать. — Отец покачал головой. — Но хуже всего то, что я все еще люблю твою мать, какой бы стервой она ни была. Иногда, сидя с Рут у камина, я вдруг начинаю чувствовать вину перед Моникой. Ты знаешь, на протяжении этих лет я всегда знал, где она и что с ней.

— Понимаю, папа. Я тоже кое-что хочу тебе сказать, прежде чем мы войдем в твой дом. Однажды, когда мама приезжала ко мне на остров, она напилась и призналась, что все эти гадкие вещи, которые она говорила про меня и тебя... Она признала, что все они были выдумкой. — Пандора вдруг почувствовала, что дрожит. — Я спросила ее, почему же она говорила все эти мерзости, а она ответила, мол, потому, что наши с тобой отношения вызывали у нее ревность.

В кабине грузовичка повисла тишина, потом отец тяжело вздохнул.

— Слава Богу, — сказал он, — я всегда знал, что она все это выдумывала, но ты была слишком маленькой и не могла понять этого.

— Почему же она нас так ревновала? — Пандора задала вопрос, мучивший ее долгие годы.

— Наверное, потому, что сама она никогда до моего появления, не была желанна и любима. Да и мы с ней сошлись как масло и вода. Я-то любил ее, да и сейчас люблю, а вот ей не нужно было подобное, о котором мечтали все девушки вокруг. Она хотела того, что называла равенством. Рут совсем другая. Она следит за делами дома, а я занимаюсь бизнесом, зарабатываю деньги. Я покажу тебе мою маленькую мастерскую. Она в нескольких кварталах от дома.

— Ты счастлив, папа?

— Да, я счастлив. Но мне все же не хватает того огня, что был в Монике.

Пандора рассмеялась.

— Посмотрел бы ты на нее сейчас. Она прилетела ко мне на остров, стеная и жалуясь по всякому поводу, а теперь вдруг решила удариться в бизнес вместе с одним типом — Чаком. Мама говорит, что собирается за него замуж, что свадьбу устроят на пляже, когда я вернусь, а потом они оба откроют новое дело.

— Ты думаешь, мама и этот Чак будут счастливы?

— Пожалуй, да. Они, конечно, будут друг с другом цапаться, но мама никогда не выступала против такого стиля поведения. Чак — страшный вредина, то же можно сказать и о ней. Так что они подходят друг другу.

— Вот, видишь? — Фрэнк указал на домик в белом обрамлении, примостившийся по другую сторону дороги. Над входом висела табличка «Ф.Мейсон. Ремонт электрооборудования». — Это моя мастерская. Моя собственность, выплатил уже все деньги банку.

Через несколько кварталов отец свернул с дороги, остановил грузовичок напротив небольшого симпатичного, аккуратно отштукатуренного домика.

У входа их ждала маленькая, пухленькая, приятного вида женщина. Она взяла Пандору за руку и провела в гостиную.

— Фрэнк, дорогой, отнеси вещи Пандоры в ее спальню. Твой папа много о тебе рассказывал, Пандора, и я давно хотела с тобой повидаться. Вечером придут мои дочки с семьями. Мы позвали их на барбекю. Им тоже не терпится познакомиться с тобой.

Пандора внутренне напряглась. Опять этот «семейный» подход. Честно говоря, она надеялась, что сможет этим вечером тихо посидеть с отцом, вспоминая прошлое и потягивая пиво.

— Вот здорово, — вслух произнесла она, — тогда мне лучше подняться и принять душ.

Миссис Мейсон кивнула и направилась на кухню, выложенную плиткой белого и зеленого цветов. «Так вот какая эта Пандора, — думала Рут. — Сначала, значит, пристрастилась к сексуальным пыткам, потом к потреблению барбитуратов». Когда Фрэнк прочитал об этом в газете, он много дней подряд плакал. Миссис Мейсон похлопала себя по животу. Ну что ж, по крайней мере, у Фрэнка хоть сейчас есть приличный дом и любящая жена. Она очень надеялась, что Пандора не нарушит сложившееся идиллическое существование их семьи.

Глава сорок седьмая

За годы, проведенные с Ричардом, Пандора привыкла к английским представлениям о семейной жизни. В доме Молли Филип был всему головой, и все мысли Молли были направлены на то, чтобы сделать мужа довольным и счастливым. Когда приезжали сыновья, им тоже прислуживали, ухаживали за ними. Мужчины, со своей стороны, скрупулезно следили за тем, чтобы не позволять женщинам таскать тяжести или открывать самим двери. Радикальные идеи феминизма не дотянули своих грубых рук до приятной девонской провинции. Поэтому, как заметила Пандора, не считая внешних жестов вежливости, в остальном Молли и ее невестки, включая саму Пандору, несли на своих плечах все заботы о благополучии поместья викария. Когда Ричард приезжал в дом матери, он облегченно вздыхал и начинал вести себя, как шестилетний мальчишка. Так же поступали и его братья.

Пандора уже и не помнила, когда была на семейном празднике в каком-нибудь американском доме. Сначала она жила одна с матерью, потом с мужьями. Но опять же одна, так как не могла иметь детей. По этой же причине и большинство ее друзей были либо холосты, либо бездетны. Поэтому, когда вдруг со двора раздался невообразимый гвалт, возвестивший о прибытии многочисленных членов второй семьи отца, Пандора испуганно замерла посредине отведенной ей маленькой спальни, видимо, когда-то бывшей спаль-

448

ней дочек Рут. Она подумала о них, потом о себе. Две маленькие кроватки стояли у стен продолговатой комнаты в розовых цветочных обоях с голубыми полосками. Большой шкаф с зеркалом на двери находился в одном углу, а в другом располагались полки с бесчисленным количеством кукол. Куклы гордо сидели и на спинках обеих кроватей.

Пандора открыла дверь шкафа, чтобы повесить туда несколько привезенных с собой вещей. В шкафу плотными рядами, все в оборках и шелковом шитье, висели безупречно чистые девичьи платья. Кое-как она пристроила рядом и свою одежду — летнее коричневое и яркое коктейльное платья. Третье — розовое — Пандора положила на стул у кровати, извинившись перед куклами и отодвинув их в сторону. «Большинство маленьких девочек, — думала она, — сделаны из сахара и перца. Может быть, если бы и у меня была такая комната, я бы не наделала в жизни столько глупостей».

Принимая душ в розовой, немного обшарпанной ванной, Пандора размышляла о своей матери. «Ясно, почему она не могла любить меня, ведь ее саму никто не любил в детстве: Бог свидетель, папа пытался сделать это, но и он требовал ответных чувств, которые она не в состоянии была испытывать. А вот Рут смогла. Мне и самой, — признала Пандора, — потребовалось тридцать семь лет, чтобы понять, что моя мать тоже человек».

На этой мысли она выключила душ и ступила на розово-зеленый толстый ковер. Ванная внушала слабое чувство клаустрофобии после месяцев на открытом всем ветрам острове, но Пандора не могла не признать очевидного ее удобства и уюта. Как бы она хотела, чтобы Бен был сейчас вместе в ней. Уж они повалялись бы на этом толстом ковре.

Внизу раздался новый взрыв голосов, оповестивший о прибытии очередных гостей. Пандора поспешила в спальню, завернувшись в мягкий розовый халат. Она надела платье и сандалии. Обувь показалась немного непривычной.

Большая часть новой семьи Фрэнка уже собралась на заднем дворе дома. Пандора сразу узнала обеих дочерей Рут. Они были очень похожи друг на друга, их можно было даже принять за близнецов.

— Я — Дебби, а это — Дорин, — сказала Дебби, явно более бойкая из сестер. Вокруг сновали дети, среди которых не было ни одного старше семи лет. Они буквально рвали все, что их окружало, в клочья. Двое молодых мужчин стояли у барбекю и беседовали с Фрэнком, который выглядел совершенно раскованным. Именно ему, очевидно, поручили обеспечить приглашенных жареным мясом. Рут то вбегала в дом, то выскакивала во двор, безуспешно пытаясь призвать детей к порядку. Те же не обращали на нее никакого внимания, словно им была дана полная свобода кусаться, драться руками и ногами, орать и огрызаться. Обе молодые мамаши неподвижно стояли с выражениями глуповатой материнской любви на лицах и равнодушно взирали на создаваемую детьми кутерьму и на то, какой вред они наносили саду.

— Пандора, милая — долетел певучий голос Рут с кухни, — не могла бы ты мне тут помочь. Девочки накрывают на стол.

Пандора вошла на кухню. Она сразу поняла, что от нее ждут какой-то оценки представшего перед ее глазами зрелища. Единственное, что пришло ей на ум, было:

— О, у вас просто замечательная кухня, Рут.

— Да, это так, Пандора. Ее оборудовал для меня Фрэнк. Он этим занимается по вечерам. Направляется в свой маленький рабочий сарайчик в углу двора, сидит и мастерит там всякие вещицы для моего дома и для моих дочек. Что бы им ни потребовалось, они все заказывают у него. Их-то мужья не умеют мастерить, что и говорить — другое поколение! На-ка, я дам тебе сыра, а ты потри его чуточку на крекеры. — Рут помолчала, изучая Пандору. — Знаешь, ты не совсем такая, как я себе представляла. Фрэнк тебя всегда описывал застенчивой тощей девочкой.

Пандора улыбнулась. Интересно, что сказала бы Рут, узнав, что она спала в пещере сновидений на далеком острове, куда приплывает большая черепаха, чтобы в песнях своих рассказать людям об их будущем?

— Ну, ведь ты... ведь ты... э-э... — Рут смолкла в смущении.

— Не смущайтесь. Все это я уже прошла, теперь я — другая. — Предлагая Рут сменить тему разговора, Пандора продолжила: — Вы очень много хорошего сделали для папы, знаете. Он выглядит совершенно счастливым.

Рут вынула руки из мойки и улыбнулась.

— Что ж, он был таким задерганным, когда мы впервые встретились. Ведь твоя мать здорово пила. — Рут предупредительно подняла вверх ладонь. — Я никого не критикую. Не люблю этого. Просто Фрэнку нужен был настоящий дом, жена, к которой можно было бы приходить с работы, и которая могла бы приготовить хороший обед.

Пандора кивнула.

— Возможно, вы правы, — сказала она. — Большинство мужчин хотят именно этого, Рут. Но что тогда делать с женщинами, которые не желают строить свою жизнь вокруг какого-нибудь мужчины и его потребностей? Что с ними-то делать?

— Ну, — голос Рут стал резче, — эти женщины, наверное, вынуждены быть очень одинокими. Ведь семья — это все.

— Я тоже думаю, что семья — это все, — согласилась Пандора и не торопясь продолжила: — Но неужели в ее основе должна быть лишь исключительно материнская забота?

Рут просияла.

— А как же, дорогая! Ты совершенно права. Я все вложила во Фрэнка и девочек, и вот теперь, годы спустя, все возвращается ко мне сторицей.

«Как же это, интересно? Сыром на крекерах и такими вот сборищами дважды в год?» — подумала с цинизмом Пандора.

— Своих девочек я с малых лет учила быть домохозяйками. А ты умеешь готовить?

Пандора кивнула.

— Конечно, но сейчас я это делаю только тогда, когда хочу. Если не хочу, не готовлю. Будучи замужем, я только и делала, что готовила. Но, прилетев на остров, я дала себе два обещания. Первое — никогда не признаваться, что умею готовить. Второе — никогда не признаваться, что умею печатать.

— А ты случайно не из этих, не из феминисток? — смеясь, спросила Рут.

— Нет, я не принадлежу ни к одному из подобных движений. Я просто хочу быть человеком с собственным мнением, на которое имею право. Я хочу быть человеком самим по себе, Рут, а не частью кого-то там. Я слишком долго была такой частью. — Она поняла, что зашла уже слишком далеко и что бы там ни считала, она не имеет права критиковать то, как живет Рут. — Как бы то ни было, — поспешила признать Пандора, — вы прекрасно ведете хозяйство, дом, и я так рада, что вы вышли замуж за папу.

Крекеры с сыром, сделанные Пандорой, прошли на «ура». Да и вообще обед превратился в целое событие. Мужчины нестерпимо долго группировались вокруг жаровни, а затем принесли к столу огромные Т-образные стейки, облитые соусом барбекю. Дорин установила на самое видное место бадью с салатом, обильно сдобренным экзотическими приправами, а Дебби на десерт подала меренги с кремом. Дети ели до отвала, переговаривались с полными ртами, продолжая орать и визжать. Взрослые опять их не замечали и вели застольную беседу. Рут все сновала с кухни и на кухню, как игрушка «йо-йо». Дорин и Дебби едва за ней поспевали. Пандора со своего места иногда неуверенно предлагала услуги, но женщины-командирши только отмахивались от нее.

После обеда Фрэнк столь же неуверенно спросил, может ли он помыть посуду, за что был ласково обруган:

— Ты что?! И так вкалываешь всю неделю! Лучше иди, дорогой, с мальчиками на двор и приляг отдохнуть.

Пандора все же пристроилась в углу кухни с полотенцем и подключилась к вытиранию тарелок. Дети к этому моменту приклеились к телевизору в гостиной и словно бы исчезли. «Наверное, — думала Пандора, — нежеланные дети не могут создать своей семьи потому, что не знают, как это делается». Поэтому она пыталась последить за тем, как живут в своих семьях Дорин, Дебби и их мать.

Дорин в это время говорила:

— ...Машину побольше, ма. Ребята регулярно занимаются плаванием, так что я должна возить их на соревнования, а потом обратно, чтобы вовремя успевать на матчи бейсбольной Малой лиги.

— Ренди в этом году стал тренером Малой лиги, — вступила в разговор Дебби. — Так что мне теперь обязательно надо найти хороший пятновыводитель, иначе его новый спортивный костюм, тот, что я нашла на «блошином рынке», ну, я говорила тебе о нем по телефону, ма, так вот, иначе он совсем пропадет.

— Да, ты права, милая, — отвечала Рут, чьи руки были вечно чем-то заняты. Она была маленькой, но крепко скроенной. Так же крепко она и держала под своим контролем этот хорошо оборудованный, отлаженный по всем правилам мирок. Эта женщина будет стоять насмерть, чтобы защитить свою симпатичную аккуратную жизнь от какого-либо вторжения или, тем более, покушения.

Обе ее дочки имели однотипные ободки в волосах, шнурованные воротнички на платьях, носили похожие туфли без каблуков. Говорили они простыми штампованными фразами, но в то же время были очень искренни в отношении Пандоры: «Нам так жаль, что вы пережили весь этот ужас с тем гадким человеком».

Обе девушки были просто потрясены, когда Пандора неожиданно сообщила им, что только что оставила и своего третьего мужа.

— А мы-то думали, что вы просто отдыхаете на этом карибском острове, — призналась Дорин. — Так значит, вы разошлись с тем англичанином, который, как говорил нам папа, был так добр к вам. И теперь вы живете на острове?

Девушки сложили руки на груди и удивленно уставились на Пандору.

— Почему же вы ушли от такого милого человека?

— Сложный вопрос, Дорин. Я и сама до сих пор не в силах на него ответить.

В дверях показался зевающий Ренди.

— Остальные так и спят во дворе, ну а я бы выпил чашечку кофе, ма. За это, если захочешь, я постригу тебе лужайку.

Дебби улыбнулась.

— Мне ты такого никогда не предлагал, Ренди.

Он пожал плечами.

— Так ведь ты всего-навсего моя жена, дорогая!

Все расхохотались.

Глава сорок восьмая

— Пандора?

Пандора сидела в детской спальне, положив подбородок на поджатые колени и разглядывая свое лицо в зеркало с закругленными краями, на которых висели розоватые лампочки. Это хитроумное приспособление было, к тому же, еще и задрапировано легким материалом. Вообще-то Пандоре не нравилось слишком тщательно изучать кожу своего лица. «Это карта моих несчастий», — считала она.

— Пандора?

«Черт, это ведь Рут меня зовет». Она слезла с кровати и зашлепала к двери.

— Да, Рут?

— Уже почти десять. Я разогрела для тебя завтрак.

Пандора смутилась. Завтракать она не хотела, но попросить только чашку кофе было бы неприлично.

— Сейчас спущусь, — крикнула она.

Рут суетилась на кухне, размышляя: «Теперь понятно, почему от нее мужики бегут».

Пандора, умывшаяся и причесанная, вошла босиком в кухню.

Рут взглянула на ее ноги.

— Ты не носишь тапочки, Пандора? Но так можно на что-нибудь наступить и пораниться. Да и вообще от ходьбы босиком расширяются ступни.

— Знаю, — беззаботно ответила Пандора, — но я

никогда не любила носить туфли. К тому же у вас замечательные ковры.

Рут расцвела.

— Это потому, что я применяю моющее средство «Капит-Софт». Это несравненное средство. Я использую его уже много лет, но и сейчас мои ковры не потеряли своей красоты. Кроме того, «Капит-Софт» вкладывают в свои коробки купоны, я их собираю для того, чтобы потом бесплатно сходить в ресторан. Мне осталось для этого добрать еще четыре купона. — Рут провела Пандору к кухонному столу, достала тарелку с вафлями и беконом.

Пандоре чуть не стало плохо.

— Я бы сначала выпила чашечку кофе, ладно? — попросила она.

— Разумеется, дорогая. — Рут уже была занята у мойки, споласкивая листики салата. — Скоро Фрэнк придет на обед, и мы сможем пробежаться по магазинам, сходить на ярмарку.

— Это было бы замечательно. Я давно уже не ходила на ярмарку. На нашем острове есть два супермаркета, но в них все привозное. Я иногда просто с ума схожу по салату. Никогда бы не подумала, что можно просто-таки жаждать свежего помидора. — Пандора решила для приличия немного поклевать свой завтрак и вообще вести себя наилучшим образом. Большую часть прошлого вечера пришлось убирать после обеда. Мужчины же были заняты баскетбольным матчем, транслировавшимся по телевизору. Потом детей начало клонить ко сну, тогда их распихали по машинам, и на этом семейное торжество завершилось. Спящие малыши очень нравились Пандоре.

— Меня гораздо больше беспокоят бодрствующие дети, — призналась она Дорин.

Та как-то странно на нее взглянула.

— А вы случайно не их тех, кто предпочитает детям животных?

— Именно так, — не возражала Пандора и резко захлопнула дверцу автомобиля перед носом Дорин.

Оставшись один на один с Рут, Пандора почувствовала себя скованно. У них было так мало общего. По образу жизни они даже отдаленно не напоминали друг друга.

Рут, казалось, не отдавала себе в этом отчета.

— А как вы там, на острове, предохраняетесь?

— Предохраняемся?

— Ну, знаешь: таблетки, спирали и тому подобное? Женщинам все же приходится время от времени обращаться к врачам. Я-то, слава Богу, прошла этот возраст, но мой доктор тем не менее советует мне попробовать ЗГТ — замещающую гормональную терапию, — сообщила Рут так, как если бы она считала, что эта новость сможет в одно мгновение изменить жизнь Пандоры. — У меня сейчас наступает критический возраст, и это доставляет мне существенные неудобства. Не то чтобы мы с Фрэнком часто занимаемся этим. Ну, вы знаете, дорогая, о чем я?

Пандора смущенно кивнула.

— Как только мои месячные вообще прекратились, я больше ни разу не испытала какого-либо полового влечения. Фрэнк и к этому очень хорошо отнесся. — Она хихикнула. — Но, если мне чего-то очень хочется, я позволяю ему разок заняться со мной любовью. — Рут еще раз хихикнула. — Думаю, к этому средству прибегают все женщины, потому что после секса мужчины всегда бывают тебе признательны. Вы так не считаете?

Пандора вспомнила Маркуса.

— Думаю, это распространяется не на всех мужчин, — ответила она. — А когда папа вернется домой?

— О, он придет ровно в половине первого. В половине двенадцатого я поставлю кастрюлю на огонь,

457

и точно в назначенное время он войдет в свой чисто прибранный дом, полный запаха его любимого куриного супа.

— Слава Богу, что у нас на острове, — рассказывала Пандора, исполнительно следуя за Рут с пыльной тряпкой, — для того, чтобы убрать, достаточно немного поорудовать метлой и вымести весь мусор за порог.

— Ну, мне бы это не могло понравиться, — возразила Рут. — Я люблю прибирать в доме. Люблю, чтобы вокруг все было чистым и блестящим. — Она тщательно протерла участки лестницы между ковровой дорожкой и перилами. — Так, а теперь, Пандора, если ты сможешь достать из-под лестницы мой маленький пылесос и пройтись еще разок по ступенькам, то мы действительно будем готовы встретить Фрэнка, когда он придет на обед.

Стоя на коленях, Пандора улыбнулась. Она не пылесосила с тех самых пор, как ушла от Нормана. Ей забавно было смотреть как пыль отрывалась от ковра и втягивалась в крошечное отверстие шланга пылесоса «Гуврет». Щетка оставляла на ковре чистые дорожки. Пандоре вспомнился белый песок из хижины Бена, те места, где они занимались любовью. Сильное желание любви вдруг охватило Пандору, она даже вздрогнула всем телом.

Закончив работать пылесосом и нарочно стремясь увести свои мысли от Бена, Пандора вежливо спросила:

— Может, еще что-то нужно сделать?

— Да нет, разве что накроешь на стол на нас троих, дорогая. А я как раз докончу свой пирог с орехами пекан. Я всегда себя чувствую страшно по-европейски, когда произношу название этого пирога. Как если бы я была француженкой, знаешь?

Как и предсказывала Рут, Фрэнк вошел в дом точно в половине первого. Под мышкой он сжимал свернутую газету. Рут бросилась ему навстречу, приветственно чмокнула. Пандора наблюдала за ними. Фрэнк тоже поцеловал жену в щеку, потом подошел к Пандоре и крепко обнял ее. Настроение Пандоры от этого жеста здорово улучшилось. Оба они действительно оставили позади все эти ужасные годы.

Фрэнк потянул носом.

— Куриный суп, да? — спросил он, просияв.

— Как ты догадался? — воскликнула Рут, хлопая в ладоши.

— Но ведь сегодня среда, верно?

Этот диалог был, видимо, частью ритуала их семейной традиции.

У Пандоры с Ричардом тоже были свои ритуалы.

— Полюбуйся, дорогая, — говорил бывало Ричард, входя в комнату и бросая ей на колени сверток.

— Что ты на этот раз купил себе, Ричард?

— Конечно же, сорочки от Тёрнбула и Ассера. Ты же меня знаешь, дорогая? — При этих словах Ричард наклонялся и целовал ее.

Поддерживать гардероб Ричарда на уровне, приличествующем престижному журналисту, было для Пандоры дорогим занятием. Тем более что его запросы в одежде существенно выходили за рамки его зарплаты.

Фрэнк предупредительно подставил Пандоре стул.

— Ты выглядишь грустной, милашечка моя. Скучаешь по своему острову?

— Нет, папа. Просто вспомнилось кое-что грустное. Но все уже прошло. После обеда мы с Рут отправимся на ярмарку. Никогда не думала, что с такой радостью пойду на базар. Однако мне действительно очень хочется туда сходить.

— Миссис Джонсон принесла старые часы своей матери, Рут. Ты их у нее видела — такие большие, черные, под мрамор. Прекрасно сделанный механизм. Я все там почистил, наладил одно из маховых колесиков, и она ушла жутко довольная. Потом заходила Таня, сказала, что вчера умер старый Джайлз Мортимер. Так что придется тебе достать мой «похоронный» костюм.

— О Бог мой. Как жаль, *правда* жаль. — Рут убрала со стола обеденные тарелки. — Бедный старик. Его жена умерла всего год назад, Пандора, и никто из нас не думал, что муж протянет так долго. Он во всем зависел от нее, правда, Фрэнк?

— А? О, да. Во всем. — Фрэнк явно пытался разглядеть результаты спортивных матчей в газете, лежавшей рядом на стуле.

— Фрэнк, ты же знаешь, что прежде, чем читать газету, тебе предстоит еще дождаться кофе.

Фрэнк отвернулся от газеты, и на секунду Пандора заметила на его лице нечто похожее на выражение дикого кота, насильно заключенного в неволю клетки.

— Извини, дорогая, — проговорил он.

Рут отрезала аккуратный кусок пирога и положила на тарелку мужа. Пандора наблюдала, как мозолистые пальцы отца сражались с десертной вилкой.

— Все было очень вкусно, — сказала Пандора, чувствуя себя объевшейся и не в своей тарелке. На Малом Яйце на обед обычно были мясные лепешки, купленные в магазинчике капитана Вилли.

— Ты свободен, Фрэнк. Сейчас я принесу тебе кофе.

— Спасибо, милая. — Фрэнк, переваливаясь, двинулся в гостиную для того, чтобы откинуться на спинку кресла и почитать наконец свою газету.

— Ты помой посуду, — велела Рут, — а я отнесу ему кофе. Через несколько минут Фрэнк захрапит. Я дам ему поспать полчаса, потом он опять уйдет в мастерскую. Вот тогда мы и отправимся на всю вторую половину дня на ярмарку.

«Слава Богу!» — воскликнула про себя Пандора.

Поднимаясь наверх, она действительно услышала

храп отца. Это все от обилия еды... Пандора опять села у зеркала, зажгла свет. О Господи. Ей бросились в глаза мешки под глазами и морщины на лбу. «Надо купить какой-нибудь крем для лица, — подумала она, — и, может быть, помаду».

Глава сорок девятая

Для Рут поход на ярмарку явно был главным событием любого дня. Пандора же, хотя поначалу и пришла в восторг от самой идеи, стала быстро задыхаться в толпе людей, проталкивавшихся от одного магазина к другому. Более того, толпа стала вскоре пугать ее. Она вдруг поняла, что никого не знает на этой огромной ярмарке и что никто здесь не знает ее. Она начала беспричинно улыбаться, протягивать руки к проходящим людям, те оборачивались в ее сторону с подозрением, хмурясь.

— Да-а, я совсем отвыкла быть где-нибудь незнакомкой, — призналась Пандора.

Рут не ответила, она была занята попытками пробраться к входу в супермаркет.

— У них там скидка на туалетную бумагу, — отозвалась она наконец. С блеском в глазах Рут схватила магазинную тележку и бросилась вместе с ней вперед.

Когда они оказались у нужных полок, Рут доверху набила тележку туалетной бумагой.

— Рут, — удивленно заметила Пандора, — вы же купили этой бумаги на много лет вперед.

— Конечно, а теперь представь, какая от этого получится экономия.

Сверху на тележке гордо лежала пачка тех самых купонов от моющего средства «Капит-Софт», о которых говорила утром Рут. Продолжая свой путь среди стеллажей с товарами, они проверяли их цены, отыскивая самые дешевые. Когда они подошли к секции свежих овощей, Пандора вдруг опять почувствовала желание отведать свежих зеленых листьев салата, ярко-красных помидоров. Потом она заметила несколько голых, с редкими щетинками, кокосов, выглядевших как-то одиноко и потерянно вдали от родных жарких стран. Ей захотелось броситься к ним, схватить и увезти с собой, обратно — к солнцу и морю. На мгновение этот огромный, переполненный людьми магазин показался ей ненужным и уродливым.

— А что вы делаете с продуктами, которые не раскупаются? — спросила Пандора у девушки за кассой.

Та без интереса взглянула на женщину, задумчиво пожевала губу.

— Ну, все это, кажется, прессуют и потом выбрасывают, — с некоторым раздражением ответила наконец она.

— Разве сложно отдать все нуждающимся или, скажем, в Армию Спасения?

— Да, сложно. — Девушка продолжала проверять покупки Рут с помощью лазерного сканера. — Кто-то может отравиться, а потом подаст на нас в суд.

Пандора взглянула на красную лампочку на сканере.

— А эта штука безопасна? — спросила она.

— Кажется, да, — сказала девушка, смахивая тряпкой пыль с аппарата. — Правда, моя рука начала сохнуть, а ногти как-то странно растут, но, наверное, не от этого. Иначе они не позволили бы нам работать на подобной штуковине, не правда ли?

Пандора вгляделась в симпатичное простоватое лицо девушки и поняла, что и сама не так давно была такой же, а эти самые «они» говорили, что и как ей делать. Люди не рождаются беспомощными. Ведь все дети активны, любопытны и изобретательны. Но потом эти самые «они» учат быть беспомощными, поскольку лучше других знают, что происходит в мире, как и почему...

— Пандора, да ты спишь на ходу. — Рут опытной рукой ухватила коричневые пакеты с покупками, часть их вручила Пандоре. При этом пачка купонов опять оказалась на самом верху. — Пойдем отнесем пакеты в машину, а затем сходим в «Дейри Квин», там у них есть мое любимое мороженое. — Рут вела себя, как ребенок, ее лицо светилось в ожидании лакомства.

У Пандоры же настроение было злое и язвительное. Ей ужасно хотелось поскорее убраться с ярмарки. От едкой смеси различных запахов тошнило. Она чувствовала себя безликой и потерянной. Даже за дверями супермаркета, на автостоянке, воздух казался безжизненным и спертым. Рут аккуратно сложила покупки в багажник машины. Действовала женщина так скоро и методично, что казалось, потеряй она хотя бы минуту, может быть безвозвратно потерян и весь день. Рут захлопнула багажник, обошла машину, проверяя, закрыты ли все дверцы, потом сунула ключи автомобиля в сумочку и сказала:

— Пошли. Я угощаю.

«Дейри Квин». Пандора помнила это с детства, так назывались забегаловки, где ошивались в основном всякие проститутки, бездомные да такие, как она сама, вместе с друзьями и подружками. Чаще всего при этом Пандора бывала под действием той или иной таблетки и мало что соображала. Как оказалось, за прошедшие с тех пор годы в подобных заведениях практически ничего не изменилось. Они уселись за круглый стол, и Рут предложила:

— Выбирай, Пандора, что будешь. Я всегда беру шоколадное мороженое с кремом и еще орешки. Сейчас подойду.

— Я бы просто выпила кофе, — тихо произнесла Пандора.

За соседним столиком молодая женщина со всей

силы шлепала своего двухлетнего карапуза. Пандора уставилась на нее в упор. Женщина была вынуждена опустить глаза, а ребенок воспользовался моментом и заорал еще громче. Пандоре стало жалко женщину. Она, наверное, просто устала, извелась да и жила, вероятно, на какое-нибудь пособие. Она и ее ребенок выглядели неухоженными. Рут вернулась и с довольным выражением на лице оглядела ресторанчик.

— Я сюда ходила еще со своим отцом, — сообщила она. — Мы тут просиживали всю вторую половину воскресных дней. Это было мое время с отцом. В семье нас было пятеро детей, и каждому он уделял свое особое время, так, чтобы мы могли с ним поговорить наедине, обсудить наши проблемы.

— Вам повезло — у вас был отец.

Рут кивнула.

— Да, мне повезло. У меня было прекрасное детство, и теперь есть прекрасный муж. Каждый вечер я благодарю Бога за то, что дал мне детей и внуков.

Пандора наблюдала за Рут, которая с самодовольным видом отправляла мороженое в рот.

— Рут, — сказала она, — может, вы несчастливы или вам скучно?

Женщина широко открыла глаза.

— Пандора, да у меня времени нет ни скучать, ни быть несчастной. Я же все время занята.

— Знаю. — Пандоре было как-то неудобно задавать подобные вопросы. В конце концов, почему бы некоторым женщинам и не быть совершенно счастливыми в своей роли домохозяек? — А вам никогда не хотелось сделать что-нибудь только для себя?

Рут задумалась на мгновение.

— Да нет, пожалуй. Я все дни напролет смотрю сериалы, а там столько всего случается, что кажется, будто все это происходит со мной. Особенно мне нравится «Центральная больница». Это мой любимый сериал. Люблю смотреть его с чашечкой свежесваренного кофе.

— Понимаю. Хотела бы я, чтобы и для меня жизнь складывалась так же просто.

— Я всегда говорила своим девочкам, что секрет счастливой жизни заключается в том, чтобы не задавать слишком много вопросов. — Рут доела мороженое, облизала ложку и аккуратно положила ее рядом с тарелкой.

Пандора обнаружила, что расплескала свой кофе по всему блюдцу. «Черт, — подумала она, — ничего я не умею сделать, как надо».

Позже вечером Пандора примостилась в уголке отцовской мастерской, наблюдая за тем, как Фрэнк отделывал настенный шкаф, куда Рут собиралась поставить только что приобретенный обеденный сервиз. Она следила за тем, как уверенные руки отца отмеряли деревянный материал. Фрэнк немного пополнел, он уже не был таким крепким, гибким, как раньше, в ее детстве. По его щекам, освещенным безжалостным светом лампочки, свисавшей с потолка мастерской, пролегли борозды морщин.

— Ты счастлив, папа? — спросила Пандора.

— Да вроде бы. — Фрэнк мелом наметил линию отреза и как-то застенчиво взглянул на Пандору. — Думаю, что я настолько счастлив, насколько может быть счастлив мужчина.

Пандора почувствовала боль в его голосе.

— Что ты имеешь в виду? — уточнила она.

— Ну, мне не хватает кое-чего, знаешь. Я скучаю по поездам. Скучаю по... Ну, по некоторой свободе, наверное. Твоя мать, конечно, всегда орала на меня, но она же и давала мне свободу. Я мог уходить и приходить, когда хотел. Иногда мне просто надо было размять ноги, вот я и шел куда-нибудь.

Пандора улыбнулась.

— И из этих походов ты всегда привозил мне замечательные подарки.

466

— Ага.

— А помнишь тех золотых рыбок? — спросила Пандора.

— Конечно, я помню золотых рыбок. Ты даже потом прыгнула в реку, пытаясь достать и спасти их.

— Мама тогда гадко поступила.

— Да, но и у нее у самой жизнь была гадкой. А вот у Рут прекрасные родители, поэтому-то в ее характере и нет ничего гадкого. — Отец аккуратно склеил две деревянные секции.

Пандора услышала голос Рут:

— Ужин готов! Фрэнк, вымой руки, прежде чем идти за стол!

Фрэнк вздохнул.

— Зря она так, — сказал он, однако направился к умывальнику в углу мастерской.

— Тебе еще повезло. Она просит тебя всего лишь вымыть руки, — заметила Пандора. — А вот мамаша Ричарда при толпе народа опрашивает обычно, ходили ли мы все по большому.

— Ты, кстати, решила, как поступишь со своим мужем?

— Не знаю, папа. Но я начинаю думать, что не хочу делать мужчину стержнем жизни. Если ты понимаешь, о чем я говорю. Не хочу быть полностью ответственной за его обслуживание. Мне кажется, что от этого я теряю себя.

Они остановились в свете вечерних звезд. Погода стояла тихая, воздух Аризоны сладко благоухал.

— Я понимаю, о чем ты, поверь мне. Мужчины тоже способны понять это. Может быть, раньше, в старые времена, когда семьи были большими, мужчины и женщины просто слишком уставали, чтобы задаваться какими бы то ни было вопросами. Теперь же у всех появилось время, много времени... Его просто некуда девать.

— Фрэнк!

— Идем! — Рука Фрэнка упала с плеча Пандоры. — Ты задала мне сложный вопрос, — признался он.

Пандора последовала за отцом. «Ему скучно, — решила она. — Ему очень, очень скучно».

После того как они с Рут закончили мыть посуду, Пандора послушно уселась в одно из мягких кресел и весь вечер смотрела огромный цветной телевизор. В одиннадцать Рут сделала молочные коктейли с солодом и все отправились спать. Пандора долго лежала в детской кровати, и в душе ее росло отчаяние. «Уже недолго осталось, — думала она. — Скоро я вернусь на мой остров. Еще только четыре сонных скучных дня. Мне скучно. Мне так чертовски скучно, что можно сдохнуть. А отец, он в ловушке, и попался в нее навсегда. И он об этом знает».

Глава пятидесятая

Четыре дня спустя Фрэнк отвез дочь на железно-дорожную станцию. Рут уже простилась с ней, всплак-нув по обыкновению. Пандора, однако, чувствовала, что Рут на самом-то деле была весьма довольна тем, что вновь может в полной мере распоряжаться своим аккуратным отлаженным домашним хозяйством, иметь возможность жить в своем мирке телесериалов и бе-седовать на любые темы и в любой момент с Фрэнком, так как это было до приезда Пандоры. Ведь Рут совер-шенно не хотела, например, разговаривать с кем бы то ни было о спиде или о каких-нибудь других социаль-ных проблемах. Так что тот факт, что живое олицетво-рение угрозы миру и спокойствию ее дома наконец отбывало восвояси, она воспринимала с заметным об-легчением.

На станции Фрэнк крепко обнял дочь.

— Что бы ни случилось, Пандора, ты знаешь, где меня найти. Я в твоем распоряжении и сделаю все, о чем бы ты ни попросила.

— Знаю. — Пандора с грустью расставалась с от-цом, но при этом чувствовала свою вину, потому что дождаться не могла возвращения на остров. — Приез-жай ко мне на остров, папа.

Фрэнк покачал головой.

— Нет. Рут не переносит влажности.

Пандора хотела было сказать: «*Да пошла эта Рут к черту! Приезжай один!*», но поняла, что не сможет произнести таких слов. Поэтому она лишь улыбнулась и помахала отцу рукой.

В поезд Пандора взяла три книги и читала их на протяжении всего пути через Аризону и другие штаты в Майами. Поезд мчался по рельсам, пожирая мили и неся ее назад к дому и счастью.

Когда Пандора прибыла на остров, Моника была уже там. Она встретила дочь в аэропорту и волновалась, прямо как девочка.

— Мы с Чаком женимся в эту субботу. Свадьба будет прямо на пляже, — задыхаясь, проговорила она. — Мы специально ждали твоего возвращения.

— Ты уверена, что опять хочешь замуж, ма?

— Да, хочу. К тому же мы с Чаком особо не докучаем друг другу. Он занят своим, я — своим. Бен передал, что найдет тебя позже. Его наняли для очередного сеанса подводного плавания.

Пандора взглянула на мать и неожиданно улыбнулась. Остров хорошо действовал на Монику, это было очевидно: она похудела, загорела. Что же, может, у них с Чаком что-то и получится. К тому же любой брак — это все равно лотерея.

Солнце заходило на золотом пляже у гостиницы. Джанин так и не позволила Чаку до брачной церемонии выпить ни капли спиртного. Чак умолял налить ему хоть один стаканчик, но Джанин была непреклонна:

— Ты женишься на трезвую голову, чтобы потом не говорил: мол, не знал, что делал.

На женихе были легкие белые брюки, голубая рубашка и галстук. Моника надела серое кружевное платье, которое очень ее молодило. Пандора накрутила ей волосы, и они мягкими прядями спадали на лицо невесты. Сама Пандора, стоявшая за брачующимися в простом светло-зеленом платье, вслушивалась в произносимые вслух матерью древние клятвы, которые было так легко выговорить и так сложно соблюсти: «Будем вместе с этого дня и до того момента, пока смерть не разлучит нас».

Пастор заключил молитву громким «аминь», и пролетавшие мимо чайки столь же громко согласились с этим. А Пандора стояла и виновато думала о том, что уже дважды не смогла выполнить таких же торжественно данных обещаний. А сейчас собиралась нарушить их уже в третий раз. Моника и Чак счастливо поцеловались, а Джанин и Окто расписались в качестве свидетелей.

Вечеринка у бассейна стала продолжением. Мисс Рози радостно сияла, радовались все островитяне, пришедшие на свадьбу, включая даже мисс Мейзи.

Позже вечером, лежа в объятиях Бена, Пандора призналась:

— Я надеюсь, что у них все получится, Бен. Правда! Моя мать вполне заслуживает счастья.

Насытившийся любовью Бен сонно соглашался с ней.

Пандора откинулась на подушку, прислушиваясь к храпу любовника. Замужество было, конечно, странным явлением. Получив теперь полную свободу от Ричарда, Пандора отдавала себе отчет в том, что совсем не скучает по мужу. Напротив, ей гораздо легче было жить вдали от его вечных капризов. Ей приснилось, что она едет на трансамериканском поезде «Эмтрек», что рядом с ней Рут, поедающая мороженое и часто поднимающая голову, чтобы раз за разом повторять: «Конечно, я счастлива. Я так занята, что просто не могу быть несчастлива».

Бен был в отъезде на Большом Яйце, когда пришло очередное письмо от Ричарда. Он писал, что ему все наскучило, ничего не нравилось, что теперь он хотел бы приехать на остров, чтобы они вместе смогли попробовать начать все сначала. Пандоре это совсем не понравилось. Прежде всего, она поняла, что не хочет допустить вторжения Ричарда в свой новый мир. И потом ей все больше и больше хотелось жить одной. Даже без Бена ей было хорошо — она радовалась моментам тишины и мира. Ну, а Бен, он когда-нибудь женится на островитянке, и его дом наполнится детьми. Пандора не была против этого, ибо уже обрела некую устойчивость и чувствовала себя в мире с собой и окружающим. И с чего это Ричард взял, что он может вот так запросто вмешаться и все разрушить?!

Она спустилась к бару, отыскала Джанин. Вместе они выпили по стаканчику. Окто сидел у стойки с обеспокоенным видом.

— У западного берега Африки образовалась зона штормов. Она двигается на запад, — сообщил он. — Будем надеяться, что не к нам.

— Это ураган? — спросила Джанин.

— Нет, пока нет, но он нарождается. Я костями чую, что в этом году нас ждет отвратительная погода. Правда, никто не хочет слушать моих прогнозов. Ну, а понять-то меня могут только те, кто пережил ураган 1932 года. Молодежь, та вообще думает, что все это шуточки.

Джанин налила Пандоре еще пива.

— Я сейчас заканчиваю работу. Прогуляемся? — предложила Джанин. — Ты сможешь все мне рассказать о Фрэнке и об Аризоне.

Пандора нахмурилась.

— Да и рассказывать особо нечего, Джанин. Пластмассовая Америка, только и всего. Именно от нее сами американцы и бегут сюда. — Женщины, сняв туфли, шагали бок о бок по пляжу. Из-под их ног, как и прежде, разбегались по своим норам крохотные крабы. — Взгляни на эти раковины, Джанин.

Джанин кивнула.

— Они говорят нам, что погода меняется. Потому

472

моллюски и подходят так близко к берегу. Думаю, надо готовить пещеру. Мы уже отнесли туда белье для постелей и питьевую воду. Скажу Окто, чтобы он набрал побольше кокосов. А ты, Пандора, не забудь захватить с собой свитер потолще. Если ураган придет сюда, не медли — беги в пещеру.

Шли дни, жители острова с волнением слушали сообщения по радио. Те, у кого был телевизор, передавали новости лишенным такого удобства. На четвертый день зона свирепых штормов приобрела новую форму и за это была наречена ураганом. Ему дали имя Бетти, и он теперь, свистя и воя, надвигался на Карибское море. Считали, если повезет, он может немного повернуть и пуститься в сторону Южной Америки. Все эти разговоры об ураганах пугали Пандору, но от обилия экспертных суждений на данную тему ей в конце концов стало скучно. Она на всякий случай упаковала небольшой чемоданчик. И принялась помогать Монике составлять список товаров для ее нового магазинчика. После чего проводила мать в Майами, где та должна была произвести все необходимые покупки. Моника шутя обещала заниматься этим до тех пор, пока усталость не свалит ее с ног.

Через два дня ураган набрал скорость. При этом он действительно немного свернул со своего пути. Окто тем не менее качал головой:

— Не верю я ему, — говорил он. — Возьму-ка я свой катер и посмотрю на него поближе — с рифа у Огненного острова.

Мисс Рози поддержала его. Многие высказали сомнения в необходимости такого шага.

Позвонил Бен, сообщив, что останется на какое-то время на Большом Яйце, так как его сестре, живущей там, надо закрепить гвоздями окна в доме.

— Ты тоже собери листы фанеры и забей ими окна в доме. Прежде чем уходить, прибей еще и доску поперек входной двери, — проинструктировал он Пандору. — Даже если ураган пойдет прямо на остров, у тебя все равно будет время, чтобы уйти из дома. Так, пожалуйста, и сделай, хорошо?

Пандора обещала, что так и поступит.

В течение целого дня ураган все ближе подкрадывался к острову. Воздух становился тяжелее и напряженнее. Экраны телевизоров продолжали транслировать мутные картинки будущей бури. Джанин не выдержала и сказала, что вечером она с сестрами пойдет наверх, в пещеру. Пандора решила подождать еще немного. Она знала, что полострова уже поднялось в горы, разместившись в гротах пересекавших остров скал. Многие туристы улетели с Малого Яйца, не желая встречаться с ураганом, другие предпочли напиваться до отупения и делать ставку на то, что ничего страшного так и не произойдет.

К шести вечера в среду Пандора закончила заколачивать окна. «Завтра и я пойду наверх», — обещала она себе, потом взглянула на небо и поразилась. Ее удивил его цвет — цвет грязной краски. Ни одной птицы, все окутывала устрашающая тишина. Не было слышно ни кузнечиков, ни лягушек. Пандора взглянула на море, лежавшее впереди скользкой инертной гладью. «Приму снотворное, — решила Пандора, — и хорошенько высплюсь. Чемоданчик поставлю у двери. А с утра заколочу дверь и пойду к остальным». Она колебалась насчет снотворного, но от безветрия и тишины вокруг страшно разболелась голова.

Пандора подняла трубку телефона — линия молчала. Черт! Она хотела пожелать Бену спокойной ночи. Пандора очень устала от непрерывной работы молотком. Она сварила себе кофе, приняла душ и, надев чистую ночную рубашку, рухнула на кровать.

Проснулась она через несколько часов от пронзительного крика. Ничего не понимая, Пандора села

474

на кровати. Вся хижина ходила ходуном. Только сейчас она поняла, что это ураган. Он все же разразился и теперь бросился с моря на Малое Яйцо и расположенные поблизости острова. Пандора встала, чтобы зажечь свет, но электричества не было.

Пандора достала свой подводный фонарь. Теперь она уже была испугана не на шутку. Надев самый толстый из своих свитеров, джинсы и кеды, она попыталась открыть дверь. Ветер сильно мешал, но ей все же удалось выбраться на крыльцо. Чувствуя, что способна лишь еле-еле двигаться вперед, она все же сопротивлялась ветру. Не могло быть и речи о том, чтобы пытаться нести чемоданчик. Она видела в стороне пальмы, согнувшиеся до земли под мощными порывами ветра. За ее спиной море, совсем недавно такое спокойное и неподвижное, огромными перекатывающимися волнами рвалось на берег. Пандора отвернулась от моря и бросилась бегом к горам.

Сначала она бежала одна, потом к ней присоединились другие люди, также боровшиеся со стихией. Толстое дерево упало, перегородив дорогу в горы. Беспорядочная толпа ценой неимоверных усилий взбиралась по все более крутым горным склонам. Стариков тащили на плечах их сыновья, дети плакали, а вокруг завывал ветер. Дождь лил как из ведра. Крупные тяжелые капли били по земле и спинам людей.

Вскоре горная тропа стала скользкой и грязной, и каждый шаг вперед превращался на деле в шаг назад. Пандора цеплялась пальцами за края тропы, грязь забивалась ей под ногти. Маленькая девочка ухватила ее вдруг за ногу. «Держись крепче! — крикнула ей Пандора как можно громче, — не отпускай!» Именно в это мгновение первые гигантские волны налетели на остров.

Раздались страшные крики и плач людей, уносимых в море ужасающими волнами. Пандора крепко ухватилась за какое-то толстое дерево. Одновременно она попыталась сжать коленями тело девочки, но этого сделать ей не удалось, и отступающая вода утащила ребенка с собой. Пандора была слишком испугана, чтобы оплакивать его. Она и сама едва не выпустила спасительный ствол из рук. Сила волны едва не разжала ее пальцы.

Потом вдруг пара могучих рук обняла ее, подхватила и взвалила на плечи. «Слава Богу, — подумала Пандора, — это Окто!»

Очнулась Пандора на полу пещеры, над ней склонилась Джанин.

— Где Окто? — спросила Пандора.

— Он отправился за своей матерью, — ответила Джанин. — С тобой теперь все в порядке.

Пандора и сама это понимала. Она чувствовала себя в достаточной безопасности, чтобы облегченно расплакаться.

— Джанин, стольких людей унесло в море!

Джулия молча сидела на полу. Барабаны стояли на коленях. Пандора опять слышала их звук, теперь он был похож на плач матери по погибшим детям. Джейн удалилась вглубь пещеры и что-то там разогревала. Джанин с Пандорой подошли к выходу из грота. Сцепив руки, они выглянули наружу и увидели, как Окто с трудом взбирается вверх по тропе. Он нес странное существо, огромная голова которого лежала на плече гиганта, а миниатюрное тело покоилось у него на руках. Ветер завывал все сильнее и громче.

— Иди сюда, Окто, быстрей! — закричала Джанин.

Пандора схватила ее сзади.

— Не ходи туда, тебя унесет в море.

Окто двигался вперед шаг за шагом. Вдруг он поскользнулся, и какое-то мгновение замершие в ужасе женщины смотрели, как он вместе со своей матерью, медленно вращаясь, падает в ревущие каскады морских волн, жадно поджидавшие все новые и новые жертвы.

476

Джанин, бросившись на песочный пол пещеры, дико закричала. Ее сестры в горе схватились за головы. Пандора молча опустилась на колени. Шок не позволял ей даже думать. В голове была лишь одна мысль: может быть, если бы Окто не пошел спасать ее, то смог бы уцелеть сам и помочь своей матери.

Наступила бессонная ночь. Ветер продолжал бешеный вой, море вторило ему. Пандоре казалось, что идет решающая схватка сил добра и зла, что ветер — это Люцифер, пытающийся все подчинить своей воле, а море — Бог. Пандора приподнялась, вглядываясь в кромешную мглу. Много часов спустя она, потерявшая счет времени, все же уснула, упав на пол пещеры.

Глава пятьдесят первая

Когда Пандора проснулась, ее вновь окружала мертвая тишина. Джулия тоже уже не спала и что-то кипятила в котелке. Слава Богу, Джанин еще не просыпалась.

— О Бог мой, Джулия! Что же Джанин будет делать без Окто?

Джулия пожала плечами.

— Она долго будет печалиться о нем, Пандора, но жизнь ведь продолжается.

— Может быть, он смог бы спасти свою мать, если бы не был вынужден искать и спасать меня?

— Не думай так. Это чисто западный образ мыслей. Просто пришло его время. Ведь больше всего его беспокоило то, что он погибнет и оставит мать одну, даже если Джанин и обещала ухаживать за ней вместо него. Он шел вверх с ней на руках, то есть сделал то, что должен был сделать. Он не печалится сейчас. Это мы остались в этом мире, чтобы печалиться о нем.

Все четыре женщины, примостившись на полу, пили кофе. Потом Пандора встала, взглянула вверх — в серое низкое небо.

— Надо подождать и убедиться, что ураган вновь не налетит на нас. В 1932 году люди вышли из пещер, когда пришла тишина. Они не знали, что были в эпицентре урагана, и не ждали, что придет еще и задняя его стена. Она-то и убила многих.

Джейн заговорила с барабанами. Они ответили: их голос был теперь мирным, тихим, превратился в мягкий говор, идущий от вечных истин, от знания могучих сил Вселенной, напоминающий человеку, что он в любой момент жизни лишь на шаг отстоит от смерти.

Пандора выглянула из пещеры. Внизу она увидела вереницу людей, спускавшихся по грязной тропе вниз.

— Пожалуй, все действительно кончилось, — сказала она. Вокруг запели птицы, у берега два огромных фрегата возобновили свою пикирующую охоту.

Джулия тоже вышла из грота.

— Нам предстоит очень трудный спуск, но я все же хочу посмотреть, что осталось от моего дома, если вообще что-то осталось.

— Вот, — Пандора обернула одеялом поникшие плечи Джанин, — я помогу тебе спуститься. — Вместе с Джейн они вытащили ее из пещеры, и все вместе стали осторожно спускаться вниз по грязи и скользким камням, шаг за шагом. При этом они то и дело наталкивались на застрявшие в ветвях деревьев тела людей, чьи лица были им знакомы.

В душе Пандоры боролись противоречивые чувства: она безумно радовалась, что осталась жива, и в то же время испытывала вину перед погибшими, потому что их уже нет, а она живет. У тропы лежало тело крошечного ребенка. Глаза его были широко открыты. Пандора закрыла их, сложив детские ручки на груди.

— Матерь Божия! — воскликнула Джулия и перекрестилась. — Смотрите-ка, под тем валуном. Это же Вирджил. Он уже больше не будет снимать никаких гадких фильмов. — Рот Вирджила был приоткрыт в гримасе боли и страха.

Они продолжали спускаться вниз. То и дело встававшие перед глазами ужасные картины смерти надрывали ей сердце. Она поняла: надо прекратить думать о мертвых, потому что они уже мертвы. А умирающих вокруг не было, ибо вода поглотила их. Окто спас ей жизнь, но не спасся сам. Пандора никогда раньше так близко не подходила к смерти. На этот раз она даже, казалось, почувствовала ее острый металлический вкус.

Наконец они оказались у подножия гор. Группы мужчин вручную вытаскивали из земли поваленные деревья. Электричества не было. Единственная на острове машина «скорой помощи» металась к госпиталю и обратно. До слуха Пандоры донесся шум работы автономного дизель-генератора, обеспечивающего больницу электричеством. Больница была построена исключительно на средства жителей Малого Яйца. Впервые Пандора вспомнила о Бене. «Как он там?» — подумала она. Телефон тоже не работал, вдоль дорог вповалку лежали столбы, поддерживавшие раньше телефонные провода.

— Отведите Джанин домой. Я пойду проверю, что там с моим жилищем. — Пандора волновалась, ведь она не забила досками входную дверь. — Я вас потом найду. — Она медленно двинулась по дороге вместе в другими жителями, так же подавленно бредущими в направлении своих, видимо, уже бывших домов. Вокруг виднелись здания без крыш, сады с вывернутыми деревьями. От одного дома вообще осталась лишь стена, рядом висел, как бы сам по себе, портрет королевы. Люди говорили друг с другом, продолжая ковылять вперед, как некое заблудшее племя, окутанное туманом печали и несчастья. Одеяло, в которое Пандора завернулась, насквозь промокло и теперь тяжело давило на плечи.

Она завернула за угол и к великой своей радости увидела, что маленькая хижина Бена стоит невредимой на своем прежнем месте. Дверь была открыта, а на пороге орудовала мисс Рози, выметавшая резкими движениями песок из дома.

Последние несколько ярдов Пандора пробежала, с ходу она бросилась в объятия бабушки.

— Окто погиб, мисс Рози!

Мягким движением та сняла одеяло с плеч Пандоры.

— Я знаю, — ответила она. — Я видела, как их души воспарили над их телами. Как светлячки. Они будут праздновать свой приход к Богу сегодня ночью. Добрый Господь прибрал к себе души многих. И при этом, — она улыбнулась, — оставил мои старые усталые кости на этой земле.

— О, мисс Рози! Я бы не перенесла, если бы что-то случилось и с вами.

— Со мной ничего не случится, дитя мое, до тех пор пока не придет мое время. Войди да сними-ка все эти мокрые вещи с себя. Я нагрела воды. Ты не должна простудиться. Ведь многие умирают как раз от холода и болезней, которые приносит с собой ураган. Скоро все колодцы будут заражены, за исключением одного — на северной стороне. К вечеру придут английские военные корабли, они помогут нам разобрать завалы.

Пандора разделась, открыла чемоданчик.

— Не думаю, мисс Рози, что после этого я смогу стать опять такой, как прежде.

Умные глаза мисс Рози улыбнулись ей.

— Ураган — могучее явление. После него начинаешь лучше взвешивать свои слова и поступки. — Бабушка Бена передала Пандоре миску с местным супом. — Это поможет тебе уснуть. Я побуду здесь, и, когда ты проснешься, почувствуешь себя гораздо спокойнее.

Пандора послушно съела суп, свернулась калачиком на постели. Она быстро уснула, едва успев прошептать слова благодарности.

Бен прилетел на остров первым самолетом. Окончательное число жертв урагана было таким: сто двадцать погибших и семьдесят тяжело раненных. Большинство домов получили повреждения, некоторые просто смыло. В течение трех дней после стихийного бедствия с неба лил дождь, по земле повсюду разливались огромные зеленые лужи. Прибыли английские корабли с одеялами, продовольствием. Она же обеспечили временным жильем тех, кто его потерял. Дожди наконец прекратились, стало выглядывать солнце.

Большую часть времени Пандора просиживала на пляже, думая об Окто и зная, как будет скучать без него. Джанин была вообще безутешна.

Солнце грело все сильнее, да и весь остров стал потихоньку возвращаться к нормальной, упорядоченной жизни. Со всех сторон раздавались звуки пил и молотков. Всех мертвых нашли и похоронили. Раненым становилось лучше. Зацвели сломанные ветви деревьев.

— Мир и вправду продолжает жить, знаешь, Джанин? — Пандора смотрела на спокойные воды моря, бывшие такими предательски опасными всего несколько дней назад. — Не прокатиться ли нам на катере Бена, а?

Джанин кивнула.

Вместе они вытащили лодку из-под хижины, отволокли к морю.

— Оставим мотор. Давай просто будем грести. Я с этим сама справлюсь. — Пандора взялась за весла, а Джанин прилегла на заднем сиденье, уставившись в уже голубое яркое небо. Пандора тем временем выгребла на середину лагуны. Ничто не двигалось, и казалось, что они попали в безвоздушное пространство. Взглянув вперед, Пандора увидела что-то похожее на косяк необычно больших рыб.

— Посмотри-ка, Джанин, — позвала она подругу, — что это там?

Джанин поднялась, прикрыла ладонью глаза.

— Это дельфины. Они приплыли.

Пандора разволновалась. Морские существа приближались к их катеру. Три крупных дельфина выпрыгнули над водой, за ними последовали остальные. Пандора сидела, замерев, словно своим дыханием могла спугнуть дельфинов. Спустя некоторое время любопытные животные стали подталкивать катер носами. Потом принялись подныривать под дно, всплывать и хлопать хвостами, окатывая брызгами сидевших женщин. Один из крупных дельфинов рванулся из воды и перемахнул прямо через нос катера.

— Я пойду поплаваю с ними, Джанин.

Та улыбнулась.

— Иди, я тебя подожду здесь.

Пандора сняла купальник и ловко нырнула. Войдя в воду, она сразу же почувствовала близкое движение дельфиньих тел. Вынырнула, рассмеялась, отпихивая от себя носы заигрывающих с ней животных. Дельфины весело разговаривали с ней на своем языке. Небо ярко блистало над землей и морем, дельфины дарили свою радость и душу повстречавшимся на их пути женщинам. Повернувшись на живот, Пандора ухватилась за спинной плавник самого большого дельфина, тот понес ее над волнами, и Пандора буквально возликовала от охватившего ее счастья.

Дельфины еще какое-то время оставались с женщинами, потом двинулись своим путем. Пандора забралась обратно в катер.

— Твое лицо просто сияет, Джанин, — удивилась Пандора.

Та кивнула.

— Я молилась, чтобы пришли дельфины и вернулась радость в нашу жизнь. И вот это случилось. Теперь я могу спокойно проститься с Окто.

Когда они вернулись к хижине, Бен стоял по щиколотку в морской воде. Он посмотрел на Пандору и спросил:

— Ты плавала с дельфинами?

— Откуда ты знаешь? — удивленно спросила Пандора.

— Всякий, кому удается это, сияет потом, как луч света. Потому что дельфины передают людям свою радость и знание мира.

Пандора вошла в дом. «Бен прав, — подумала она. — Я действительно чувствую в себе необыкновенное сияние».

Над их головами пролетел в сторону аэропорта маленький частный самолет. Бен подошел к дверям хижины. Немного спустя зазвонил телефон. Пандора подняла трубку.

— Как дела, Пандора, с тобой все в порядке?

— Да, все в порядке. Ты где, Ричард? Твой голос звучит так близко.

— Я здесь, на острове. Меня подвез один человек, который летел сюда, чтобы доставить лекарства в вашу больницу. Я страшно волновался за тебя. Мы все волновались. Мамочка чуть с ума не сошла.

Пандора не спешила отвечать.

— Где мы сможем встретиться?

— Приезжай в гостиницу. Я тебя там найду. — Нахмурившись, она положила трубку. — Это Ричард, — сообщила она Бену.

— И как ты думаешь поступить?

— Не знаю, Бен. Пойду встречусь с ним, потом вернусь сюда.

— Я буду ждать.

— Спасибо, Бен. Ты настоящий друг.

Бен улыбнулся.

Пандора надела поверх купальника платье из хлопка и села на мопед. Она нарочно поехала долгим путем, через южную часть острова, зная, что боится даже думать о предстоящей встрече с Ричардом. Пандора чувствовала, как рушится только что установившийся в ее душе покой. Ей хотелось остановить мопед, броситься в море и увидеть рыб, занятых своими простыми, обыденными делами. Или нырнуть с рифа в глубину, где жила знакомая барракуда Бена, подплыть к ней и погладить ее ужасную пасть, которая за это время стала ей даже нравиться. И хотя первые годы с Ричардом, годы любви и дружбы, все еще сохранялись в душе Пандоры теплыми воспоминаниями, но зато последние втоптали эти воспоминания в грязь, похоронили, как может похоронить траву большой валун. «Это больше не должно повториться», — вновь решительно сказала себе Пандора. И проблема тут заключалась вовсе не в том, что Ричард занимался любовью с Гретхен. Это Пандора еще могла бы простить и принять. Она не могла принять его предательства, того, что Ричард так гадко соврал ей. Она просто не сможет больше ему доверять. Даже если муж поклянется в верности, это ничего не изменит. Измена в браке ведь начинается в голове, в мыслях, а поэтому она всегда будет смотреть на Ричарда с подозрением. А где нет доверия, там любви не расцвести...

Мопед, двигаясь как бы по своей воле, привез-таки Пандору к гостинице. Нехотя она припарковалась, закинула за спину пальмовую корзину, пожалев, что при ней нет нескольких таблеток транквилизаторов. Она прошла через холл гостиницы в бар. Джанин помахала ей рукой и улыбнулась:

— Твой муж вон там, — сообщила она, показывая на волейбольную площадку.

Пандора нахмурилась. Она уже видела и слышала, как Ричард прыгал в толпе прочих туристов, с увлечением перебрасывая туда-сюда мяч через сетку. Он даже умудрялся подбадривать своих товарищей по команде: «В точку! Это был отличный удар, скажу я вам!»

Пандора остановилась и оглядела его. На нем были типично английские белые шорты, мешками висящие на коленях. Она невольно улыбнулась, вспомнив, как в свое время пыталась уговорить его сменить их на шорты покороче в американском стиле. «Но, Пандора, — спорил тогда с ней Ричард, напряженно морща лоб, — нам еще в школе говорили, что обтягивающие шорты мешают нормальному спермовыделению. А я не хочу, чтобы что-то плохо отражалось на качестве моей спермы. К тому же я против того, чтобы мое бедное хозяйство изнемогало от жары в таких трусах. Я — англичанин и буду носить английские шорты».

Сейчас на нем была еще серая легкая рубашка и английские парусиновые туфли.

Едва передвигая ноги по песку, Пандора направилась к нему.

— Ричард! — позвала она.

Он не услышал. Слишком уж был занят тем, что показывал окружающим, как умеет играть.

— Ричард! — закричала Пандора раздраженно.

Наконец-то он обратил на нее внимание.

— Пандора! Подожди чуточку, дорогая. Мы только доиграем эту партию.

Пандора вздохнула и опустилась на песок. Слишком часто ей приходилось слышать эту фразу. Долгими часами она наблюдала, как Ричард играл в гольф на английских лужайках, в крикет в Девоне или в бейсбол в Бостоне. Если сложить все эти часы зевающей скуки, то получатся годы, которые она могла бы добавить к своей жизни. Правда заключалась в том, что их супружество в конце концов превратилось в некое подобие жизни. Жил Ричард, а она лишь существовала. «Ричард, — думала Пандора, глядя на него, так быстро освоившегося на этом острове, — всегда будет жить так, как хочет». Для него ведь мир был безопасным местом. Это она почти постоянно бывала чем-то напугана до смерти. Ричард же держал свою жизнь под контролем. Вот и сейчас он собирался вернуться к ней, несмотря на то что почти разорил ее своим транжирством. Более того, он врал ей, был ей неверен и тем не менее смог запросто прилететь сюда и пытаться влезть обратно в ее жизнь и надеяться, что она бросится в его объятия».

Взрыв голосов возвестил об окончании игры. Те несколько туристов, что досмотрели эту увлекательную встречу до конца, начали расходиться. Ричард подбежал к Пандоре.

— Ты выглядишь сногсшибательно, любовь моя, — произнес он. Глаза его блестели. — Никогда не видел тебя такой сверкающей, великолепной, дорогая. — О, Пандора, я так скучал по тебе. — Опустившись на колени, он взял ее за руки. Голос его стал молящим.

Она взглянула в красивое лицо Ричарда и почувствовала, что вся ее решительность начинает таять.

— Когда я услышал про ураган, я понял, как сильно люблю тебя. Мысль о том, что с тобой что-то может случиться... Пожалуйста, дорогая. Пожалуйста, позволь мне вернуться к тебе.

— Ричард, ты не можешь просто так взять и вернуться. В любом случае, я живу сейчас с Беном, и я с ним очень счастлива. Он добр и нежен.

— А я не такой, да?

— Да, именно! Ты таким не был.

Лицо Ричарда помрачнело.

— А чем занимается этот твой Бен?

Пандора пожала плечами.

— Ловит рыбу, иногда сопровождает группы подводного плавания, а время от времени что-то делает для департамента общественных работ.

— Ты влюблена в него? — Голос Ричарда стал резким, и Пандора сразу вспомнила, каким злым он может иногда быть.

— Нет, я не влюблена в Бена в том смысле, что ты имеешь в виду. Я его люблю как друга и любовника. Но я никогда и никого не любила так, как любила тебя в наши первые годы.

— Так почему же нам не быть опять вместе?

Пандора очень внимательно посмотрела на него и медленно выговорила:

— Ричард, что бы ты ни сделал и ни сказал, ты никогда не повзрослеешь. Но вечно жить подростком невозможно. Меня предупреждали что нельзя выходить за тебя, но я не послушалась и была дурой.

Ричард встал.

— Мне надо выпить, — с отчаянием сказал он.

Пандора пошла вместе с ним к бару. Они уселись за ближайший столик. Джанин с тихой симпатией смотрела в их сторону. Она только что потеряла Окто, а теперь видела, как Ричард теряет Пандору, и ей было его жалко. У Ричарда слишком нечувствительная душа для Пандоры. Джанин со страхом ждала дня, когда подруга решит покинуть остров. При этом она знала, что Пандора обязательно возьмет всю накопленную здесь мудрость жизни с собой. Ну а Ричард долго тосковать не станет. Мир полон симпатичных женщин, которые подойдут ему. Но сам он всегда в сердце своем будет знать, что потерял ту единственную женщину, которая действительно любила и понимала его. И эта боль останется в его сердце навечно. Джанин знала, что это будет за боль, и жалела Ричарда.

— Итак, — хмуро спросил он, — мне нет смысла оставаться на этом острове, да?

— Почему же, Ричард. Нам с тобой не обязательно быть любовниками. Со временем мы разведемся. Но пока мы вполне можем оставаться друзьями. Я помогу тебе освоить подводное плавание и покажу остров. Тебе он понравится, уверяю тебя.

— А что ты намерена делать в дальнейшем, Пандора? Ты ведь всегда была такой беспомощной.

— Я больше не беспомощна, Ричард. Это все прошло. Здесь я смогла воспитать характер. Нашла то, что искала. Видишь ли, я раньше никогда себя не ощущала личностью.

— Это ты мне говоришь? — Ричард вновь принял воинственный тон.

— Не злись. Выслушай. Благодаря Окто, Джанин и всем моим друзьям с этого острова я узнала свой внутренний мир. Знаешь это изречение: «Через мир с Богом приходит понимание всего». Так вот, я нашла этот мир, Ричард.

Он внимательно смотрел на Пандору. Она действительно изменилась. В ней появился какой-то внутренний свет, пробивавшийся и наружу.

— Недавно, — продолжала она, — за наши рифы заплыла стая дельфинов. Я бросилась в воду, они приняли меня с радостью. И эти минуты, проведенные вместе с ними, я ощущала себя дельфином. У меня словно появились плавники и изменилась кожа. Мы не были ничем разъединены. Между мной и дельфинами установился контакт, и как бы пошел электрический ток, полный любви, мудрости и сочувствия. Все это мне дарили дельфины, и именно это я намерена дарить теперь окружающему миру. Когда придет время, я вернусь, поступлю в какой-нибудь колледж и получу диплом в области социальных наук. Оставшуюся же жизнь я планирую посвятить помощи таким женщинам, которые, как и я раньше, считают, что они никому не нужны и ни для кого не желанны. До приезда сюда у меня не было никакого внутреннего мира, лишь блеклая безрадостная оболочка. Теперь же я обрела свой внутренний мир и хочу дарить его окружающим.

Ричард выглядел удивленным.

— Пандора, я надеюсь, ты не говоришь мне обо всей этой американской поп-психологии, а?

Она рассмеялась.

— Брось, Ричард! — Она встала. — Вот что я тебе скажу. Приходи-ка ты к нам с Беном на обед. Я приготовлю тебе лобстера под кокосовым соусом. Тебе обязательно понравится.

— Почему бы и нет? — Ричард глядел в сторону на сидевшего по соседству уродливого мальчика. Его нижняя губа обиженно отвисла.

— Обещаю, что заеду за тобой в семь. — Пандора чмокнула его в макушку и скрылась.

Ричард никогда еще не испытывал такого чувства одиночества. Оно было похоже на холодную струю воды, капающую за шиворот и прямо в душу. Он поднялся и двинулся к бару.

— Никто не хочет сразиться в теннис? — громко спросил он, теперь уже оттопыривая по-английски верхнюю губу.

— Я готов, приятель, — ответил какой-то австралиец.

— Здорово! Я схожу за ракеткой. Встретимся на корте. — «Ни за что не позволю этому австралийчику побить меня — британца!» — решил Ричард и отправился в номер за ракеткой.

— Как прошла встреча? — спросил Бен, обнимая Пандору.

— Лучше, чем я предполагала. Вечером я пригласила его на обед. Так что сможете познакомиться. Встреча с ним позволила мне кое-что понять. Он спросил меня про планы на будущее. Благодаря ему я поняла, Бен, что хочу делать в жизни: я хочу научить других женщин тому, что не следует полностью подчинять свою жизнь служению мужчине. Некоторые дамы, правда, от этого бывают только счастливы. Они в моей помощи не нуждаются. А вот миллионы других женщин в мире, живя тихо и в полном отчаянии, просто гибнут. Но никто этого не замечает.

Бен вздохнул.

— Я страшно по тебе скучал, Пандора!

— Я тоже, Бен, но мы оба знаем, что ты не сможешь жить вне этого острова, как посаженный в клетку фрегат. Ну а я, я должна уехать отсюда, чтобы снова начать жить. Причем я не чувствую, что в этой жизни мне нужен мужчина. Пока я счастлива сама по себе, счастлива, что могу самостоятельно решать свои проблемы. И это здорово! Может быть, с годами в мою жизнь придет мужчина, который не будет покушаться на мою личную жизнь. Тогда я подумаю над тем, как поступить. И еще, я всегда буду возвращаться сюда, Бен, к тебе, потому что Малое Яйцо — это мой дом. И именно в этом вся его прелесть. Я наконец-то нашла свой дом.

Пицци Эрин

П 32   Плавать с дельфинами. — Роман. — Пер. с англ. В.В.Андреева. — М.: АО „Издательство «Новости»“, 1999. — 496 с.

(Серия «Мировой бестселлер»)

Книга издана в суперобложке

Полностью разочаровавшись в жизни, Пандора , героиня этой увлекательнейшей мелодрамы с элементами мистики, отправляется на затерявшийся в океане остров под названием Малое Яйцо. Здесь среди простых и отзывчивых людей в ее душе возрождаются любовь и надежда.

ББК 84.4 (4 Вл.)
УДК 820(420)-31

Эрин Пицци

ПЛАВАТЬ С ДЕЛЬФИНАМИ

Серия «Мировой бестселлер»

Заведующий редакцией *Т.Ю. Савинова*
Ответственный за выпуск *Е.И. Бонч-Бруевич*
Редактор *М.А. Явриян*
Младший редактор *Н.В. Потатуева*
Художественный редактор *В.В. Анохин*
Технический редактор *Н.А. Федорова*
Корректор *Е.В. Клокова*
Технолог *В.Н. Каткова*

ЛР № 040676 от 28 февраля 1994 года

Подписано в печать 17.11.98 г.
Формат издания 84×108^1/$_{32}$. Усл. печ. л. 26,04.
Уч.-изд. л. 23,74. Тираж 5000 экз. Заказ № 0970.
Изд. № 9320.

АО „Издательство «Новости»"
107082, Москва, Б. Почтовая ул., 7.

Отпечатано с готовых диапозитивов
на Книжной фабрике № 1 Госкомпечати России
144003, г. Электросталь Московской обл., ул. Тевосяна, 25.